Por siempre jamás

HARLAN COBEN

POR SIEMPRE JAMÁS

Traducción de
FRANCISCO MARTÍN

S
Ed.a

RBA

Título original inglés: *Gone for Good.*

© Harlan Coben, 2002.

© de la traducción: Francisco Martín, 2003.

© de esta edición: RBA Libros, S.A., 2017.

Avda. Diagonal, 189 - 08018 Barcelona.

rbalibros.com

Primera edición en esta colección: marzo de 2017.

REF.: OBFI191

ISBN: 978-84-9056-801-9

DEPÓSITO LEGAL: B. 640-2017

ANGLOFORT, S. A. • PREIMPRESIÓN

Impreso en España - *Printed in Spain*

A ma vie de coeur entier

1

Tres días antes de morir, mi madre me dijo —no fueron sus últimas palabras, pero estuvieron cerca— que mi hermano vivía. No dijo nada más. No dio explicaciones. Lo dijo sólo una vez. Estaba agonizando y la morfina le oprimía inexorablemente el corazón; el color de su piel había cobrado ese matiz de ictericia y bronceado desvaído. Sus ojos se habían hundido profundamente en el cráneo y apenas salía del profundo sopor. De hecho, sólo tuvo otro momento de lucidez si es que realmente lo fue, pues lo dudé mucho, que yo aproveché para decirle que había sido una madre estupenda, que la quería mucho y adiós. No hablamos de mi hermano, lo cual no quiere decir que no pensáramos en él como si estuviera sentado también junto al lecho.

Está vivo.

Ésas fueron sus palabras exactas. De ser cierto, yo ignoraba si era bueno o malo.

La enterramos cuatro días más tarde.

Cuando regresamos a casa para el *shivah*, mi padre irrumpió colérico en el cuarto de estar, donde había una alfombra roída. Tenía la cara congestionada de ira. Yo estaba allí, claro. Mi hermana Melissa y su marido habían venido en avión desde Seattle; tía Selma y tío Murray paseaban de arriba abajo y Sheila, mi alma gemela, estaba sentada a mi lado y me apretaba la mano.

Sólo nosotros.

Como único adorno teníamos un espléndido y monstruoso ramo de flores. Sheila sonrió y me apretó la mano al ver la tarjeta en blanco con un simple dibujo.

Papá no dejaba de mirar por los ventanales, los mismos contra los que habían disparado dos veces con una carabina de aire comprimido en los últimos once años, y musitó entre dientes: «Hijos de puta».

Se había vuelto para pensar en alguien que no había ido. «Dios, ¿cómo es posible que no aparezcan los Bergman?» Luego cerró los ojos y apartó la vista. Volvía a torturarse, mezclando su dolor con algo que no tenía el valor de afrontar.

Una traición más en diez años repletos de traiciones.

Necesitaba tomar el aire.

Me levanté y Sheila me miró preocupada.

—Voy a dar una vuelta —dije en voz baja.

—¿Te acompaño?

—No.

Sheila asintió con la cabeza. Llevábamos juntos casi un año y yo nunca había tenido una compañera tan en sintonía con mis vibraciones, más bien raras. Volvió a apretarme la mano amorosamente y sentí que el calor se extendía dentro de mí.

El felpudo de la entrada era de fibra, como si lo hubiéramos robado en la zona de prácticas de un campo de golf, y tenía una margarita de plástico en la esquina superior izquierda. Pasé por encima de él y di un paseo hasta Downing Place, una calle bordeada por construcciones de dos alturas con ventanas de aluminio abrumadoramente vulgares, de 1962 aproximadamente. Aún llevaba puesto el traje gris oscuro que me picaba con aquel calor. El sol brutal golpeaba como un tambor y algo perverso en mí me decía que hacía un día estupendo para estar de duelo. Ante mí surgió fugaz la imagen de la sonrisa de mi madre capaz de iluminar el mundo antes de que ocurriera aquello. La aparté de mi mente.

Sabía adónde iba, aunque difícilmente lo habría admitido. Me atraía el lugar y una fuerza invisible me impulsaba hacia él. Habrá quien diga que es masoquismo y otros quizá lo atribuyan a mi deseo de poner punto final. Yo no diría que fuese ni lo uno ni lo otro.

Simplemente quería echar un vistazo al lugar donde todo había acabado.

Las imágenes y los sonidos de barrio de la periferia en verano me invadieron: niños en bicicleta gritando. El señor Cirino, propietario de la tienda de coches Ford/Mercury en la Autopista 10, cortaba el césped. Los Stein, que habían montado una cadena de electrodomésticos, después absorbida por otra empresa mayor, daban un paseo cogidos de la mano. En casa de los Levine había un partido de fútbol, aunque yo no conocía a los jugadores. Del patio trasero de los Kaufman salía humo de barbacoa.

Pasé por delante de la antigua casa de los Glassman. Mark Glassman *el Tonto* había saltado cuando tenía seis años a través de la puerta corredera de cristal jugando a Supermán. Recordé los gritos y la sangre: tuvieron que darle más de cuarenta puntos de sutura. De mayor, el Tonto hizo una carrera fulgurante como multimillonario arribista en patentes de propiedad intelectual. No creo que ahora lo llamen el Tonto, pero nunca se sabe.

La casa de los Mariano, en la esquina, seguía teniendo aquel toldo de color amarillo flema horrendo, y un ciervo de plástico frente a la entrada principal. Angela Mariano, la chica mala del barrio, era dos años mayor que nosotros y de una especie superior que infundía temor. Mirando a Angela tomar el sol en el patio trasero de su casa con un top de cordoncillo sin espalda que desafiaba las leyes de la gravedad, yo había sentido las primeras y dolorosas punzadas hormonales del deseo. Se me hacía la boca agua. Angela solía discutir con sus padres, fumaba a escondidas en el cobertizo de herramientas de detrás de la casa y tenía un novio con moto. El año pasado tropecé con ella en Madison Avenue; yo esperaba encontrarla horrible —como se oye decir que sucede siempre a las lujuriosas precoces—, pero Angela tenía muy buen aspecto y parecía feliz.

En el 23 de Downing Place, un aspersor rociaba perezosamente el césped de Eric Frankel. Eric tenía un bar *mitzvah* ortodoxo con decoración de viajes espaciales en Chanticleer de Short Hills cuando los dos estábamos en el séptimo grado. El techo negro imitaba un planetario con las constelaciones; la tarjeta de mi mesa rezaba «Mesa Apolo 14»; el florero era un cohete en pequeño sobre una rampa de lanzamiento verde; los camareros vestían artísticos trajes espaciales, supuestamente del Mercurio 7, y nos servía «John Glenn». Allí entramos un día furtivamente, en la capilla, Cindi Shapiro y yo y estuvimos sobándonos más de una hora. Era mi primera vez. No sabía lo que estaba haciendo. Cindi sí. Recuerdo que fue fantástico: su lengua me acariciaba y me hacía cosquillas de una manera increíble. Pero también recuerdo que mi arrobamiento inicial cedió al cabo de veinte minutos aproximadamente a un franco aburrimiento, a un vago «¿y qué más?» y a un ingenuo «¿y eso es todo?».

Cuando regresamos a hurtadillas a la Mesa Apolo 14 en Cabo Kennedy con la ropa arrugada y mucho ánimo después del besuqueo (mientras la banda de Herbie Zane deleitaba al público con *Fly Me to the Moon*), mi hermano Ken me llevó aparte y me preguntó por los detalles. Yo, naturalmente, se los di alborozado y él me obsequió con una gran sonrisa y chocamos la mano. Aquella noche, tumbados en nuestras literas —la suya era la de arriba— y con el equipo estéreo tocando *Don't Fear the Reaper* de Blue Oyster Cult (la canción favorita de Ken), él me explicó los secretos de la vida según la versión de un alumno de noveno. Después supe que estaba bastante equivocado (por su excesivo énfasis en lo de las tetas), pero nunca puedo evitar una sonrisa cuando pienso en aquella noche.

«Está vivo...»

Meneé incrédulo la cabeza de un lado a otro y doblé en Coddington Terrace a la altura de la vieja casa de los Holder. Era el mismo camino que Ken y yo seguíamos para ir a la escuela primaria Burnett Hill. Había un paso pavimentado entre dos casas que servía de atajo. Me pregunté si aún existiría. Mi madre —a quien hasta los niños llamaban Sunny— solía seguirnos hasta el colegio casi subrepticiamente y nosotros poníamos los ojos en blanco cuando notábamos que se escondía detrás de un árbol. Sonreí al pensar en aquel sentido sobreprotector, que a mí tanto me molestaba y ante el que Ken simplemente se encogía de hombros. Ken era desde luego lo bastante tranquilo para que le fuera indiferente. Yo no.

Sentí un nudo en el estómago y seguí adelante.

Quizá fuese mi imaginación, pero noté que la gente me miraba. Era como si se hubiera apagado el ruido de las bicicletas, de los pases de baloncesto, de los aspersores y de los cortacéspedes, de los gritos de los jugadores. Algunos me miraban con curiosidad porque era realmente extraño ver a alguien con traje gris oscuro pasear por allí una tarde de verano, pero la mayoría, o a mí me lo pareció, miraban horrorizados al reconocerme, sin poder creerse que osara hollar aquel suelo sagrado.

Llegué decidido hasta el 47 de Coddington Terrace. Me había aflojado la corbata; metí las manos en los bolsillos y recorrí la curva del camino de entrada a la casa. ¿Por qué había ido allí? Vi moverse un visillo y tras el cristal surgió el rostro demacrado y espectral de la señora Miller, que me miraba con odio. Yo le sostuve la mirada. Ella me siguió mirando, pero para mi sorpresa dulcificó acto seguido su actitud, como si nuestra mutua angustia hubiese conectado en cierto modo. Me saludó con una inclinación de cabeza. Yo correspondí sintiendo que mis ojos se inundaban de lágrimas.

Quizá conozcáis la historia por *20 / 20* o *Prime Time Live*, o cualquier programa basura de televisión. Para quienes no la conozcan, ésta es la versión oficial: el 17 de octubre, hace once años, en Livingston, Nueva Jersey, mi hermano Ken Klein, de veinticuatro años, violó y estranguló brutalmente a nuestra vecina Julie Miller.

En el sótano de su casa. Coddington Terrace 47.

Allí encontraron el cadáver. Aunque no había pruebas concluyentes de que la hubieran asesinado en aquel cuarto destartalado o de si la habían dejado una vez muerta detrás del sofá a rayas mojado, casi por unanimidad todos se inclinaban por lo primero. Mi hermano huyó y desapareció, repito que según la versión oficial.

Estos últimos once años, Ken ha burlado todos los operativos policiales de captura internacionales, aunque ha «sido visto».

La primera vez fue aproximadamente un año después del crimen en un pueblecito pesquero en el norte de Suecia. La Interpol se presentó, pero mi hermano logró librarse de ella. Se supone que recibió un aviso. No imagino cómo ni de quién.

La segunda vez fue cuatro años más tarde en Barcelona. Ken había alquilado —según la noticia del periódico— «una hacienda con vistas al océano» (Barcelona no está al borde de ningún océano) con —según decía el periódico, repito— «una mujer esbelta, de pelo negro, quizá bailarina de flamenco».

14

Fue nada menos que un vecino de Livingston que pasaba allí las vacaciones quien dijo haber visto a Ken y a su amante española comiendo en la playa. La descripción de mi hermano correspondía a la de un hombre bronceado, de buen aspecto, con camisa blanca desabrochada y mocasines sin calcetines. El vecino de Livingston, Rick Horowitz, fue compañero mío en cuarto grado, en clase del señor Hunt, y recuerdo que durante tres meses el tal Rick hizo nuestras delicias comiendo orugas en los recreos.

El Ken de Barcelona volvió a escurrirse entre las garras de la ley.

El último supuesto avistamiento de mi hermano tuvo lugar en una pista de esquí de los Alpes franceses (lo curioso es que Ken nunca había esquiado antes del asesinato). Eso fue todo, salvo una noticia en 48 Horas. A lo largo de los años, la condición de fugitivo de mi hermano se había convertido en la versión criminal del vídeo musical *Where Are They Now?*, y aparecía donde surgía el menor rumor o, lo que es más probable, cuando las mallas de pesca de la cadena de televisión estaban flojas de capturas.

Yo odiaba por naturaleza los «reportajes televisivos» sobre «periferias urbanas delictivas» o de cualquier genérico parecido que inventaran. Sus «reportajes especiales» (me gustaría que por una vez calificasen a alguno de «reportaje normal sobre una historia ya contada»), iban siempre acompañados de idénticas fotografías de Ken con aquellos pantalones blancos de tenis —Ken figuró en su día en el ranking nacional de tenistas— y su gesto más pretencioso. No sé de dónde las sacaron. En ellas Ken aparece guapo de esa forma que cae mal a la gente de inmediato: altivo, peinado a la manera de Kennedy y con un bronceado que contrasta brutalmente con el blanco de los dientes. El Ken de la fotografía en cuestión parece uno de esos privilegiados (cosa que no era) que pasan por la vida aprovechando su encanto (algo sí) y gracias a una cuenta bancaria heredada (que él no tenía).

Yo aparecí en uno de esos reportajes porque un productor se puso en contacto conmigo, cuando la noticia era reciente, para decirme que quería presentar «los dos aspectos con imparcialidad». Señaló que había mucha gente decidida a linchar a mi hermano. Lo cierto era que, para lograr cierto «equilibrio», lo que realmente necesitaban era a alguien capaz de describir al «auténtico Ken».

Me dejé engañar.

Una presentadora rubia teñida de modales agradables me hizo una entrevista de más de una hora. En realidad, me agradó. Fue terapéutica. Me dio las gracias y me acompañó hasta la puerta, y cuando emitieron el reportaje sólo salió un recorte de la entrevista y eliminaron la pregunta de: «En cualquier caso, ¿no irá a decirnos que su hermano era perfecto, verdad? No pretenderá decirnos que era un santo, ¿no es cierto?», y únicamente dieron mi imagen en un primerísimo plano comentando con gesto de perplejidad: «Ken no era ningún santo, Diane».

Bien, ésa fue la versión oficial de lo que sucedió.

Yo nunca me lo creí. No digo que no fuera posible, pero pienso que es más verosímil que mi hermano esté muerto; que hace once años que está muerto.

Para corroborarlo está el hecho de que mi madre siempre creyó que Ken había muerto. Estaba firmemente convencida. Su hijo no era un asesino. Su hijo era una víctima.

«Está vivo... Él no fue.»

La puerta de la señora Miller se abrió y vi que salía. Se caló las gafas y apoyó los puños en las caderas en una ridícula imitación de Supermán.

—Largo de aquí, Will —dijo.

Y me largué.

La siguiente sorpresa me la llevé una hora más tarde.

Estaba con Sheila en el dormitorio de mis padres, que conservaba los mismos muebles de color gris claro con reborde azul que yo recordaba de toda la vida; nos habíamos sentado en la cama grande de matrimonio con colchón de muelles suaves y teníamos esparcidos sobre el edredón los objetos más personales de mi madre, las cosas que ella guardaba en los atiborrados cajones de la mesilla. Mi padre seguía abajo mirando con actitud desafiante por la ventana.

No sé por qué se me ocurrió curiosear en las cosas que tanto merecían el aprecio de mi madre, que guardaba y mantenía cerca de ella. Sería doloroso. Lo sabía. Pero existe una peculiar relación entre desahogo y dolor voluntario, una especie de aproximación al sufrimiento basado en jugar con fuego, y supongo que necesitaba hacerlo.

Miré el rostro encantador de Sheila, con la mirada baja y concentrada, con la cabeza ladeada hacia mí, y recobré el ánimo. Quizá parezca raro, pero podía pasarme horas mirando a Sheila. No únicamente por su belleza. La suya no era una belleza que pudiera llamarse clásica, sus rasgos eran algo asimétricos, por herencia o quizá más bien por su tenebroso pasado, pero tenía una cara tan expresiva, inquisitiva y al mismo tiempo delicada, que parecía que pudiera romperse al menor soplo. Sheila hacía que quisiera —al estar allí conmigo— ser fuerte para ella.

Sin levantar los ojos, Sheila dijo con una leve sonrisa:

—Corta.

—No estoy haciendo nada.

Finalmente, alzó la vista y vio mi expresión.

—¿Qué sucede? —dijo.

—Tú eres mi vida —respondí escuetamente encogiéndome de hombros.

—Y tú estás muy bien.

—Sí; es cierto —contesté.

Ella hizo amago de darme una bofetada.

—Sabes que te quiero —añadió.

—¿Qué es la vida sin amor?

Sheila puso los ojos en blanco, volvió la vista hacia el lado que solía ocupar mi madre en la cama y se calmó.

—¿En qué piensas? —pregunté.

—En tu madre. La apreciaba mucho —contestó sonriendo.

—Ojalá la hubieses conocido antes.

—Ojalá.

Comenzamos a ojear recortes plastificados y tarjetas de nacimiento: la de Melissa, la de Ken, la mía; artículos sobre los triunfos de Ken en tenis: sus trofeos, aquellos homúnculos con raqueta que seguían llenando su dormitorio. Había fotos, casi todas antiguas, de antes del asesinato. Sunny, así llamaban a mi madre desde niña. Le pegaba. Había una foto suya de cuando fue presidenta de la Asociación de Padres, en donde se la veía haciendo no sé qué en el escenario con un sombrero ridículo mientras las otras madres se partían de risa. En otra aparecía en la fiesta del colegio vestida de payaso. Sunny era la persona mayor preferida de mis amigos; les encantaba cuando organizaba el transporte de la gente en los coches; les gustaba hacer una fiesta de fin de curso en nuestra casa. Sunny era una madre enrollada sin ser empalagosa, sólo un poco «ida», quizás algo alocada y por ello imprevisible. Era una mujer que suscitaba siempre cierto alboroto, cierta agitación como quien dice.

Estuvimos en la habitación más de dos horas. Sheila miraba despacio y atentamente las fotos. Al llegar a una de ellas se detuvo y frunció la frente.

—¿Quién es éste? —preguntó.

Me pasó la fotografía. En la izquierda se veía a mi madre con un bikini amarillo algo obsceno, de hacia 1972, pensé, luciendo sus curvas y apoyando el brazo en el hombro de un hombre bajito de bigote negro y sonrisa feliz.

—El rey Hussein —contesté.

—¡Qué dices!

Asentí con la cabeza.

—¿El de Jordania?

—Pues sí. Mis padres lo conocieron en el Fontainebleau de Miami.

—Ah.

—Y mamá le pidió que posara con ella para una foto.

—No me digas.

—Ahí tienes la prueba.

—¿Y no llevaba guardaespaldas o algo?

—No creo que ella pareciera armada.

Sheila se echó a reír y recordé a mi madre contándome la anécdota: ella posando con el rey Hussein mientras mi padre farfullaba maldiciones porque la cámara no funcionaba y ella le fulminaba con la mirada para que disparase, y el rey aguardando pacientemente mientras el jefe de seguridad examinaba la cámara, arreglaba el fallo y se la devolvía a mi padre.

Mi madre: Sunny.

—Era encantadora —dijo Sheila.

Es un tópico muy manido decir que parte de ella murió cuando encontraron el cadáver de Julie Miller, pero sucede que los tópicos suelen ser ciertos. A partir de entonces, el ánimo chispeante de mi madre se quebró y después del asesinato no volvió a gastar bromas ni a gritar histérica. Ojalá lo hubiera hecho. Mi veleidosa madre cayó en una atonía inquietante y se volvió apagada, monótona —desapasionada sería el término más apropiado—, lo que, en una persona como ella, era para nosotros más insoportable que la payasada más intempestiva.

Sonó el timbre, miré por la ventana del dormitorio y vi la furgoneta de reparto de Eppes-Essen. Comida triste para los dolientes. Mi padre, optimista, la había encargado en exceso, iluso hasta el final. Se quedaba en su casa como el capitán del *Titanic*. Recordé la primera vez que dispararon contra las ventanas con una escopeta de perdigones poco después del asesinato, él esgrimiendo el puño, desafiante. Creo que mi madre por aquel entonces quería mudarse de casa, pero mi padre no; para él, cambiar de casa habría sido una derrota. Irse a otro lugar habría sido reconocer la culpabilidad de su hijo. Una traición.

Bobo.

Sheila me miraba. Su cordialidad era casi palpable, como un rayo de sol en mi rostro, y por un instante dejé que me bañase aquel calor. Nos habíamos conocido en el trabajo poco menos de un año antes. Yo soy director ejecutivo de Covenant House de la Calle 41 en Nueva York, una fundación benéfica que ayuda a jóvenes que abandonan su casa y viven en la calle, y Sheila entró allí de voluntaria procedente de un pueblo de Idaho, aunque poco tenía de pueblerina; me comentó que hacía muchos años ella también se había escapado de casa, pero fue todo cuanto me explicó de su pasado.

—Te quiero —dije.

—¿Qué es la vida sin amor? —replicó.

Yo no puse los ojos en blanco. Sheila se había portado muy bien con mi madre en los últimos días. Tomaba el autobús desde Port Authority hasta Northfield Avenue y llegaba a pie al centro médico de St. Barnabas, donde, antes de caer enferma, la última vez que mi madre había estado allí fue para traerme al mundo. Probablemente hubiera en ese dato algo conmovedor vinculado al ciclo vital, pero en aquellas circunstancias yo era incapaz de establecer esa relación.

El hecho de haber visto a Sheila hacer compañía allí a mi madre despertó mi curiosidad y me arriesgué.

—Tienes que llamar a tus padres —dije en voz baja.

Sheila me miró como si le hubiese dado una bofetada y se levantó despacio de la cama.

—Sheila.

—No es momento, Will.

Cogí una foto enmarcada de mis padres de vacaciones, bronceados.

—Como otros cualesquiera —dije.

—Tú no sabes nada de mis padres.

—Pero me gustaría conocerlos —repliqué.

—Tú has trabajado con jóvenes fugitivos —añadió volviéndome la espalda.

—¿Y qué?

—Sabes lo contraproducente que puede ser.

Era cierto. Miré de nuevo intrigado sus rasgos asimétricos, aquella nariz, por ejemplo, con un abultamiento revelador.

—Pero sé también que es peor si no se habla de ello —dije.

—Ya he hablado de ello, Will.

—No conmigo.

—Tú no eres mi terapeuta.

—Pero soy el hombre a quien quieres.

—Sí. Pero ahora no, ¿de acuerdo? Por favor —dijo volviéndose.

No sabía qué replicar; quizá tuviese razón. Mis dedos jugueteaban distraídamente con la foto enmarcada. Y entonces sucedió.

La fotografía se desplazó un poco y al bajar los ojos vi que aparecía otra debajo. Desplacé un poco la de encima y apareció una mano; traté de apartarla más pero no cedía: busqué las tarabillas traseras, las descorrí y sobre la cama cayó la tapa seguida de dos fotografías.

Una —la de encima— era de mis padres en un crucero, con aspecto feliz, y sanos y relajados como casi no recordaba haberlos visto nunca. Pero la que llamó mi atención fue la otra fotografía, la que estaba escondida.

La fecha en rojo de la parte inferior era de hacía menos de dos años y estaba tomada en un terreno elevado o una colina. En el fondo no se veían casas, sino montañas de cumbres nevadas muy parecidas a las de la primera escena de *Sonrisas y lágrimas*. El hombre que aparecía en la fotografía llevaba pantalones cortos, mochila, gafas de sol y botas de montaña gastadas. Su sonrisa me resultaba familiar. Su cara también, aunque tenía ya más arrugas y llevaba el pelo más largo y una barba canosa. Pero no había duda: aquel hombre era mi hermano, Ken.

2

Mi padre estaba solo en el patio trasero. Se había hecho de noche, pero él seguía sentado inmóvil y miraba a la oscuridad. Al acercarme a él por detrás recordé de pronto una escena contradictoria.

Unos cuatro meses después del asesinato de Julie lo encontré en el sótano de espaldas a mí, igual que en ese momento. Él, convencido de que no había nadie en casa, sostenía en la mano derecha su carabina Rugger del calibre 22 . La acunaba con ternura, como si fuese un animalito; yo nunca había sentido más miedo en mi vida. Me quedé paralizado; él miraba fijamente el arma. Al cabo de unos minutos interminables volví a subir la escalera de puntillas y una vez arriba fingí que entraba. Bajé los escalones pesadamente, la escopeta había desaparecido.

No me separé de él en una semana, atento, a su lado.

Crucé la puerta corredera de cristal.

—Hola —dije.

Se volvió, mientras esbozaba una sonrisa amplia. Siempre tenía una para mí.

—Hola, Will —respondió suavizando la aspereza de su voz.

A mi padre siempre le alegraba ver a sus hijos y antes de suceder todo aquello era un hombre con muchas amistades; caía bien a la gente porque era amable y formal, incluso algo brusco, lo que lo hacía parecer aún más formal. Su mundo era su familia y nadie más le importaba. El sufrimiento de los extraños, incluso de los amigos, no hacía mella en él: era un hombre de algún modo centrado en la familia.

Me senté en la tumbona a su lado sin saber cómo abordar el tema. Respiré hondo y él lanzó también un profundo suspiro. A su lado me sentía maravillosamente seguro; él era el mayor y más débil y yo era ahora el más alto y fuerte, pero sabía que si surgía alguna adversidad él plantaría cara y recibiría el golpe por mí.

—He tenido que cortar esa rama —dijo señalando a la oscuridad.

—Ya —asentí yo sin lograr verla.

La luz de la puerta de cristal corredera iluminaba su perfil. La ira se había disipado y él había recuperado su actitud anonadada. A veces pienso que mi padre, efectivamente, había tratado de parar el golpe del asesinato de Julie, pero lo que recibió fue una patada en el culo. Sus ojos conservaban ese estallido interior, esa mirada de quien acaba de recibir de improviso, sin venir a cuento, un directo en el estómago.

—¿Te encuentras bien? —preguntó con su habitual latiguillo.

—Estoy bien. Bueno, bien no, pero...

—Sí, claro —añadió con un gesto de la mano—. Qué tonto soy.

Permanecimos en silencio y él encendió un cigarrillo. Él, que nunca fumaba en casa por la salud de sus hijos y todo eso. Dio una calada y, como si de pronto lo recordase, me miró y lo apagó.

—Fuma, fuma —dije.

—Tu madre y yo acordamos no fumar en casa.

Sin replicar, crucé las manos sobre el regazo. Después me lancé.

—Mamá me dijo algo antes de morir.

Entornó los ojos escrutándome.

—Me dijo que Ken estaba vivo.

Mi padre se puso tenso una fracción de segundo. En su cara se dibujó una sonrisa triste.

—Por las drogas, Will.

—Fue lo que yo pensé al principio —dije.

—¿Y ahora?

Lo miré a la cara tratando de detectar un atisbo de contrariedad. Había habido rumores, cierto. Ken no tenía mucho dinero. Muchos se preguntaban cómo mi hermano se había podido permitir vivir escondido tanto tiempo; yo pensaba que era imposible y que había muerto aquella noche. Otros, quizá casi todos, creían que mis padres le enviaban dinero a escondidas.

Me encogí de hombros.

—No sé por qué diría eso al cabo de tantos años.

—Las drogas —repitió—. Y se estaba muriendo, Will.

La segunda parte de la respuesta parecía abarcar muchas cosas. Me callé un instante, después pregunté:

—¿Crees que Ken sigue vivo?

—No —contestó, y desvió la mirada.

—¿Te dijo algo mamá?

—¿Sobre tu hermano?

—Sí.

—Más o menos lo que a ti —respondió.

—¿Que está vivo?

—Sí.

—¿Algo más?

Mi padre se encogió de hombros.

—Que él no mató a Julie, y dijo que ya habría debido volver pero que antes tenía algo que hacer.

—¿Hacer qué?

—Decía cosas absurdas, Will.

—¿Tú se lo preguntaste?

—Claro, pero deliraba; ya no me oía. Así que la tranquilicé; le dije que se pondría bien.

Volvió a apartar la mirada y pensé en enseñarle la foto de Ken, pero cambié de idea. Quería pensar antes de abrir esa vía.

—Le dije que se pondría bien —repitió.

Tras la puerta corredera se veía uno de esos cubos de fotos castigado por el sol, en que el color de las viejas imágenes había quedado reducido a borrones amarillo-verdosos. No había fotos recientes en la sala; nuestra casa había quedado atrapada en el túnel del tiempo desde hacía años, como en la antigua canción del reloj del abuelo que se para al morir él.

—Vuelvo enseguida —dijo mi padre.

Lo vi levantarse y caminar hasta que lo único que distinguía era su contorno en la oscuridad. Vi que agachaba la cabeza y que le temblaban los hombros. Creo que nunca lo había visto llorar y no quise empezar en ese momento.

Me volví y recordé la otra foto, la de mis padres en el crucero, bronceados y felices, y pensé si acaso él también pensaba en lo mismo.

Cuando me desperté tarde aquella noche, Sheila no estaba en la cama.

Me incorporé y escuché. Nada. Por lo menos en el apartamento. Sólo oía el rumor normal de la calle tres pisos más abajo. Miré hacia el cuarto de baño y la luz estaba apagada. En realidad no había ninguna luz encendida.

Pensé en llamarla pero había algo raro en aquella quietud, algo frágil que bullía en el aire. Me levanté de la cama, mis pies sintieron esa moqueta que ponen en los apartamentos como si fuera a amortiguar cualquier ruido.

El apartamento era pequeño, tenía un solo dormitorio. Fui al cuarto de estar y asomé la cabeza. Sheila estaba allí, sentada en el alféizar mirando la calle por la ventana. Me recreé contemplando su espalda, su cuello de cisne, aquellos hombros maravillosos, el cabello que le caía sobre la blanca piel, y sentí otra vez la excitación. Nuestra relación estaba aún en los prolegómenos de qué grande es estar vivo, en que nunca se tiene suficiente del otro, ese estado que te impulsa a cruzar el parque flotando para reunirte con ella con la certeza de que la relación va a convertirse pronto en algo más profundo y rico.

Yo sólo había estado enamorado antes otra vez y de eso hacía mucho tiempo.

—Hola —dije.

Se volvió ligeramente pero fue suficiente. Tenía lágrimas en las mejillas y vi cómo resbalaban a la luz de la luna. Ella no contestó; no profirió ni un sollozo ni un suspiro. Sólo lloraba. Me quedé en la puerta indeciso.

—Sheila...

En nuestra segunda cita, Sheila me hizo un juego de naipes. Consistía en coger dos cartas, introducirlas en la baraja mientras ella volvía la cabeza, y después ella las tiraba todas al suelo menos las dos que yo había elegido. Me dirigió una amplia sonrisa cuando me las mostró. Yo también sonreí. Fue..., no sé cómo calificarlo, ¿una tontería? A Sheila le gustaban esas bobadas; los trucos de cartas, los refrescos de sabores y las bandas infantiles. Cantaba ópera, leía con voracidad y declamaba anuncios comerciales. Era capaz de hacer una perversa imitación de Homer Simpson y de Mr. Burns, aunque la de Apu y Smithers no le salía tan bien. Pero lo que verdaderamente le gustaba era bailar; le encantaba cerrar los ojos con la cabeza apoyada en mi hombro, abstraída.

—Perdona, Will —dijo sin mirarme.

—¿Por qué? —repliqué.

Ella siguió mirando fijamente a la calle.

—Acuéstate. Voy dentro de un momento.

Quise quedarme o decirle algo para consolarla, pero no lo hice. Ella era inalcanzable en aquel momento. Algo la había alejado. Hubiera sido inútil y contraproducente decir o hacer nada. Al menos, es lo que yo pensé. Cometí un gran error. Me metí en la cama y aguardé.

Pero Sheila nunca volvió.

3

Las Vegas, Nevada

Morty Meyer estaba acostado, profundamente dormido boca arriba, cuando sintió el cañón de la pistola en la frente.

—Despierte —dijo una voz.

Morty abrió los ojos de par en par. El dormitorio estaba a oscuras. Quiso levantar la cabeza, pero la pistola se lo impedía. Dirigió la mirada al radio-reloj luminoso de la mesilla; no había ninguno. Ahora que lo pensaba, hacía años que no tenía reloj: desde la muerte de Leah, cuando había vendido la casa estilo colonial de cuatro dormitorios.

—Ya sabéis que pienso pagaros, muchachos —dijo Morty.

—Arriba.

El hombre apartó la pistola y Morty alzó la cabeza. Sus ojos se acostumbraban a la oscuridad y distinguió una cicatriz en aquel rostro. Le vino a la memoria aquel programa de radio de su niñez: «La Sombra».

—¿Qué quiere?

—Tiene que ayudarme, Morty.

—¿Nos conocemos?

—Levántese.

Morty obedeció. Sacó las piernas de la cama y, al ponerse

en pie, sintió un mareo y se tambaleó por efecto de ese momento de transición en que la borrachera cede y la resaca arrecia como un huracán.

—¿Dónde tiene el maletín de urgencias? —preguntó el hombre.

Morty sintió que el alivio le inundaba las venas. Así que no era más que eso. Trató de ver alguna herida, pero estaba demasiado oscuro.

—¿Usted? —preguntó.

—Yo no. Ella está en el sótano.

«¿Ella?»

Morty sacó de debajo de la cama su viejo maletín médico de cuero, del que ya se habían borrado las iniciales en pan de oro y cuya cremallera cerraba mal. Era un regalo de Leah después de graduarse en la Facultad de Medicina de la Universidad de Columbia hacía más de cuarenta años. Después había ejercido durante treinta años en Great Neck como internista. Había tenido tres hijos con Leah, y ahora allí estaba, con sus casi setenta años, viviendo en una habitación miserable y debiendo dinero y favores a casi todo el mundo.

El juego. Ésa había sido la droga para Morty. Había vivido durante años como un ludópata, contemporizando con sus demonios interiores pero manteniéndolos a raya hasta que finalmente se apoderaron de él. Siempre sucede así. Muchos comentaban que era Leah quien lo había inducido al juego y quizá fuese cierto, pero al morir ella Morty ya no encontró razones para seguir luchando y dejó que los demonios hicieran presa en él.

Morty lo había perdido todo, incluso la licencia para ejercer como médico. Se trasladó al oeste, vivía en aquella pocilga y se pasaba las noches en la mesa de juego. Sus hijos —ya mayores y a su vez con hijos— ya no le llamaban; lo culpaban de la muerte de su madre y decían que él la había hecho envejecer. Probablemente tenían razón.

—Dese prisa —dijo el hombre.

—Bien, bien.

Comenzaron a bajar la escalera del sótano y Morty vio que habían encendido la luz. Aquel edificio, su reciente y lóbrega morada, había sido una funeraria. Él alquilaba una habitación en la planta baja con derecho a uso del sótano en que antaño se recibían los cadáveres para embalsamarlos.

Presidía un rincón del fondo del sótano un tobogán oxidado que comunicaba con el aparcamiento trasero desde donde dejaban caer los cadáveres. Las paredes estaban recubiertas de azulejos, desprendidos en parte. Para abrir el grifo había que usar unos alicates y a casi todos los armarios les faltaban las puertas. Aún conservaba el olor a muerto; un viejo fantasma que se negaba a irse.

La mujer herida estaba tumbada encima de una mesa metálica. Morty vio enseguida que era grave y se volvió hacia La Sombra.

—Ayúdela —le dijo.

A Morty no le gustó el tono de voz del hombre. Había ira en ella, sin duda, pero predominaba en él un timbre de desesperación, de súplica descarnada.

—Tiene mal aspecto —dijo.

—Si muere, lo mato —amenazó el hombre arrimando la pistola al pecho de Morty.

Morty tragó saliva. Quedaba claro. Se acercó a la mujer. Había curado a lo largo de los años a muchos hombres en aquel sótano, pero era la primera vez que atendía a una mujer. Se ganaba así la vida: unos puntos de sutura y listo; porque si alguien se presenta en una unidad de urgencias con un balazo o una puñalada, el médico de guardia está obligado a denunciarlo. Por eso venían a la clínica clandestina de Morty.

Rememoró las lecciones de protocolos de urgencia de la Facultad de Medicina, el abecé por así decir: vías aéreas, res-

31

piración, pulso. La respiración era entrecortada y con salivación.

—¿Le hizo esto usted?

El hombre no dijo nada.

Morty hizo, lo mejor que pudo, una cura provisional para estabilizarla y que se la llevara de allí.

Cuando terminó, el hombre la incorporó con cuidado.

—Si dice algo...

—He recibido amenazas peores.

El desconocido se marchó apresuradamente con la mujer malherida y Morty se quedó en el sótano. Tenía los nervios deshechos por el sobresalto al despertarse; suspiró y decidió volver a la cama. Pero antes de subir Morty cometió un error fatal: mirar por la ventana que daba a la parte de atrás.

Vio que el hombre llevaba a la mujer hasta un coche donde la tumbaba con cuidado, casi con ternura, en el asiento trasero. Sin perder un detalle de la escena, Morty vio a alguien más que se movía; entrecerró los ojos y sintió una conmoción: en el asiento de atrás había otro pasajero, un pasajero incongruente. Morty estiró el brazo automáticamente para coger el teléfono, pero se detuvo. ¿A quién iba a llamar? ¿Qué iba a decir?

Cerró los ojos y rechazó sus pensamientos. Subió penosamente la escalera, se metió en la cama, se arrebujó entre las sábanas y miró al techo tratando de olvidar.

4

La nota que me dejó Sheila era breve y cariñosa:

Siempre te querré.
    S.

No había vuelto a la cama. Yo pensé que iba a pasarse la noche mirando por la ventana; el silencio no volvió a romperse hasta que oí la puerta cuando salió hacia las cinco de la mañana. No me sorprendió la hora porque ella madrugaba bastante, era la clase de persona que me recordaba ese antiguo anuncio del ejército que afirma que se hacen más cosas antes de las nueve que la mayoría de la gente en todo el día. Ya me entienden: la clase de mujer que hace que uno a su lado se sienta un gandul y la adore por ello.

Sheila me dijo en cierta ocasión —tan sólo una vez— que estaba acostumbrada a levantarse pronto por los muchos años que había trabajado en el campo. Yo le pedí más detalles pero eso fue cuanto dijo. Su pasado era una raya en la arena que era peligroso cruzar.

Más que preocuparme, su comportamiento me intrigaba.

Me duché y me vestí. Tenía en el cajón del escritorio la foto de mi hermano. La saqué y la estuve examinando durante un buen rato. Sentía un vacío en el pecho y, aunque mi mente divagaba y fantaseaba, una idea fija predominaba:

Ken se había escapado.

Quizá se pregunten por qué me había convencido todos aquellos años de que estaba muerto. Confieso que, en parte, era por una intuición anticuada mezclada con una esperanza ciega. Yo quería a mi hermano y sabía cómo era. No era perfecto. Ken se dejaba llevar por la cólera y se crecía en los enfrentamientos. Ken estaba mezclado en algo turbio, pero no era un asesino. Estaba seguro.

Pero había algo más en la teoría de la familia Klein aparte de esa fe singular. En primer lugar, ¿cómo podía Ken haber sobrevivido como un fugitivo, él que no tenía más que ochocientos dólares en el banco? ¿De dónde pudo sacar recursos para escabullirse de la orden de captura internacional? ¿Y qué motivos podía haber tenido para matar a Julie? ¿Cómo es que no se había puesto en contacto con nosotros durante aquellos once años? ¿Por qué estaba tan nervioso cuando vino por última vez a casa? ¿Por qué me dijo que corría peligro? Y ahora que lo pienso, ¿por qué no lo forcé a contarme más?

Pero lo peor —o lo más consolador, depende del punto de vista— era la sangre hallada en el escenario del crimen. Parte de ella era de Ken. En el sótano había una gran mancha de sangre suya y en un cobertizo del patio trasero de los Miller se descubrieron rastros en un seto. La teoría de la familia Klein era que el verdadero asesino había matado a Julie y herido gravemente (y finalmente matado) a mi hermano. La teoría de la policía era más simple: Julie se había defendido.

Había algo más que corroboraba la teoría de la familia, algo directamente atribuible a mí, que era, supongo, por lo que nadie se tomaba en serio nuestra teoría.

Aquella misma noche, yo vi a un hombre merodear cerca de la casa de los Miller.

Ya he dicho que este dato las autoridades y la prensa no lo tomaron en cuenta, porque, evidentemente, después de todo, yo estaba interesado en exculpar a mi hermano, mientras que es crucial para entender por qué nosotros creíamos en su muerte. Las opciones que se nos presentaban eran: que mi hermano había matado a una encantadora joven sin motivo y que luego hubiese vivido escondido once años sin recursos visibles (eso, no hay que olvidarlo, dejando aparte la amplia cobertura de los medios y la intensa búsqueda policial), o bien que había tenido una relación sexual consentida con Julie Miller (por las abrumadoras pruebas físicas) y que el lío en que estuviera metido y quien lo hubiese aterrorizado de aquel modo, tal vez el hombre que yo vi fuera de la casa de Coddington Terrace aquella noche, habían logrado implicarlo en un asesinato teniendo buen cuidado de que su cadáver no apareciese.

No digo que fuese una explicación perfecta, pero nosotros conocíamos a Ken y sabíamos que él no había hecho lo que se le imputaba. ¿Qué otra alternativa teníamos?

Había quien daba crédito a nuestra teoría, pero la mayoría se comportaba como esos necios que piensan que Elvis y Jimi Hendrix están en una de las islas Fiyi tocando música. Los reportajes de televisión difundieron las consabidas tonterías que cabe esperar del medio. A medida que pasaba el tiempo me volví menos activo en mi defensa de Ken. Aunque suene egoísta, yo quería vivir, seguir mi carrera. No quería convertirme en el hermano de un famoso asesino fugitivo.

Estoy seguro de que en Covenant House me aceptaron con reservas. No se lo reprocho. Aunque soy director, mi nombre no aparece en el membrete y se evita mi presencia en las campañas de recogida de fondos. Mi trabajo tiene lugar estrictamente entre bastidores. Y en general no me importa.

Miré otra vez la foto de alguien tan conocido y al mismo tiempo tan desconocido para mí.

¿No habría mentido mi madre desde el principio?

¿Había estado ayudando a Ken mientras que a papá y a mí nos decía que había muerto? Ahora que lo pienso fue mi madre quien más insistió en la teoría de que había muerto. ¿Le habría mandado dinero a escondidas todos esos años? ¿Conocía Sunny desde el principio su paradero?

Eran preguntas que hacerse.

Aparté la vista y abrí un armarito de la cocina. Había decidido no ir a Livingston aquella mañana; la idea de permanecer un día más en aquella casa-ataúd me sacaba de quicio, y tenía que trabajar; estaba seguro de que mi madre, además de entenderlo, me habría apoyado. Así que me serví un tazón de cereales Golden Grahams y marqué el número del buzón de voz de Sheila en la oficina, le dije que la quería y que me llamase.

Mi apartamento —bueno, ahora es nuestro apartamento— está en el cruce de la Calle 24 con la Novena Avenida, cerca del Hotel Chelsea. Generalmente camino las diecisiete manzanas en dirección norte hasta Covenant House, que está en la Calle 41, no lejos de la autopista del West Side, un barrio que era una zona ideal para jóvenes huidos de casa antes de que hicieran la limpieza de la Calle 42, una repugnante zona de degradación a la vista de todo el mundo. La Calle 42 era una especie de antesala del infierno donde se daba cita un comercio amoroso grotesco de diversas especies. Trabajado res que acudían de la periferia y turistas se cruzaban con prostitutas, camellos, proxenetas, tiendas de psicodelia y cines de pornografía, y al final del recorrido acababan excitados o deseando darse una ducha y ponerse una inyección de penicilina. En mi opinión era una degradación tan asquerosa, tan deprimente, que resultaba agobiante. Soy un hombre, sé lo que son la lujuria y el deseo, como cualquier otro, pero nunca he entendido cómo alguien puede confundir el erotismo con esas guarras desdentadas adictas al *crack*.

El saneamiento de la ciudad dificultó en cierto sentido nuestro trabajo. Antes, la furgoneta de recogida de Covenant House sabía por dónde hacer la ronda, mientras que ahora los jóvenes campaban por todas partes y nuestro cometido resultaba más ambiguo, pero lo peor de todo era que la ciudad estaba limpia únicamente en apariencia. La llamada gente decente, esos empleados y turistas de que hablaba antes, no se veían expuestos ahora a deambular ante escaparates con el cartel de SÓLO ADULTOS o marquesinas destartaladas con anuncios de títulos pornográficos grotescos como AFEITANDO LOS BAJOS A RYAN o BRAGAS ARDIENTES. Pero semejante sordidez nunca desaparece; la sordidez es como las cucarachas: pervive escondida en madrigueras. Yo creo que es imposible acabar con ella.

Y esconder la sordidez tiene sus aspectos negativos, porque cuando está a la vista puede uno despreciarla y sentirse superior; es muy humano y para muchos un desahogo. Otra ventaja de la sordidez al descubierto es la de: ¿qué es preferible, una agresión visible o un peligro subrepticio que acecha como una serpiente oculta entre las matas? Finalmente —quizá resulte un análisis prolijo por mi parte— no puede haber cabeza sin cola, arriba sin abajo, ni estoy seguro de que haya luz sin sombra, limpieza sin suciedad, bien sin mal.

El primer bocinazo no me hizo volver la cabeza. Vivo en Nueva York y no oír bocinazos cuando caminas equivaldría a no sentir el agua cuando nadas. Así que no me volví hasta que oí la voz conocida decir: «Eh, gilipollas», al tiempo que la furgoneta de Covenant House se detenía con un frenazo. Su único ocupante era Cuadrados, sentado al volante. Bajó el cristal de la ventanilla y se quitó las gafas de sol.

—Sube —dijo.

Abrí la portezuela y monté de un brinco. La furgoneta de

ayuda olía a tabaco, a sudor y levemente a los bocadillos de mortadela que re partíamos de noche. Había todo tipo de manchas en la alfombrilla, la guantera era una especie de cueva y los asientos estaban desfondados.

—¿Qué demonios hacías? —preguntó Cuadrados sin apartar la vista de la carretera.

—Ir al trabajo.

—¿Por qué?

—Terapia —contesté.

Squares asintió con la cabeza. Se había pasado la noche al volante de la furgoneta cual ángel redentor en busca de jóvenes desvalidos y su aspecto era deplorable, pero, claro, tampoco habría empezado muy entero. Iba peinado al estilo Aerosmith de los ochenta, con raya en medio, y tenía el pelo bastante sucio; creo que tampoco lo había visto nunca bien afeitado y menos con una barba cuidada o un ligero sombreado de dejadez atractivo a lo *Miami Vice*; los trozos de piel visibles eran marcas de viruela, llevaba unas botas de trabajo tan desgastadas que parecían blancas, sus pantalones vaqueros parecían haber sido arrastrados por un búfalo de las praderas y ostentaba una panza que le confería el poco deseable aspecto de fontanero derrengado. Por su manga subida asomaba un paquete de Camel. Tenía los dientes amarillos por el tabaco.

—Estás hecho una mierda —dijo.

—Eso quiere decir algo, viniendo de ti —repliqué.

Mi respuesta le hizo gracia. Lo llamábamos Cuadrados, como abreviatura de los cuatro cuadrados que tatuaban su frente, dos y dos superpuestos, como las divisiones cuadrangulares de ciertas canchas de juego. Como ahora se había convertido en un maestro de yoga, con vídeos editados y una cadena de escuelas, muchos suponían que el tatuaje era algún tipo de símbolo hindú con determinado simbolismo. Pero no era eso.

En su día había sido una cruz gamada. Le había añadido cuatro líneas para cerrarla.

Era algo de su pasado que yo no acababa de entender porque Cuadrados es probablemente la persona menos polémica que he conocido, y también probablemente mi mejor amigo. La primera vez que me habló del origen de los cuadrados me quedé de una pieza. Nunca me explicó el motivo, ni buscó disculparse; él, igual que Sheila, nunca hablaba de su pasado. Otros dan pelos y señales. Ahora lo entiendo mejor.

—Gracias por las flores —dije.

Cuadrados guardó silencio.

—Y por venir —añadí.

Había acudido al entierro en la furgoneta de Covenant House con un grupo de amigos que componían más o menos el contingente de asistentes ajenos a la familia.

—Sunny era estupenda —dijo.

—Sí.

Se hizo otro silencio y Cuadrados añadió:

—Pero qué asistencia de mierda.

—Gracias por señalármelo.

—Por Dios, hombre, ¿cuánta gente había?

—Eres un consuelo, Cuadrados. Gracias, tío.

—¿Quieres consuelo? Pues que sepas que la gente es gilipollas.

—Espera, que cojo un boli y lo apunto.

Silencio. Cuadrados se detuvo ante un semáforo y me miró a hurtadillas. Tenía los ojos enrojecidos. Sacó de la manga remangada el paquete de cigarrillos.

—¿Quieres contarme qué te pasa?

—Pues, mira, resulta que el otro día se murió mi madre.

—De acuerdo. No me lo cuentes —dijo.

El semáforo se puso verde y la furgoneta arrancó. Me vino a la mente la visión de mi hermano en la fotografía.

—Cuadrados.

—Dime.

—Creo que mi hermano está vivo —dije.

Cuadrados no dijo palabra; sacó un cigarrillo de la cajetilla y se lo puso en la boca.

—Vaya epifanía —comentó.

—Epifanía —repetí asintiendo con la cabeza.

—Es que voy a cursillos nocturnos —añadió—. ¿Y a qué viene de pronto ese cambio de ánimo?

Dejó la furgoneta en el pequeño aparcamiento de Covenant House. Solíamos aparcar en la calle pero la gente rompía la ventanilla o la cerradura y se metía dentro para dormir. No llamábamos a la policía, claro, pero el gasto de cristales y de cerraduras era tal que durante un tiempo decidimos dejarla abierta para que se guareciera en ella quien quisiera. Por la mañana, el primero que llegaba al trabajo daba unos golpes en la chapa, los inquilinos nocturnos pillaban el mensaje y se largaban.

Pero hubo que desistir también de este método porque la dejaban —me ahorraré detalles— hecha un asco. Los sin techo no son precisamente de lo más exquisito: vomitan, ensucian, muchas veces no encuentran váter. No digo más.

Antes de bajarnos de la furgoneta reflexioné sobre cómo enfocarlo.

—Voy a hacerte una pregunta.

Cuadrados aguardó.

—Nunca me has comentado qué piensas tú de lo que sucedió con mi hermano —dije.

—¿Eso es una pregunta?

—Bueno, una observación. La pregunta es: ¿por qué?

—¿Por qué nunca te he dicho lo que imagino que le sucedió a tu hermano?

—Eso es.

—Porque nunca me lo preguntaste —respondió Cuadrados encogiéndose de hombros.

—Pero hemos hablado mucho de ello.

Cuadrados volvió a encogerse de hombros.

—Bien; te lo pregunto ahora —dije—. ¿Crees que está vivo?

—Desde siempre.

Así, por las buenas.

—Así que tanto como hemos hablado de ello y tantas veces como te he presentado argumentos convincentes en contra...

—No acababa de ver claro si intentabas convencerme a mí o querías autoconvencerte.

—¿No te creíste mis argumentos?

—No —respondió—. Nunca.

—Pero tú no me llevabas la contraria.

Cuadrados dio una profunda calada al cigarrillo.

—Porque tu fantasía no hacía mal a nadie.

—Ojos que no ven, corazón que no siente, ¿verdad?

—Sí, suele ser así.

—Pero ciertos razonamientos eran sólidos.

—Porque te los crees tú.

—¿A ti no te lo parecen?

—No me lo parecen —replicó Cuadrados—. Decías que tu hermano no tenía recursos para andar por esos mundos escondiéndose, cuando para eso no se necesitan recursos. Mira esos chicos sin hogar que vemos a diario. Si alguno de ellos quisiera desaparecer, lo haría en un instante.

—Pero contra ellos no hay orden internacional de búsqueda y captura.

—Orden internacional —repitió Cuadrados en tono de desdén—. ¿Tú crees que todos los polis del mundo se levantan pensando en tu hermano?

Tenía razón; sobre todo ahora que me daba cuenta de que a lo mejor había recibido ayuda monetaria de mi madre.

—Sería incapaz de matar a nadie.

—Tonterías —replicó Cuadrados.

—Tú no lo conoces.

—Tú y yo somos amigos, ¿verdad?

—Sí.

—¿Tú puedes creerte que yo antes quemaba cruces y gritaba: «*Heil Hitler!*»?

—Es distinto.

—No lo es. —Bajamos de la furgoneta—. Una vez me preguntaste por qué me cambié el tatuaje, ¿lo recuerdas?

Asentí con la cabeza.

—Y me contestaste que me fuera a la mierda —añadí.

—Exacto. Pero la verdad es que podía habérmelo borrado con láser o disimulármelo mejor; pero lo conservo porque me sirve de recordatorio.

—¿De qué? ¿Del pasado?

—De las posibilidades —dijo Cuadrados enseñando los dientes amarillos.

—No sé qué quieres decir.

—Porque eres un negado.

—Mi hermano era incapaz de violar y matar a una mujer inocente.

—Hay escuelas de yoga que enseñan mantras —replicó Cuadrados—. Pero no por repetir una cosa mil veces resulta verdad.

—Hoy estás muy profundo —dije.

—Y tú estás muy gilipollas —replicó apagando el cigarrillo—. ¿Vas a decirme por qué has cambiado de opinión?

Estábamos a punto de cruzar la puerta.

—Vamos a mi oficina —dije.

Dejamos de hablar nada más entrar. La gente piensa encontrarse con una pocilga, pero nuestro centro de acogida dista mucho de serlo. Nuestra filosofía es que debe ser un lugar que cualquiera pueda considerar aceptable para su propio hijo si se encontrara en apuros. A los patrocinadores al principio les chocó este enfoque —como todos los albergues de beneficencia, éste les queda muy lejos—, pero también hay necesitados donde ellos viven.

Estábamos los dos callados porque en Covenant House concentramos nuestros cinco sentidos en los chicos. Es lo menos que puede hacerse por ellos; por una vez en sus desgraciadas vidas son lo que más importa. Saludamos a todos como si fuesen —me perdonarán que me exprese así— hermanos perdidos durante mucho tiempo. Los escuchamos. Les estrechamos la mano y los abrazamos. Los miramos a los ojos, nunca por encima del hombro, y los miramos de frente serenamente, porque si intentas fingir, estos chicos lo captan rápidamente; tienen un sexto sentido. Aquí les damos cariño sin reservas, incondicional. Y lo hacemos a diario. Si no, más vale quedarse en casa. Eso no quiere decir que siempre obtengamos los mejores resultados, ni siquiera casi siempre, porque perdemos más de los que salvamos y las calles vuelven a tragárselos; pero mientras están aquí en el albergue han de encontrarse a gusto. Mientras están aquí se les quiere.

Al entrar en mi despacho vimos que había dos personas esperándonos: una mujer y un hombre. Cuadrados se paró en seco y olfateó el cuarto como un perro de caza.

—Policías —me dijo.

La mujer sonrió y vino a nuestro encuentro mientras el hombre permanecía detrás apoyado en la pared.

—¿Will Klein?

—Soy yo —contesté.

Me enseñó su carnet con ademán ostentoso y el hombre hizo lo propio.

—Mi nombre es Claudia Fisher y mi compañero es Darryl Wilcox. Somos agentes del FBI.

—Federales —comentó Cuadrados alzando los pulgares

como si le impresionara que yo mereciera tal atención. Echó un vistazo al carnet y luego a la mujer—. Eh, ¿por qué se ha cortado el pelo?

—¿Usted quién...?

—No se sulfure —la interrumpió Cuadrados.

La agente frunció el ceño y me miró entornando los ojos.

—Quisiéramos hablar con usted. A solas —añadió.

Claudia Fisher era baja y vivaracha; la estudiante-atleta de instituto aplicada pero demasiado recatada, la clase de chica que se divierte pero nunca de manera espontánea. Llevaba el pelo corto y peinado hacia atrás, un poco al estilo de los setenta, pero le sentaba bien. Lucía unos pequeños pendientes de aro y tenía una pronunciada nariz aguileña.

En Covenant House desconfiamos de la ley. No es que yo pretenda proteger a los delincuentes, pero no me apetece contribuir a su captura. Pretendemos que el albergue sea un refugio de paz, y cooperar con la ley afectaría a nuestra fama en las calles, que es nuestra baza principal. Digamos que somos neutrales: una Suiza para los desamparados. Por supuesto, es indudable que mi historia personal, por el modo en que los federales han tratado el caso de mi hermano, no contribuye a que los aprecie.

—Prefiero que él esté presente —dije.

—Él no tiene nada que ver en esto.

—Considérenlo mi abogado.

Claudia Fisher miró a Cuadrados escrutando los vaqueros, el pelo, el tatuaje, mientras él se estiraba unas solapas imaginarias y fruncía las cejas.

Yo fui a mi escritorio y él se dejó caer en el sillón de enfrente y plantó las polvorientas botazas en la mesa. Fisher y Wilcox permanecieron de pie.

—¿Qué desea usted, agente Fisher? —dije abriendo las manos.

—Estamos buscando a una tal Sheila Rogers.

Aquello no me lo esperaba.

—¿Puede decirnos dónde podemos encontrarla?

—¿Por qué la buscan? —pregunté.

—¿Le importaría decirnos dónde está? —replicó Claudia Fisher con una sonrisa condescendiente.

—¿Se encuentra en algún apuro?

—Ahora mismo —hizo una breve pausa y cambió de sonrisa— sólo queremos hacerle unas preguntas.

—¿Sobre qué?

—¿Se niega usted a colaborar con nosotros?

—No me niego a nada.

—Pues entonces díganos, por favor, dónde podemos localizar a Sheila Rogers.

—Me gustaría saber el motivo.

La mujer miró a su compañero y Wilcox asintió levemente con la cabeza. La agente volvió a mirarme.

—A primera hora de hoy, el agente especial Wilcox y yo fuimos al lugar de trabajo de Sheila Rogers en la Calle 18. No estaba. Preguntamos dónde podríamos encontrarla. Su jefe nos informó que había llamado diciendo que estaba indispuesta. Fuimos a su último domicilio conocido. El casero nos dijo que hace meses que se marchó de allí y que su dirección actual era la de usted, señor Klein, 378 Oeste de la Calle 24. Fuimos allí. Sheila Rogers no estaba.

—Qué bien habla —comentó Cuadrados.

—No queremos problemas, señor Klein —dijo ella sin hacerle caso.

—¿Problemas? —pregunté.

—Tenemos que interrogar a Sheila Rogers y rápidamente. Podemos hacerlo por las buenas, pero si opta por no colaborar podemos recurrir a otros medios menos agradables.

—¡Oh!, amenazas —terció Cuadrados frotándose las manos.

—¿Cómo lo prefiere, señor Klein?

—Lo que preferiría es que se marchasen.

—¿Qué sabe usted de Sheila Rogers?

Aquello empezaba a ser absurdo y me dolía la cabeza. Wilcox metió la mano en el bolsillo de la chaqueta y sacó una hoja de papel que entregó a su compañera.

—¿Está al corriente de la ficha delictiva de la señorita Rogers? —preguntó ella.

Traté de mantenerme imperturbable, pero incluso Cuadrados se sorprendió.

La agente comenzó a leer el papel:

—Robo en comercios, prostitución, posesión de droga con intención de venta.

Cuadrados profirió un ruido burlón.

—Cosas de aficionados —dijo.

—Robo a mano armada.

—Va mejorando —comentó Cuadrados con una inclinación de cabeza—. Pero no hay condena, ¿verdad? —añadió mirando al hombre.

—Así es.

—Así que a lo mejor no es culpable.

Fisher volvió a fruncir el ceño mientras yo me mordía el labio inferior.

—Señor Klein.

—No puedo ayudarlos —dije.

—¿No puede o no quiere?

—Déjese de semánticas —repliqué sin amilanarme.

—Vaya, señor Klein, reincidente al parecer.

—¿Qué coño quiere decir con eso?

—Encubrimiento. Primero de su hermano. Ahora de su amante.

—Váyase a la mierda —dije.

Cuadrados me hizo una mueca claramente decepcionado por mi floja réplica.

La agente insistió.

—Usted no se da cuenta —dijo.

—¿De qué?

—De las repercusiones —añadió—. ¿Cómo les sentaría, por ejemplo, a los patrocinadores de Covenant House si lo detuviéramos por, pongamos, complicidad e instigación al delito?

—¿Sabe a quién debería preguntar? —dijo Cuadrados acudiendo en su defensa.

La mujer arrugó la nariz en dirección a él como si fuese algo que acababa de rasparse de la suela del zapato.

—A Joey Pistillo —añadió Cuadrados—. Seguro que Joey lo sabe.

Al oír aquel nombre, los dos agentes se pusieron a la defensiva.

—¿Llevan móvil? —insistió Cuadrados—. Podemos preguntarle ahora mismo.

La agente miró a su compañero y luego a Cuadrados.

—¿Nos está diciendo que usted conoce al subdirector Joseph Pistillo? —preguntó.

—Llámelo —respondió Cuadrados—. Ah, un momento; tal vez no sepa su número directo —añadió estirando el brazo y haciéndole una seña con el dedo para que le pasara el aparato—. ¿Le importa?

La agente le entregó el teléfono y Cuadrados marcó el número y se lo acercó al oído. Se reclinó cómodamente en el asiento sin quitar los pies de la mesa. De haber llevado un sombrero del Oeste, no me habría costado imaginármelo inclinándolo sobre los ojos para echar una siestecita.

—¿Joey? Hola, hombre, ¿cómo estás? —dijo; escuchó un minuto y soltó una carcajada antes de iniciar una réplica jocosa mientras los dos agentes palidecían.

Lo normal es que yo hubiese disfrutado con aquella exhibición de poder porque, entre su pasado y su actual condición de famoso, Cuadrados superaba en un grado a casi todo el mundo, pero mi mente vagaba por otros derroteros.

Al cabo de unos minutos, Cuadrados le dio el móvil a la agente Fisher.

—Joey quiere hablar con usted —dijo.

Los dos agentes del FBI salieron del despacho y cerraron la puerta.

—Tío, los federales —dijo Cuadrados volviendo a alzar los pulgares con gesto de respeto.

—Sí, mira qué contento estoy.

—Vaya sorpresa, ¿no? ¿Quién habría pensado que Sheila estuviera fichada?

—Yo no.

Al volver a entrar, los dos agentes del FBI habían recobrado el color y la mujer tendió el teléfono a Cuadrados con una sonrisa exageradamente cortés.

Cuadrados se lo acercó al oído.

—¿Qué pasa, Joey? —preguntó y escuchó un instante—. De acuerdo —añadió y cortó la comunicación.

—¿Qué sucede? —pregunté.

—Era Joey Pistillo. El jefazo del FBI en la costa Este.

—¿Y qué?

—Que quiere hablar contigo personalmente —respondió Cuadrados desviando la mirada.

—¿Y bien?

—Creo que no nos va a gustar lo que tiene que decirnos.

5

El subdirector Joseph Pistillo no sólo quería hablar conmigo en persona, sino en privado.

—Tengo entendido que ha fallecido su madre —dijo.

—¿Cómo lo sabe?

—¿Cómo dice?

—¿Ha leído la esquela en el periódico? —pregunté—. ¿Se lo ha dicho un amigo? ¿Cómo sabe que falleció?

Nos miramos. Pistillo era un hombre fornido, casi calvo, salvo una franja de pelo gris cortado a cepillo, tenía hombros macizos y descansaba sus manos nudosas cruzadas sobre la mesa.

—O bien —proseguí sintiendo aumentar en mí la inquina de antaño— tiene algún agente vigilándonos. Vigilándola; en su lecho de muerte y en el ataúd. ¿Era agente suyo ese nuevo celador que era la comidilla de las enfermeras? ¿Era agente suyo el conductor de la limusina que ignoraba el nombre del director de la funeraria?

Seguimos mirándonos a los ojos.

—Lo acompaño en el sentimiento —dijo Pistillo.

—Gracias.

—¿Por qué no quiere decirnos dónde está Sheila Rogers?

—Se arrellanó en el asiento.

—¿Por qué no quieren decirme por qué la buscan?

—¿Cuándo la vio por última vez?

—¿Está usted casado, agente Pistillo?

No vaciló.

—Hace veintiséis años. Tenemos tres hijos.

—¿Quiere a su mujer?

—Sí.

—En ese caso, si yo esgrimiera pretensiones amenazadoras contra ella, ¿qué haría?

Pistillo asintió con la cabeza.

—Si usted trabajara para el FBI le aconsejaría que coopere.

—¿Por las buenas?

—Bueno —añadió alzando el índice— con una salvedad.

—¿Cuál?

—Que fuese inocente. Si fuese inocente no tendría ningún miedo.

—¿Y no le preocuparía de qué asunto se tratara?

—¿Preocuparme? Claro. Querría saber... —añadió sin concluir la frase—. Voy a hacerle una pregunta hipotética.

Hizo una pausa y se incorporó.

—Yo sé que usted cree que su hermano ha muerto.

Hizo otra pausa mientras yo permanecía imperturbable.

—Pero suponga que descubre que está vivo, escondido..., y suponga que además descubre que mató a Julie Miller. —Volvió a arrellanarse—. Es una hipótesis, por supuesto. Se trata de una hipótesis.

—Continúe —dije.

—Bien, ¿qué haría usted? ¿Lo entregaría? ¿Le diría que se las apañara? ¿O lo ayudaría?

Se hizo otro silencio.

—No me habrá hecho venir aquí para jugar con hipótesis —dije.

—No; cierto —replicó él.

Había una pantalla de ordenador en la parte derecha de su mesa que volvió hacia mí para que pudiera verla, apretó unas teclas y en ella apareció una imagen que me provocó un nudo en el estómago.

Un cuarto normal y corriente. Una lámpara de pie derribada. Alfombra beige junto a una mesita. Estaba todo revuelto, como si hubiese pasado un vendaval, pero en el centro del cuarto había un hombre tendido en medio de un charco que me imaginé era de sangre. La sangre era de color carmesí oscuro, casi negro. El hombre estaba boca arriba con brazos y piernas abiertos como si hubiera caído desde una gran altura.

Mientras lo miraba notaba los ojos de Pistillo clavados en mí juzgando mi reacción. Volví la mirada hacia él y luego hacia la pantalla.

Él pulsó en el teclado y apareció otra imagen. El mismo cuarto. Ahora no se veía la lámpara pero sí que había sangre ensuciando la alfombra y otro cadáver acurrucado en posición fetal. El primero vestía camiseta negra y de manga corta con pantalones negros también, mientras que éste llevaba una camisa de franela y vaqueros.

Pistillo volvió a teclear. Se veían los dos cadáveres, el primero en el centro del cuarto y el segundo junto a la puerta. Sólo se veía el rostro de uno, pero por el ángulo de perspectiva no me pareció conocido; el otro no se veía.

Me invadió el pánico y pensé en Ken. ¿Sería uno de los dos...?

—Las fotos están hechas en Alburquerque, Nuevo México, este fin de semana —explicó Pistillo.

—No entiendo —dije frunciendo el ceño.

—Encontramos el escenario del crimen patas arriba, pero logramos recoger algún cabello y fibras —dijo sonriéndome—. No soy especialista en los aspectos técnicos de nuestro trabajo, pero actualmente disponemos de métodos de análisis increíbles. Aunque a veces son los convencionales los que dan la pauta.

—¿Quiere explicarme de qué está hablando?

—Alguien había limpiado muy bien el cuarto, pero a pesar de todo se descubrieron algunas huellas claras que no pertenecían a ninguna de las víctimas. Las hemos comprobado en nuestros ordenadores y esta mañana obtuvimos el resultado —añadió inclinándose sobre la mesa—. ¿Adivina de quién son?

Vi a Sheila, mi hermosa Sheila, mirando por la ventana.

«Lo siento, Will.»

—Son de su novia, señor Klein. La misma persona que está fichada; la misma persona que tanto nos está costando localizar.

6

Elizabeth, Nueva Jersey

Ya estaban cerca del cementerio.

Philip McGuane estaba en el asiento trasero de su Mercedes de encargo, una limusina de cuatrocientos mil dólares con blindaje lateral y ventanillas a prueba de balas de una sola pieza, y miraba cómo discurrían velozmente los restaurantes de comida rápida, las tiendas vulgares y los avejentados locales de striptease. Con la mano derecha sujetaba un whisky con soda servido en el bar del coche. Miró fijamente el líquido color ámbar. No se movía y le sorprendió.

—¿Se encuentra bien, señor McGuane?

McGuane se volvió hacia su acompañante. Fred Tanner era muy alto, casi tan alto y resistente como uno de esos edificios de piedra rojiza. Sus manos eran como tapaderas de alcantarilla, los dedos como salchichas, y tenía una mirada de confianza absoluta en sí mismo. Tanner era de la vieja escuela: traje de alpaca brillante y aquel ostentoso anillo en el meñique del que nunca se desprendía, una joya de oro chabacana y desproporcionada a la que daba vueltas y manoseaba cuando hablaba.

—Estoy bien —mintió McGuane.

La limusina tomó la salida en la Autopista 22 en Parker

Avenue y Tanner continuó jugueteando con el anillo. Tenía cincuenta años y era quince años mayor que su jefe. Su cara era un monumento cuarteado de planos ásperos y ángulos duros y llevaba el pelo pulcramente cortado a cepillo. McGuane sabía que Tanner trabajaba muy bien: era un hijo de puta frío, disciplinado y asesino para quien la compasión era un concepto tan importante como el feng shui. Tanner era un experto utilizando aquellas manazas o bien toda una panoplia de armas de fuego. Se había enfrentado a algunos de los tipos más desalmados y siempre había salido victorioso.

Pero McGuane sabía que aquello comenzaba a tomar un cariz totalmente distinto.

—Bueno, ¿quién es este hombre? —preguntó Tanner.

McGuane meneó la cabeza. Vestía un traje a medida de Joseph Abboud y tenía alquiladas tres plantas de oficinas en Manhattan Oeste. En otra época lo habrían llamado «consigliore» o «capo» o una tontería por el estilo, pero ya había pasado esa época (hacía mucho tiempo, por más que Hollywood se empeñe en hacernos creer que no) de guaridas y suites de velvetón, tiempos que sin duda Tanner seguía añorando; ahora todo funcionaba gracias a oficinas con secretaria y nómina centralizada por ordenador; se pagaban impuestos y se dirigían negocios legales.

Pero no eran mejores.

—¿Y por qué tenemos que ir allí? —insistió Tanner—. Debería ser él quien viniera a verlo, ¿no?

El señor McGuane no contestó. Tanner no lo entendería.

Si El Espectro dice que vayas a verlo, hay que ir, seas quien seas, porque negarse significa que El Espectro viene a por ti. McGuane tenía un excelente servicio de seguridad, buenos vigilantes, pero El Espectro le superaba: tenía paciencia, seguía los pasos y aguardaba la ocasión para tropezarse a solas contigo. Eso se sabía.

No; era mejor acabar de una vez acudiendo a la cita.

A una manzana del cementerio, la limusina se detuvo.

—Ya sabes lo que te he dicho —dijo McGuane.

—Sí, ya he puesto un hombre allí.

—Que no se deje ver si yo no hago la señal.

—De acuerdo. Tal como dijimos.

—No lo subestiméis.

Tanner cogió el picaporte y el sol hizo brillar su anillo.

—Perdone, señor McGuane, pero es un tipo corriente, con sangre roja como todos, ¿no?

McGuane no estaba muy seguro.

Tanner bajó de la limusina con un movimiento grácil para un hombre de su envergadura. McGuane se sentó detrás y dio un largo trago de whisky. Era uno de los hombres más poderosos de Nueva York y ese puesto en la cumbre no se alcanza sin ser un cabrón astuto y despiadado. Si das muestras de debilidad, estás perdido; si eres flojo, mueres. Tan sencillo como eso.

Y sobre todo, nunca hay que dar marcha atrás.

McGuane sabía eso como todo el mundo, pero en aquel momento lo que más deseaba era echar a correr, recoger todo lo que pudiera y esfumarse.

Como su viejo amigo Ken.

Miró a los ojos del chófer en el retrovisor, lanzó un profundo suspiro y le dirigió una inclinación de cabeza. El coche reanudó la marcha, dobló a la izquierda y cruzó las puertas del cementerio Wellington; en cuanto las ruedas hicieron crujir la grava, McGuane dijo al conductor que parase. McGuane se bajó y fue hacia la ventanilla.

—Te llamaré cuando te necesite.

El chófer asintió con la cabeza y arrancó.

McGuane se quedó solo.

Se alzó el cuello de la chaqueta y barrió con la vista el cementerio preguntándose qué escondite habrían elegido Tanner y su hombre para acechar; probablemente cerca del sitio del encuentro, detrás de un árbol o un arbusto. Si estaban bien escondidos no logra ría verlos.

Era un día claro y el viento cortaba como una guadaña. Se encogió de hombros. El ruido del tráfico de la Autopista 22 rebasaba las pantallas sónicas y serenaba a los muertos. Le llegó una ráfaga de olor a algo recién asado y pensó por un instante en la cremación.

No había rastro de nadie.

McGuane encontró la senda y dobló a la izquierda. A medida que pasaba por delante de las tumbas miraba inconscientemente las fechas de nacimiento y defunción, calculando edades y preguntándose de qué habrían muerto los niños. Se quedó indeciso un instante al ver un apellido conocido: Daniel Skinner, muerto a los trece años. Adornaba la lápida la escultura de un ángel sonriente: McGuane ahogó la risa al verla pensando en el abusón de Skinner que atormentaba constantemente a un compañero de cuarto grado. Pero el 11 de mayo —tal como rezaba la lápida— el de cuarto grado había comparecido con un cuchillo de cocina para defenderse. Su primera y única puñalada le acertó en el corazón.

Adiós, angelito.

McGuane se encogió de hombros e intentó desechar aquel recuerdo.

¿Fue entonces cuando todo comenzó?

Reemprendió la marcha. Continuó en línea recta, torció a la izquierda y aminoró el paso. Escudriñó en torno suyo. Ningún movimiento aún. Allí había más silencio, era una zona más tranquila y verde. Aunque a los inquilinos tanto les daba. Dudó un instante antes de torcer de nuevo a la izquierda para acercarse a la tumba convenida.

Se detuvo. Comprobó el nombre y la fecha y su pensamiento retrocedió en el tiempo. Recapacitó sobre lo que sentía y se dijo que no gran cosa. No se molestó en volver a mirar a su alrededor. El Espectro estaba cerca. Lo presentía.

—Habrías debido traer flores, Philip.

Era una voz suave y melosa con cierto ceceo que le heló la sangre en las venas. McGuane se volvió despacio y miró detrás de él. John Asselta se aproximaba con un ramo de flores en la mano. Mc Guane retrocedió. Asselta clavó en él sus ojos y McGuane sintió un garfio de hierro en el pecho.

—Cuánto tiempo —dijo El Espectro.

Asselta, el hombre a quien McGuane conocía por El Espectro, se acercó a la tumba. Él se quedó completamente inmóvil. Cuando pasó a su lado sintió que la temperatura descendía treinta grados.

McGuane contuvo la respiración.

El Espectro se arrodilló, depositó delicadamente las flores en el suelo y permaneció un instante con los ojos cerrados. A continuación se levantó y alargó su mano delicada de pianista para acariciar la tumba de forma íntima.

McGuane hacía esfuerzos por no mirar.

La piel de El Espectro era como las cataratas: blancuzca y acuosa. Venas azules como lagrimones teñidos surcaban aquel rostro casi atractivo. Sus ojos eran de un gris profundo casi transparente y su cabeza en forma de bombilla era desmesurada para su espalda estrecha; llevaba recién rapado el cráneo salvo un mechón largo y pardusco que le caía como en cascada en el centro. En sus rasgos había algo delicado, casi femenino, una versión pesadillesca de una muñeca de porcelana.

McGuane retrocedió un paso más.

A veces uno se tropieza con alguien cuya bondad lo deslumbra, pero hay ocasiones en que sucede todo lo contrario: estás con alguien cuya sola presencia te ahoga en un manto de sangre y podredumbre.

—¿Qué quieres? —preguntó McGuane.

El Espectro agachó la cabeza.

—¿Conoces el dicho de que en las trincheras no hay ateos?

—Sí.

—Pues es mentira —replicó El Espectro—. Sucede justamente lo contrario. Estando en una trinchera cara a cara con la muerte sabes con certeza que no hay Dios y eso te hace luchar por sobrevivir y seguir respirando, jurando por lo que sea, porque no quieres morir, porque en el fondo de tu corazón sabes que con la muerte termina el juego y no hay ningún más allá. No hay paraíso, ni Dios. Sólo la nada.

El Espectro alzó la cabeza y lo miró, pero McGuane permaneció imperturbable.

—Te he echado de menos, Philip.

—¿Qué es lo que quieres, John?

—Me parece que lo sabes.

McGuane lo sabía pero no replicó.

—Tengo entendido —prosiguió El Espectro— que estás en apuros.

—¿Qué es lo que has oído?

—Rumores. —El Espectro sonrió. Su boca era como un fino corte de navaja y, al verla, McGuane estuvo a punto de gritar—. Por eso he vuelto.

—Es problema mío.

—Ojalá fuese verdad, Philip.

—¿Qué es lo que quieres, John?

—Esos dos hombres que enviaste a Nuevo México han fracasado, ¿verdad?

—Sí.

—Yo no fallaré —musitó El Espectro.

—Sigo sin saber qué quieres.

—Supongo que estarás de acuerdo en que yo me juego algo en esto.

El Espectro aguardó a que McGuane asintiera con la cabeza.

—Supongo que sí.

—Philip, tú tienes recursos. Acceso a información que yo no tengo —añadió El Espectro mirando la tumba, y McGuane casi pensó por un instante que había en él algo humano—. ¿Estás seguro de que ha vuelto?

—Totalmente seguro —respondió McGuane.

—¿Cómo lo sabes?

—Por alguien de dentro del FBI. Se supone que los que enviamos a Alburquerque debían confirmarlo.

—Subestimaron a su adversario.

—Eso parece.

—¿Sabes adónde ha huido?

—Estamos averiguándolo.

—Pero no con muchas ganas.

McGuane no contestó.

—Preferirías que volviera a desaparecer, ¿verdad?

—Eso simplificaría las cosas.

El Espectro negó con la cabeza.

—Esta vez no —replicó.

Se hizo un silencio.

—Bien, ¿quién puede saber dónde está? —preguntó El Espectro.

—Tal vez su hermano. El FBI citó a Will hace una hora para interrogarlo.

El Espectro mostró interés y alzó la cabeza.

—Interrogarlo, ¿sobre qué?

—Todavía no lo sabemos.

— En ese caso podría ser un buen punto de partida para mí —dijo El Espectro con voz queda.

McGuane asintió a regañadientes y en ese momento El Espectro se le acercó y le tendió la mano. McGuane, paralizado, sintió un estremecimiento.

—¿Tienes miedo de dar la mano a un viejo amigo, Philip?

Lo tenía. El Espectro se aproximó más y la respiración de McGuane se aceleró, indeciso sobre si hacer la señal a Tanner.

Una bala. Una bala podría acabar con aquello.

—Dame esa mano, Philip.

Era una orden y McGuane obedeció. Casi contra su voluntad despegó despacio la mano del costado. Sabía que El Espectro mataba. A muchos, y a sangre fría. Era la Muerte, no un simple asesino; la Muerte en persona, como si un simple contacto por su parte fuese un aguijonazo que atraviesa la piel y llega a la sangre infundiendo un veneno que penetra en el corazón como aquel cuchillo de cocina que había esgrimido hacía tantos años.

McGuane desvió la mirada.

El Espectro se acercó aún más y le estrechó la mano. McGuane reprimió un grito, intentó zafarse del pegajoso apretón, pero El Espectro lo mantuvo.

McGuane sintió en ese momento que algo frío y punzante se le hundía en la palma de la mano.

El apretón se intensificó. McGuane lanzó un grito ahogado de dolor. Lo que fuera que El Espectro ocultaba en la mano se le clavaba en los tendones como una bayoneta. El apretón se cerró un poco más. McGuane cayó con una rodilla en el suelo.

El Espectro esperó hasta que McGuane alzó la vista. Las miradas de los dos hombres se encontraron. McGuane estaba seguro de que sus pulmones dejarían de respirar y de que sus órganos se parecían uno por uno. El Espectro aflojó la mano. Dejó en la de McGuane el objeto punzante y lo rodeó con los dedos. Finalmente, lo soltó y dio un paso hacia atrás.

—Puede ser un viaje sin retorno, Philip.

—¿Qué demonios quiere decir eso? —dijo McGuane casi sin resuello.

Pero El Espectro le dio la espalda y se alejó. McGuane bajó la vista y abrió la mano.

En la mano, reluciendo a la luz del sol, tenía el anillo de oro del meñique de Tanner.

7

Después de la entrevista con el subdirector Pistillo, Cuadrados y yo montamos en la furgoneta.

—¿Vamos a tu apartamento? —preguntó.

Asentí con la cabeza.

—Te escucho —dijo.

Le relaté la conversación que había tenido con Pistillo.

Cuadrados meneó la cabeza.

—Alburquerque. Odio ese lugar, tío. ¿Has estado alguna vez?

—No.

—Está en el sudoeste, pero un sudoeste falso, como una copia de Disneylandia.

—Lo tendré en cuenta, Cuadrados. Gracias.

—Así que ¿cuándo se fue Sheila?

—No lo sé —contesté.

—Piensa. ¿Dónde estuviste la semana pasada?

—En casa de mis padres.

—¿Y Sheila?

—Se supone que aquí, en Nueva York.

—¿La llamaste?

—No, me llamó ella a mí —contesté después de pensarlo.

—¿Comprobaste el número desde el que llamaba?

—Estaba bloqueado.

—¿Hay alguien que pueda confirmar que estaba en la ciudad?

—No creo.

—Así que podría haber llamado desde Alburquerque —dijo Cuadrados.

Reflexioné al respecto.

—Puede haber otras explicaciones —dije.

—¿Por ejemplo?

—Podría tratarse de huellas dactilares antiguas.

Cuadrados frunció el ceño sin dejar de mirar la calzada.

—Quizá —proseguí— fue a Alburquerque el mes pasado o hace un año, ¡joder! ¿Cuánto tiempo duran las huellas?

—Creo que bastante.

—Pues pudo haber sucedido eso —dije—. O a lo mejor eran las huellas que había dejado en un mueble, una silla, por ejemplo, que estaba en Nueva York y que enviaron a Nuevo México.

—Descabellado —comentó Cuadrados ajustándose las gafas de sol.

—Pero posible.

—Sí, claro. O tal vez alguien le pidió los dedos prestados, ¿no? Y se los llevó a Alburquerque el fin de semana.

Un taxi nos adelantó de pronto y Cuadrados giró en una bocacalle a la derecha rozando a unos peatones que invadían la calzada a tres pies del bordillo. En Manhattan, la gente siempre hace eso. Nadie espera en la acera a que cambie el semáforo, arriesgan su vida para llegar a otra frontera imaginaria.

—Ya sabes cómo es Sheila —dije.

—Sí.

Me costaba trabajo decirlo, pero lo solté:

—¿Crees que puede ser una asesina?

Cuadrados no contestó. Llegamos a un semáforo en rojo, frenó y me miró.

—Otra vez empiezas a hablar como con lo de tu hermano.

—Cuadrados, lo que quiero decir es que hay otras posibilidades.

—Will, lo que quiero decir es que tienes el culo en la cabeza.

—¿A qué te refieres?

—¿Una silla?, por Dios bendito. ¿Estás de broma? Anoche Sheila estuvo llorando y te dijo que la perdonaras, y por la mañana se había largado. Ahora los federales nos dicen que han encontrado sus huellas en el escenario de un crimen. ¿Y tú con qué me sales? Con gilipolleces de un transporte de sillas y de un viaje de Dios sabe cuándo.

—Que haya huellas suyas no quiere decir que matara a nadie.

—Quiere decir que está implicada —replicó Cuadrados.

Encajé ésa. Me recosté en el asiento y miré por la ventanilla, sin ver nada.

—¿Se te ocurre algo, Cuadrados? —dije al cabo de un rato.

—Nada.

Continuamos en silencio.

—Yo la quiero, ¿sabes?

—Lo sé —dijo él.

—En cualquier caso, me mintió.

—Eso complica las cosas —comentó Cuadrados encogiéndose de hombros.

Me puse a recordar la primera noche que pasamos juntos: Sheila abrazada a mí con la cabeza reclinada en mi pecho, su brazo rodeándome; era una situación tan plena, tan sosegada, el mundo era tan maravilloso... Estuvimos así no sé cuánto tiempo. «No hay pasado», dijo ella casi para sus adentros y yo le pregunté a qué se refería. Ella siguió con la cabeza sobre mi pecho sin mirarme y no añadió nada.

—Tengo que encontrarla —dije.

—Sí, lo sé.

—¿Me ayudarás?

Cuadrados se encogió de hombros.

—Serías incapaz de hacerlo tú solo.

—Es cierto —dije—. ¿Por dónde empezamos?

—Como dice el viejo proverbio, antes de seguir adelante, hay que mirar atrás —contestó Cuadrados.

—¿Te lo acabas de inventar?

—Sí.

—De todos modos, es lógico.

—Will...

—Sí.

—Está claro que es de cajón, pero si miramos atrás, a lo mejor no te gusta lo que vemos.

—Casi seguro —dije.

Cuadrados me dejó en casa y volvió a Covenant House. Entré en el apartamento y tiré las llaves en la mesa. Normalmente habría pronunciado el nombre de Sheila para ver si estaba, pero lo encontré todo tan vacío, tan falto de energía, que ni me molesté. Lo que había sido un hogar los últimos cuatro años me parecía distinto, extraño. Notaba un olor viciado, como si hubiese estado mucho tiempo deshabitado.

¿Y ahora qué?

Lo registraría todo, me dije. Buscaría pistas, lo que fuera que significase eso. Pero algo que de inmediato me llamó la atención fue lo espartana que era Sheila; le complacían las cosas sencillas, por triviales que fuesen, y me instaba a que yo hiciese lo mismo. Sus pertenencias eran mínimas; cuando se vino a vivir conmigo se trajo una sola maleta. No era una indigente porque yo había visto extractos de una cuenta bancaria y en el piso había gastado más de lo que le correspondía, pero ella era de las que se rigen por esa máxima de que «son las propiedades las que te tienen a ti y no al contrario». Ahora que lo pensaba comprendí que, efectivamente, las propiedades atan.

Mi sudadera extragrande del Amherst College estaba sobre una silla del dormitorio; la cogí y sentí que se me encogía el corazón: en otoño habíamos pasado los dos un fin de semana en mi antigua universidad. Hay un montículo escarpado en el campus de Amherst que a cierta altura se abre en una especie de patio típico estilo Nueva Inglaterra y a continuación desciende hacia la amplia zona de terrenos de deporte. Los estudiantes, en un alarde de originalidad, lo llaman «La colina».

Una noche Sheila y yo paseamos por el campus cogidos de la mano y nos tumbamos en la mullida hierba de aquel paraje a contemplar el cielo otoñal y a hablar durante horas. Recuerdo que pensé que nunca había sentido tanta paz, tanta serenidad, tanta placidez y auténtico gozo. Allí tumbados, Sheila me puso la palma de la mano en el estómago y, sin dejar de mirar las estrellas, la introdujo por la cintura del pantalón. Me volví levemente y la miré, y cuando sus dedos alcanzaron su objetivo vi su sonrisa maliciosa.

—Como cuando eras estudiante —dijo.

Lo cierto es que, efectivamente, me calenté como nunca, pero fue en ese momento concreto, en aquella colina, con su mano dentro de mis pantalones, cuando comprendí casi con certeza sobrenatural que era la mujer de mi vida, que siempre estaríamos juntos y que el recuerdo de mi primer amor, mi único amor antes de Sheila, el que me obsesionaba y desplazaba a los otros, se esfumaba de una vez por todas.

Miré la camiseta y volví a sentir de pronto el olor a madreselva y maleza. La apreté contra mí y pensé por enésima vez desde la entrevista con Pistillo: ¿habría sido todo mentira? No.

Eso no puede fingirse. Cuadrados podría tener razón respecto a la capacidad de las personas para la violencia, pero no se puede fingir una compenetración como la nuestra.

La nota seguía en la encimera.

Siempre te querré.
S.

Tenía que creerlo. Era lo menos que podía hacer en deferencia a ella. Sheila tenía su pasado y yo no entraba en él. Fuese el que fuese, debía de tener sus razones. Ella me quería. Estaba seguro. Y en ese momento mi obligación era encontrarla para volver a..., no sé..., a nosotros.

No iba a dudar de ella.

Miré en los cajones. Por lo menos sabía que Sheila tenía cuenta en un banco y tarjeta de crédito, pero no encontraba ningún comprobante, ni extractos, ni talonarios. Pensé que los habría tirado.

El consabido dibujo de rayas móviles del salvapantallas del ordenador desapareció cuando moví el ratón. Tecleé la contraseña, seleccioné el nombre de Sheila y pulsé en «correo antiguo». Nada. Ni un mensaje. Era raro. Sheila no usaba mucho el correo; de hecho lo usaba poco, pero ¿cómo es que no había un solo mensaje?

Pulsé en «archivos». Vacíos. Pulsé en «favoritos»: nada; busqué en «agenda»: nada.

Me recosté en el respaldo mirando la pantalla y se me ocurrió una idea que fue tomando cuerpo al mismo tiempo que pensaba si no sería violar su intimidad. Daba igual. Cuadrados tenía razón en lo de indagar desde el principio para saber qué pasos debíamos dar. Y tampoco se equivocaba en cuanto a que tal vez no me gustara lo que descubriera.

Seleccioné centralita.com, una guía telefónica amplísima; tecleé Rogers en «nombre»: el estado era Idaho; la ciudad, Mason. Lo sabía por el formulario que había rellenado al entrar de voluntaria en Covenant House.

Sólo aparecía un Rogers en la lista; anoté el número en un trozo de papel. Sí; llamaría a sus padres. Si empezábamos por mirar atrás, había que partir de ahí.

Cuando mi mano iba a marcar el número, sonó el teléfono. Lo cogí y oí la voz de mi hermana Melissa:

—¿Qué haces?

Pensé una respuesta y contesté:

—Tengo una complicación.

—Will, acaba de morir mamá —replicó ella con su voz de hermana mayor.

Cerré los ojos.

—Papá pregunta por ti. Tienes que venir.

Miré aquel apartamento extraño que olía a cerrado. No había motivo para quedarse allí. Pensé en la fotografía que conservaba en el bolsillo, la imagen de mi hermano en las montañas.

—Voy ahora mismo —dije.

Melissa me abrió la puerta.

—¿Y Sheila? —preguntó.

Musité algo sobre un compromiso y crucé el umbral.

Aquel día sí teníamos visita; no de la familia, sino de un viejo amigo de mi padre llamado Lou Farley, a quien seguramente llevaba sin ver diez años. Farley y mi padre se contaban alborozados viejas historias, algo sobre un partido de minibéisbol, y me vino a la cabeza el vago recuerdo de mi padre con el uniforme color castaño de recio poliéster con el logotipo de Friendly's Ice Cream en el pecho. Oí el crujido de sus botas claveteadas en la grava del camino de entrada y sentí el peso de su mano en mi hombro. Hacía una eternidad. Oí que reían los dos. No había oído reír a mi padre así hacía años; tenía los ojos bañados en lágrimas y estaba arrobado. Recordé que mi madre acudía a veces a aquellos partidos: fue como si la viera sentada en las gradas con la camiseta sin mangas y sus fuertes brazos bronceados.

Miré por la ventana, pensando en ver aparecer a Sheila y que todo fuese en definitiva algún malentendido. Una parte de mí —una gran parte de mí— no reaccionaba. Aunque la muerte de mi madre era algo esperado hacía tiempo —porque el cáncer de Sunny, como suele suceder, era de progresión lenta e inexorable con rápido deterioro terminal—, yo estaba aún demasiado afectado para asumir todo lo que estaba ocurriendo.

Sheila.

No era la primera vez que perdía un amor. Cuando se trata de asuntos del corazón, incurro en una modalidad anticuada de pensamiento y creo en el alma gemela. Todos tenemos un primer amor.

Cuando el mío me dejó, abrió un agujero que me atravesó el corazón. Durante mucho tiempo pensé que no me sobrepondría, por diversos motivos: en primer lugar ni siquiera llegamos a romper. Pero, en cualquier caso, cuando ella me dejó, que, en definitiva, fue lo que hizo al final, yo estaba convencido de que mi destino iba a ser contentarme con otra que valiera menos o estar solo para siempre.

Luego conocí a Sheila.

Pensé en sus ojos verdes y en su modo de taladrarme con la mirada. Pensé en el tacto sedoso de su pelo rojo. Pensé en aquella primera atracción física inmensa, arrolladora, que había ido penetrando en las fibras de mi ser y me impulsaba a pensar en ella constantemente, me provocaba nervios en el estómago y hacía que me diera un vuelco el corazón cada vez que miraba su rostro. Iba en la furgoneta con Cuadrados y él de pronto me daba una palmada en el hombro porque me veía embobado, perdido en una idea que él llamaba Sheililandia con una sonrisa socarrona. Estaba como embriagado. Nos sentábamos a mirar vídeos de películas antiguas abrazados, acariciándonos, provocándonos en broma, probando todo lo que podíamos resistir, cómodos y excitados, retozando, hasta que..., en fin, para eso hay en el vídeo un botón de pausa.

Dábamos largos paseos cogidos de la mano; nos sentábamos en el parque y musitábamos comentarios maliciosos sobre la gente que pasaba. En las fiestas me encantaba situarme en el otro extremo del cuarto y verla a distancia, mirarla caminar, moverse y hablar con los demás y, cuando nuestras miradas se encontraban, sentía una sacudida por aquel destello de connivencia en sus ojos, aquella sonrisa de lascivia.

En cierta ocasión, Sheila me pidió que rellenase un cuestionario insulso de una revista. Una de las preguntas era: «¿Cuál es la mayor debilidad de su amante?». Yo lo pensé y escribí: «A veces olvida el paraguas en los restaurantes». A ella le encantó, pero quiso que dijera alguna más y yo añadí: «Escuchar bandas infantiles y discos antiguos de Abba». Ella asintió muy seria con la cabeza y me prometió que procuraría cambiar.

Hablábamos de todo menos del pasado. Como es algo a lo que estoy más que acostumbrado en mi trabajo no me importaba mucho, pero ahora que lo pienso me resulta extraño, aunque entonces quizás aportaba cierto aire de misterio. Mas por encima de todo ello —vuelvo a rogarles paciencia conmigo— era como si antes de nosotros no hubiese existido nada. Ni amores, ni compañeros, ni pasado. Habíamos nacido el día en que nos conocimos.

Sí, ya sé.

Melissa estaba sentada al lado de mi padre. Los veía de perfil y advertí que el parecido era asombroso. Yo me parecía a mi madre. Ralph, el marido de Melissa, dio la vuelta a la mesa del buffet. Era el clásico empresario estadounidense medio, de camisa de manga corta y camiseta blanca de cuello cerrado; un buen tío que estrechaba la mano con fuerza, zapatos perfectamente limpios, pelo bien cortado e inteligencia limitada. Nunca se aflojaba la corbata y no es que fuera realmente estirado, pero sólo estaba a gusto cuando las cosas eran como deben ser.

No tengo nada en común con Ralph, pero a decir verdad no lo conozco muy bien. Ellos viven en Seattle y casi nunca nos visitan. En cualquier caso, no puedo evitar acordarme de la fase loca de Melissa, cuando salía con ese bala perdida de Jimmy McCarthy: qué brillo había en sus ojos entonces, qué espontánea y divertida era, desmadrada incluso. No sé qué sucedería y por qué cambió, o qué es lo que le dio miedo. La gente dice que maduró, pero yo no creo que fuera sólo eso; creo que hubo algo más.

Melissa —a quien siempre habíamos llamado Mel— me hizo una señal con la mirada y nos retiramos al estudio. Metí la mano en el bolsillo y toqué la foto de Ken.

—Ralph y yo nos marchamos mañana —dijo.

—Qué rápido —comenté.

—¿Qué quieres decir?

Meneé la cabeza.

—Están los niños y Ralph tiene trabajo.

—Claro —dije—. Os agradecemos que hayáis venido.

—No está bien que digas eso —replicó con los ojos muy abiertos.

Era cierto. Miré detrás de mí. Ralph estaba sentado con papá y Lou Farley contaba un chiste enrevesado y tonto, con un trozo de ensaladilla en la comisura de los labios. Quise decirle a Melissa que lo sentía, pero no podía. Mel era la mayor, le llevaba tres años a Ken y a mí cinco. Cuando encontraron muerta a Julie, ella huyó. Es la única forma de decirlo. Se mudó con su nuevo marido y su hijo al otro extremo del país. Yo había llegado a entenderlo, pero había veces en que aún me indignaba aquella deserción.

Pensé de nuevo en la imagen de Ken que guardaba en el bolsillo y adopté de pronto una decisión.

—Voy a enseñarte una cosa.

Creí advertir una mueca en su rostro, como si cogiera aire, pero quizá fuese mi imaginación. Llevaba un peinado a lo Suzy Homemaker, que junto con el rubio teñido de zona residencial y sus hombros enérgicos constituía probablemente el mayor encanto para Ralph. A mí me parecía que eran detalles que a ella no le sentaban bien.

Nos retiramos un poco hacia la puerta del garaje; yo miré hacia atrás y seguía viendo a mi padre con Ralph y Farley.

Abrí la puerta y Mel me miró con cara de extrañeza, pero me siguió. Pisamos el cemento frío del garaje. Era una dependencia hecha a propósito para el riesgo de incendio por la profusión de botes d e pintura viejos, cajas de cartón, palos de béisbol, trastos antiguos de mimbre, neumáticos desinflados, todo ello esparcido como si hubiese habido una explosión. El suelo tenía manchas de aceite y una capa de polvo gris que impedía respirar lo cubría todo. Aún colgaba aquella cuerda del techo: recordé que en cierta ocasión mi padre tiró parte de los trastos para hacer sitio y colgar de ella una pelota de tenis a fin de que yo practicase. No acababa de creerme que aquella cuerda siguiera allí.

Melissa no dejaba de mirarme y yo no sabía cómo empezar.

—Ayer Sheila y yo estuvimos fisgando cosas de mamá —empecé a decir.

Entornó levemente los ojos, y pensé en explicarle que habíamos mirado en los cajones y curioseado las comunicaciones de nacimiento plastificadas, el viejo programa de cuando mamá representó el papel de Mame en el teatro de Livingston, y cómo nos habíamos recreado Sheila y yo con las antiguas fotos —«Mel, ¿recuerdas la del rey Hussein?»—, pero no salió una palabra de mis labios.

No dije nada más, metí la mano en el bolsillo, saqué la fotografía y la puse ante sus narices.

No llevó mucho tiempo. Melissa apartó la vista como si fuese a escaldarla, respiró hondo varias veces y retrocedió un paso. Yo quise acercarme, pero ella alzó una mano y me detuvo. Cuando volvió a levantar la cabeza, su rostro era inexpresivo y no se advertía en él ni sorpresa, ni angustia ni alegría. Nada.

Le mostré de nuevo la fotografía, pero esta vez ni se inmutó.

—Es Ken —dije como un idiota.

—Ya lo veo, Will.

—¿Y no se te ocurre decir más que eso?

—¿Qué quieres que te diga?

—Está vivo. Mamá lo sabía y guardaba esta foto.

Silencio.

—¿Mel?

—Te he oído. Está vivo.

Aquella contestación me dejó mudo.

—¿Algo más? —inquirió Melissa.

—Pero... ¿no tienes más que decir?

—¿Qué quieres que diga, Will?

—Ah, claro, se me olvidaba que tenéis que volver a Seattle.

—Sí.

Se dispuso a irse.

Volví a sentirme indignado.

—Dime una cosa, Mel, ¿te sirvió de algo huir?

—Yo no huí.

—No digas gilipolleces —repliqué.

—Ralph consiguió un trabajo en Seattle.

—Ya.

—¿Quién eres tú para juzgarme?

Me vino el recuerdo de cuando jugábamos los tres a Marco Polo horas y horas en el motel cerca de Cabo Cod, la ocasión en que Tony Bonoza murmuró aquello de Mel, cómo Ken enrojeció al oírlo y cómo se lanzó sin pensarlo dos veces sobre Bonoza a pesar de que le llevaba dos años y pesaba diez kilos más.

—Ken está vivo —repetí.

—¿Y qué quieres que haga yo? —replicó en tono de súplica.

—Reaccionas como si no te importara.

—No sé si me importa.

—¿Qué demonios quieres decir?

—Ken ya no forma parte de nuestras vidas.

—Lo dirás tú.

—De acuerdo, Will. Ya no forma parte de mi vida.

—Es tu hermano.

—Ken tomó sus decisiones.

—Y ahora, ¿qué? ¿Ha muerto para ti?

—¿No sería mejor que hubiese muerto? —replicó meneando la cabeza con los ojos cerrados mientras yo aguardaba—. Yo tal vez huyera, Will, pero tú también lo hiciste. Teníamos que elegir entre que nuestro hermano estuviera muerto o que fuera un brutal asesino. En cualquier caso, para mí está muerto.

—No tiene por qué ser culpable, ¿sabes? —insistí mostrándole otra vez la foto.

Melissa me miró y de pronto volvió a ser la hermana mayor.

—Vamos, Will. No te engañes.

—Cuando éramos pequeños, él nos defendía y nos cuidaba; nos quería.

—Y yo lo quería, pero también veía cómo era; le atraía la violencia, Will. Tú lo sabes. Sí, nos defendía; pero ¿no crees que era en parte porque le gustaba? Tú sabes que cuando murió estaba mezclado en algo feo.

—Eso no quiere decir que sea un asesino.

Melissa volvió a cerrar los ojos. Yo notaba que intentaba sacar fuerzas de flaqueza.

—Hablando claro, Will, ¿qué hacía aquella noche?

Nos miramos un rato a los ojos. Yo no dije nada pero sentí un escalofrío en el corazón.

—Olvida el asesinato. ¿Qué pintaba Ken haciendo el amor con Julie Miller?

Sus palabras penetraron en mi pecho, frías, inquietantes. No podía respirar; cuando pude hablar lo hice con un hilo de voz distante:

—Habíamos roto hacía más de un año.

—¿De verdad vas a decirme que la habías olvidado?

—Pues... ella era libre y él también. No había motivo...

—Él te la jugó, Will. Enfréntate a la realidad. En cualquier caso, él se acostó con la mujer que amabas. ¿Qué clase de hermano es ése?

—Habíamos roto —atiné a replicar—. Yo no tenía ningún derecho sobre ella.

—Tú la querías.

—Eso no tiene nada que ver.

—¿Quién es el que huye ahora? —dijo ella sin dejar de mirarme a los ojos.

Retrocedí tambaleante y me senté en los escalones de cemento con la cara entre las manos. Me recompuse pedazo a pedazo. Me llevó un rato.

—No deja de ser nuestro hermano.

—¿Y qué quieres hacer? ¿Buscarlo? ¿Entregarlo a la policía? ¿Ayudarlo a que siga escondido? ¿Qué?

No sabía qué decir.

Melissa se acercó a abrir la puerta que daba al estudio.

—Will.

Alcé la vista.

75

—Eso ya no forma parte de mi vida. Lo siento.

En aquel momento la vi cuando era una jovencita, tumbada en su cama cotorreando, con el pelo excesivamente cardado, la habitación con olor a chicle; Ken y yo nos sentábamos en el suelo y poníamos los ojos en blanco. Recordé sus gestos: cuando estaba boca abajo, dando patadas al aire mientras hablaba de chicos, de fiestas y de bobadas; pero si estaba boca arriba mirando al techo es que soñaba. Y pensé en sus sueños. Y pensé que ninguno de ellos se había hecho realidad.

—Te quiero —dije.

Ella, como si hubiese leído mis pensamientos, se echó a llorar.

El primer amor nunca se olvida y la primera mujer que yo amé acabó asesinada.

Conocí a Julie Miller cuando sus padres vinieron a vivir a Coddington Terrace estando yo en primer curso en el instituto de Livingston. Empezamos a salir dos años después; íbamos a los bailes de alumnos de nuestra edad y a los de mayores de otros cursos. Fuimos la pareja de honor de nuestra clase. Éramos inseparables.

Nuestra ruptura fue sorprendente tan sólo por lo previsible que era, aunque nosotros fuimos a distintas universidades convencidos de que nuestro compromiso resistiría al tiempo y al distanciamiento; pero no podía ser, aunque aguantó mucho más que en la mayoría de los casos. En el primer curso, Julie me llamó por teléfono para decirme que quería conocer gente y que salía con un chico de un curso superior que se llamaba (y ahora no estoy bromeando) Buck.

Yo habría debido superarlo. Era joven y aquello era un ritual de paso bastante corriente; probablemente al final lo habría logrado. Empecé a salir con otras chicas y, aunque me costaba, iba aceptando la realidad porque el tiempo y la distancia contribuían a ello.

Pero luego Julie murió y fue como si parte de mi corazón fuera a permanecer siempre encadenado a su memoria.

Hasta que conocí a Sheila.

A mi padre no le mostré la foto.

Volví a mi apartamento a las diez de la noche. Seguía vacío, persistía el olor a cerrado y me seguía pareciendo extraño. No había mensajes en el contestador. Si la vida sin Sheila era así, no valía la pena.

El trozo de papel con el teléfono de sus padres en Idaho continuaba encima de la mesa. ¿Cuál era la diferencia horaria con Idaho? ¿Una hora? ¿Tal vez dos? No lo recordaba. En cualquier caso allí serían las ocho o las nueve.

No era demasiado tarde.

Me dejé caer en el sillón y miré el teléfono como si el aparato fuera a decirme lo que debía hacer. No lo hizo. Al cabo de un rato cogí el trozo de papel y recordé que cuando le dije a Sheila que llamase a sus padres se había puesto pálida; eso había sido tan sólo el día anterior. El día anterior. No sabía decidirme y lo primero que se me ocurrió fue que mi madre me habría sabido aconsejar lo correcto.

Me invadió una oleada de tristeza.

Al final me decidí a actuar. Tenía que hacer algo, y lo único que se me ocurría era llamar a los padres de Sheila.

—Diga —contestó una voz de mujer al tercer timbrazo.

Carraspeé antes de preguntar:

—¿Señora Rogers?

Hubo una pausa.

—¿Sí?

—Me llamo Will Klein.

Aguardé para ver si el nombre le decía algo. Pero, aunque así fuese, callaba.

—Soy amigo de su hija.

—¿Qué hija?

—Sheila —contesté.

—Ah —comentó la mujer—. Tengo entendido que está en Nueva York.

—Sí —dije.

—¿Llama desde allí?

—Sí.

—¿Y qué desea, señor Klein?

Era una buena pregunta. Ni yo mismo lo sabía; así que respondí con una obviedad:

—¿Sabe usted dónde puede estar?

—No.

—¿No la ha visto ni ha hablado con ella?

—Hace años que ni veo a Sheila ni hablo con ella —dijo la mujer con voz cansada.

Yo abrí y cerré la boca y traté de encontrar una alternativa, tomar otra ruta, pero era inútil.

—¿No sabe que ha desaparecido?

—Sí, las autoridades se han puesto en contacto con nosotros.

Cambié de mano y de oído el receptor.

—¿Y pudo usted darles algún dato de utilidad?

—¿De utilidad?

—¿Tiene usted idea de adónde puede haber ido? ¿Adónde ha huido ? ¿Si puede estar en casa de algún amigo o pariente?

—Señor Klein.

—Diga.

—Sheila no forma parte de nuestra vida hace mucho tiempo.

—¿Por qué?

Me salió de improviso y me imaginé que, naturalmente, iba a recibir un reproche, un rotundo «¿y a usted qué le importa?». Mas volvió a hacerse un silencio. Yo traté de aguantar callado pero ella aguantaba más.

—Es que es una persona maravillosa —añadí sintiendo palpitar mi corazón.

—Usted es algo más que un amigo, ¿verdad, señor Klein?

—Sí.

—Las autoridades nos dijeron que Sheila vivía con un hombre. ¿Se trata de usted?

—Llevamos juntos casi un año —contesté.

—Parece usted preocupado por ella.

—Así es.

—¿Está enamorado de Sheila?

—Mucho.

—Pero ella no le ha hablado de su pasado.

No sabía qué responder a pesar de que era evidente la respuesta.

—Trato de comprender —dije.

En ese momento, el vecino de al lado puso el equipo estéreo cuadrafónico a todo volumen y el bajo bombardeó la pared. Como hablaba por el móvil me fui al otro extremo del apartamento.

—Quiero ayudar —dije.

—Voy a hacerle una pregunta, señor Klein.

El tono me hizo apretar con fuerza el aparato.

—El agente federal que vino a casa —continuó— explicó que usted no sabía nada.

—Nada, ¿sobre qué?

—Sobre Carly; que no sabe dónde está —dijo la señora Rogers.

Yo estaba confuso.

—¿Quién es Carly? —pregunté.

Se produjo otra pausa larga.

—¿Puedo darle un consejo, señor Klein?

—¿Quién es Carly? —repetí.

—Siga con su vida. Olvide que ha conocido a mi hija.

Y colgó.

8

Cogí una cerveza Brooklyn de la nevera, abrí la puerta corredera de cristal y salí a lo que el agente inmobiliario había calificado optimistamente de «terraza», aunque venía a tener el tamaño de una cuna en la que apenas cabían dos personas de pie. No había sillas, evidentemente, y como era un tercer piso no se gozaba de una gran vista, pero de noche daba el aire y me gustaba.

De noche, Nueva York es una ciudad iluminada e irreal, envuelta en un fulgor azul-negruzco. Quizá sea la ciudad que nunca duerme, pero si se toma como referencia mi calle, la verdad es que no habría tenido dificultades para conciliar el sueño. Los coches aparcados se apretaban unos a otros junto al bordillo, pugnando por conservar la posición en que los habían dejado sus usuarios; los ruidos nocturnos llegaban como un pálpito, como un zumbido, y sólo se oía una musiquilla, algunas voces en la pizzería en la acera de enfrente y el runrún monótono del metro aéreo del West Side, la melodía de Manhattan.

Tenía el cerebro embotado. No sabía qué estaba sucediendo ni lo que iba a hacer. La conversación con la madre de Sheila había aclarado poco y había suscitado más interrogantes, y las palabras de Melissa seguían mortificándome, pero ella sí había planteado algo interesante: ahora que sabía que Ken estaba vivo, ¿qué estaba yo dispuesto a hacer?

Quería encontrarlo, por supuesto.

Quería encontrarlo a toda costa. ¿Y qué? Además de que yo no era un detective a la altura de las circunstancias, si Ken quería que lo encontraran, a quien primero recurriría sería a mí. Buscarlo sólo conduciría al desastre.

Quizá tenía otra prioridad.

Primero, mi hermano había huido. Ahora, había desaparecido mi novia. Fruncí el ceño. Menos mal que no tenía perro.

Estaba a punto de llevarme la botella a los labios cuando lo vi.

Estaba plantado en la esquina a unos cincuenta metros de mi casa, enfundado en una gabardina, con una especie de sombrero tirolés y las manos en los bolsillos. Desde tan lejos, su rostro semejaba un globo blanco brillante sobre fondo oscuro, un círculo sin rasgos en el que no se apreciaban los ojos, pero sabía que me miraba y notaba la intensidad de su mirada. Se podía palpar.

El hombre permanecía inmóvil.

Los escasos peatones que pasaban por la calle sí se movían, como hace la gente de Nueva York: moverse, andar, caminar con algún propósito, y hasta cuando se paran ante un semáforo o porque pasa un coche no dejan de moverse, preparándose. Los neoyorquinos se mueven constantemente. No se están quietos.

Pero aquel hombre parecía una estatua de piedra mirándome. Parpadeé con fuerza. Seguía allí. Le di la espalda y me volví a mirar. Seguía inmóvil. Pero había algo más.

Algo en él me resultaba familiar.

No quise darle mayor importancia; nos separaba una distancia considerable, era de noche y yo no veo muy bien y menos con luz artificial, pero se me erizaron los pelos de la nuca como a un animal que intuye el peligro.

82

Opté por seguir mirándolo a ver cómo reaccionaba, pero ni se inmutó. Perdí la noción del tiempo que estuvimos así, pero noté que se me helaban las puntas de los dedos, aunque al mismo tiempo sentí crecer en mí una fuerza interior y no aparté la vista de él. El rostro sin rasgos tampoco la apartó.

Sonó el teléfono.

Al fin aparté la mirada de él y vi que mi reloj marcaba casi las once. Era tarde para llamar. Entré sin volver la cabeza y cogí el receptor.

—¿Dormías? —dijo la voz de Cuadrados.

—No.

—¿Damos una vuelta en coche?

Aquella noche, él se encargaba de la furgoneta.

—¿Te has enterado de algo?

—Nos vemos en el estudio dentro de media hora.

Colgó. Yo volví a la terraza, miré hacia la calle y el hombre ya no estaba.

La escuela de yoga se llamaba Cuadrados. Yo, naturalmente, le tomaba el pelo. Cuadrados se había convertido en un sinónimo de Cher o Fabio. La escuela, el estudio o como quiera llamarse, tenía su sede en un edificio de seis pisos en University Place cerca de Union Square y tuvo unos orígenes modestos, anónimos, hasta que una famosa, una estrella del pop muy conocida, «descubrió» a Cuadrados. Se lo contó a sus amistades y unos meses después apareció un artículo en *Cosmopolitan* y después otro en *Elle*. Luego, en un momento dado, una empresa importante de información comercial propuso a Cuadrados grabar un vídeo y él, firme partidario de la mercadotecnia, no se hizo de rogar y fue así como nació el Cuadrado Yoga Corporation, marca registrada. El día de la grabación del vídeo, Cuadrados incluso se afeitó.

El resto era historia.

De un día para otro pronto no hubo en Manhattan y aledaños un solo acontecimiento social que se preciara que no contara con la presencia del gurú de moda en mantenimiento físico. Cuadrados rehusaba casi todas las invitaciones pero aprendió pronto a establecer contactos. Casi no le quedó tiempo para dar clases. En la actualidad, si uno quiere seguir un cursillo en su escuela, aunque sean los impartidos por alguno de sus discípulos más jóvenes, tiene que apuntarse a una lista de espera de dos meses como mínimo. Cuadrados cobra veinticinco dólares por clase y es dueño de cuatro estudios, el más pequeño de los cuales acoge a cincuenta alumnos y el mayor a doscientos, y cuenta con una plantilla de veinticuatro profesores en turnos rotatorios. Eran las once y media cuando llegué a la escuela y había aún tres clases en marcha.

Hagan el cálculo.

En el ascensor empecé a oír unos arpegios lastimeros de sitar combinados con un chapoteo de cascadas, una mezcla sonora que a mí me resulta tan tranquilizante como una porra eléctrica a un gato. Lo primero que vi en el vestíbulo fue la tienda de regalos con incienso, libros, lociones, cintas, vídeos, CD y DVD, cristales, cuentas, ponchos y camisetas teñidas a mano. Tras el mostrador había d os seres anoréxicos de veintitantos años vestidos de negro que apestaban a cereales de desayuno. Eternamente jóvenes, cómo no; uno varón y otro mujer, aunque costaba diferenciarlos. Hablaban con voz pausada y tendente al estilo paternalista de un encargado de restaurante de moda recién inaugurado y en sus innumerables *piercings* abundaban la plata y el turquesa.

—Hola —dije.

—Quítese los zapatos, por favor —replicó el posible varón.

—Ah, sí.

Me descalcé.

—¿Su nombre, por favor? —añadió la posible mujer.

—Vengo a ver a Cuadrados y me llamo Will Klein.

El nombre no les decía nada y pensaron que era nuevo.

—¿Tiene usted cita con el yogui Cuadrados?

—¿El yogui Cuadrados? —repetí.

Me miraron los dos.

—Díganme una cosa: ¿es yogui Cuadrados más elegante que el Cuadrados corriente? —pregunté.

Los jovencitos me miraron muy serios, sorprendidos. Ella tecleó en el ordenador y observaron juntos la pantalla con el ceño fruncido; él cogió el teléfono y marcó un número, la música de sitar aumentó una barbaridad y sentí que se apoderaba de mí un dolor de cabeza insoportable.

—¿Will?

Con la cabeza alta, las clavículas prominentes y atenta al mínimo detalle, una Wanda espléndida y en leotardos hizo su aparición. Además de la profesora número uno de Cuadrados era también su amante desde hacía tres años. Hay que puntualizar que los leotardos eran de color lavanda y le quedaban muy bien. La presencia de Wanda resultaba una visión de impacto: alta, de miembros esbeltos, ágil, hermosa a morir y negra. Negra, sí. Una ironía para quienes estábamos al corriente del origen del tatuaje de Cuadrados.

Me abrazó con calidez de humo de leña mientras yo ardía en deseos de que durase eternamente.

—¿Cómo estás, Will? —preguntó con voz melosa.

—Ya estoy mejor.

Retrocedió un paso para escrutar si decía la verdad. Había asistido al entierro de mi madre y no había secretos entre ella y Cuadrados, del mismo modo que no los había entre Cuadrados y yo, así que, en consecuencia, como si se tratase de una prueba algebraica sobre las propiedades de comunicación, cabía deducir que no había secretos entre ella y yo.

—Está a punto de acabar una clase de respiración Pranayama —dijo.

Asentí.

Ella ladeó la cabeza como si se le hubiera ocurrido alguna cosa.

—¿Tienes un segundo antes de irte? —preguntó tratando de quitarle importancia.

—Claro que sí.

Caminó con paso grave pasillo adelante —Wanda era demasiado armoniosa para caminar simplemente— y yo la seguí sin apartar los ojos de su cuello de cisne. Pasamos por delante de una fuente tan grande y ornamentada que me dieron ganas de echar una moneda; miré furtivamente a una de las aulas con alumnos en absoluto silencio, sólo se les oía respirar profundamente. Parecía un plató de cine: gente despampanante —yo no sé cómo Cuadrados se las arreglaba para encontrar tanta gente estupenda— apretujada en posición de combate, con gesto inexpresivo y piernas abiertas, brazos estirados y rodillas flexionadas en ángulo recto.

Entramos en el despacho que Wanda compartía con Cuadrados a la derecha del pasillo. Ella se sentó en una silla y cruzó las piernas en posición del loto. Yo me senté frente a ella de un modo más convencional aguardando a que hablase, pero vi que cerraba los ojos como tratando de relajarse. Esperé.

—Que conste que yo no te he dicho nada —advirtió.

—Muy bien.

—Estoy embarazada.

—Vaya, enhorabuena —dije haciendo ademán de levantarme para darle un abrazo.

—A Cuadrados no le hace mucha gracia.

—¿Qué quieres decir? —pregunté parándome en seco.

—Está que trina.

—¿Qué?

—A ti no te lo había dicho, ¿verdad?

—No.

—A ti te lo cuenta todo y de esto hace una semana.

Comprendí.

—A lo mejor no me lo ha querido comentar por lo de mi madre —añadí.

—No me salgas con monsergas —replicó mirándome furiosa.

—Bueno, perdona.

Dejó de mirarme y adoptó su semblante imperturbable, que en aquel momento no lo era tanto.

—Yo esperaba darle una alegría.

—Y no se la diste.

—Yo creo que quiere... —parecía no dar con la palabra— que aborte.

Me quedé pasmado.

—¿Te ha dicho eso?

—No me ha dicho nada, pero está haciendo noches extra con la camioneta y dando más clases.

—Te está evitando.

—Sí.

Se abrió la puerta sin ninguna llamada previa y Cuadrados asomó su cara sin afeitar. Dirigió una breve sonrisa a Wanda, que desvió la mirada, y me hizo a mí una señal con el pulgar hacia arriba diciendo:

—Vamos allá.

No hablamos hasta que estuvimos sentados en la furgoneta.

—Te lo ha contado —dijo Cuadrados.

No era una pregunta sino una afirmación, así que no me molesté en contestar sí o no.

—No vamos a hablar de ello —añadió metiendo la llave de contacto.

Era otra aseveración sin necesidad de réplica.

La furgoneta de Covenant House surca la noche directamente hacia sus entrañas. Muchos de nuestros chavales se acercan al albergue pero otros muchos los recogemos con la furgoneta. El trabajo social consiste en conectar con las entrañas sórdidas de la sociedad, localizar a los jóvenes huidos de casa, los golfillos, aquellos a quienes con frecuencia se denomina «desechables». Un crío que vive en la calle es en cierto modo —perdonen la analogía— un hierbajo: cuanto más tiempo permanece en ella, más difícil es de desenraizar.

Perdemos más de los que recuperamos y discúlpenme por la comparación anterior, que es una tontería, porque implica que limpiamos algo malo y conservamos algo bueno, cuando, de hecho, es lo contrario. Recurriré a otra: la calle es como un cáncer en el que la detección precoz y la prevención son las claves de la supervivencia a largo plazo.

No es que sea mucho mejor, pero se entiende lo esencial.

—Los federales se pasaron —dijo Cuadrados.

—¿En qué?

—En los antecedentes de Sheila.

—Cuenta.

—Esas detenciones suyas son de hace mucho tiempo. ¿Quieres que te las explique?

—Sí.

Comenzamos a internarnos en la zona lóbrega. Los enclaves de prostitución son movibles y se localizan a veces cerca del túnel Lincoln o del Javits Center, pero últimamente la policía con sus medidas enérgicas ha extremado la limpieza, así que las partes se han desplazado hacia el sur, al barrio de envase de carne de la Calle 18 y al extremo del West Side. Aquella noche, la prostitución estaba en su apogeo.

—Sheila podía haber sido una de éstas —dijo Cuadrados señalando con la cabeza.

—¿Hacía la calle?

—Se escapó de su pueblo del Medio Oeste y cogió un autobús para ir a buscarse la vida.

Era un caso tan frecuente que no me extrañó, pero ahora no se trataba de una desconocida ni de una joven vagabunda en las últimas, sino de la mujer más increíble que yo había conocido.

—De eso hace mucho tiempo —añadió Cuadrados como si leyera mi pensamiento—. La detuvieron por primera vez cuando tenía dieciséis años.

—¿Prostitución?

Asintió con la cabeza.

—Y tres veces más por lo mismo en el año y medio siguiente. Según la ficha trabajaba para un proxeneta llamado Louis Castman y la última vez que la detuvieron llevaba sesenta gramos de droga y una navaja. Quisieron imputarle tráfico y robo a mano armada, pero no prosperó.

Miré por la ventanilla. El cielo había cobrado un tono gris claro. Se ven tantas cosas malas en la calle que hay que trabajar con auténticas ganas para salvar algo. Sé que obtenemos buenos resultados y conseguimos cambiar el curso de algunas vidas; pero sé también lo que sucede aquí en la hormigueante sentina de la noche: nunca los abandona, porque el mal ya está hecho. Se puede intentar, buscar, insistir; pero el mal es irreversible.

—¿Qué es lo que te da miedo? —pregunté.

—No hablemos de eso.

—Tú la quieres y ella te quiere.

—Y es negra.

Me volví hacia él y aguardé. Sé que no se refería a esa simple obviedad y que no hablaba así por racismo, pero ya digo que el mal es irreversible. Yo había notado la tensión entre ellos dos; no era en absoluto tan intensa como su cariño, pero se notaba.

—Tú la quieres —repetí.

Siguió conduciendo.

—Tal vez eso formara parte de la atracción inicial —añadí—. Pero ella ya no es tu redentora; ahora estás enamorado de ella.

—Will.

—¿Qué?

—Basta.

Cuadrados giró de pronto a la derecha y los faros iluminaron a los niños de la noche. No se dispersaron como ratas sino que permanecieron mirando en silencio, sin parpadear apenas. Cuadrados entornó los ojos, localizó a su presa y frenó.

Bajamos sin decir nada; los jovencitos nos miraban con ojos agónicos y recordé a Fantine en *Los miserables*; me refiero a la versión musical porque no sé si la frase figura en la novela: «¿No saben que dan cariño a algo que ya está muerto?».

Había chicos y chicas, travestidos y transexuales. Pensé que ya había visto todas las perversiones y, aunque alguien me reproche ser sexista, diré que creo que nunca había visto una cliente mujer. No quiero decir que las mujeres no compren sexo; seguro que sí, pero no creo que salgan a la calle a buscarlo. Los clientes callejeros son siempre hombres, puteros que buscan una mujer pechugona o delgada, joven o vieja, normal o de perversión ilimitada que lo haga con hombres fuertes, con niños, con animales, cualquier cosa; algunos acuden acompañados de otra mujer, novia o esposa a quien arrastran a la refriega, pero todos los clientes que recurren a esas modalidades son hombres.

Por mucho que se hable de perversidades sin nombre, en su mayor parte esos hombres suelen acudir a comprar una determinada... actuación, por así decir; a que les hagan algo, algo que puede llevarse fácilmente a cabo en un coche aparcado. Si se piensa, es lógico para ambas partes. En primer lugar por la ventaja de evitar el gasto y ahorrarse el tiempo de buscar habitación y, aunque no desaparece la preocupación por el contagio de enfermedades, ésta es más leve, no hay peligro de embarazo y no hay que desvestirse apenas.

Prescindiré de otros detalles.

Las veteranas de la calle —entiendo por veteranas cualesquiera de las mayores de dieciocho años— saludaron con afecto a Cuadrados, a quien conocían y apreciaban, aunque estaban algo recelosas de mi presencia. Hacía ya algún tiempo que no estaba en las trincheras; aun así, de una forma extraña, a mí me alegraba verlas.

Cuadrados se acercó a una prostituta llamada Candi, quien supongo que no se llamaría así, porque no soy tan tonto. Ella le indicó con un gesto de la barbilla a dos chicas que tiritaban guarecidas en un portal; las miré y vi que, aunque no pasarían de dieciséis años, llevaban la cara pintarrajeada como dos niñas que acaban de encontrar el tocador de mamá, y el corazón me dio un vuelco. Lucían unos minipantalones en su más escueta expresión, botas de tacón de aguja y pieles falsas. A menudo me pregunto dónde encuentran esa indumentaria, si los proxenetas se surten en tiendas especiales para putas o algo así.

—Carne fresca —dijo Candi.

Cuadrados frunció el ceño y asintió con la cabeza. La información más fidedigna nos la facilitaban las veteranas y ello por dos razones: una de índole cínico, pues apartando a las novatas de la circulación eliminan competencia; cuando se vive en la calle, la maldad viene por sí sola y, con toda franqueza, Candi era odiosa. Esta clase de vida las envejece como un agujero negro y las nuevas llaman la atención aunque estén obligadas a guarecerse en los portales hasta que se hacen con un territorio.

A mí esto me parece puro egoísmo. La otra razón, la principal, es que —y no me consideren ingenuo— están predispuestas a ayudar porque se ven a sí mismas en la encrucijada y, aunque nunca lleguen a admitir que han tomado el mal camino, saben que para ellas sí es demasiado tarde, no pueden volver atrás. Yo solía discutir con las Candis del mundo y les replicaba que nunca es demasiado tarde, que siempre hay esperanza; pero estaba en un error. Por eso tenemos que localizarlas a tiempo. Hay un punto que, una vez traspasado, hace imposible redimirlas y el daño es irreversible. La calle las consume y se apagan, se integran en la noche y forman parte de esa entidad oscura. Se pierden para nosotros. Lo más probable es que mueran en la calle, acaben en la cárcel o se vuelvan locas.

—¿Y Raquel? —preguntó Cuadrados.

—Está en un coche haciendo un servicio —contestó Candi.

—¿Va a volver aquí?

—Sí.

Cuadrados asintió con la cabeza y se dirigió hacia las nuevas, a una de las cuales vimos ya inclinada sobre un Buick Regal. No hay palabras para describir nuestra frustración; porque lo que desearíamos hacer es acercarnos a entorpecer el contacto, apartar a la chica y agarrar al putero por la garganta y arrancarle los pulmones o, cuando menos, ahuyentarlo y hacerle una foto o... algo. Pero eso no se puede hacer porque perderíamos la confianza que nos tienen y si pierdes la confianza no sirves para nada.

Era difícil permanecer impasible. Por fortuna, yo no soy especialmente valiente ni agresivo y quizá sea una ventaja.

Vi abrirse la portezuela del copiloto y el Buick Regal pareció tragarse a la chica. Desapareció lentamente y se hundió en la oscuridad. Mientras contemplaba la escena nunca me había sentido más impotente. Miré a Cuadrados, que no apartaba los ojos del coche. El Buick arrancó y la chica desapareció como si no hubiera existido, lo que así sería, en definitiva, si el coche decidía no devolverla a aquel lugar.

Cuadrados se acercó a la otra chica y yo lo seguí unos pasos por detrás. Un temblor movía el labio inferior de la jovencita como si tratase de contener las lágrimas, pero sus ojos eran dos tizones de insolencia. Yo hubiera querido subirla a la furgoneta, aunque fuera a la fuerza. El autodominio es el factor principal de nuestra tarea y en eso Cuadrados es único. Se detuvo a un metro de ella para que no se sintiera acosada.

—Hola —dijo.

—Hola —respondió ella mirándolo de arriba abajo.

—A ver si puedes ayudarme —añadió Cuadrados dando otro paso y sacando una foto del bolsillo—. ¿Has visto a esta chica por casualidad?

—Yo no he visto a nadie —respondió ella sin mirar la foto.

—Por favor —añadió Cuadrados con sonrisa angelical—. No soy poli.

—Me lo he imaginado al verte hablar con Candi —replicó ella haciéndose la dura.

Cuadrados se acercó un poco más a ella.

—Es que... aquí mi amigo y yo... —saludé con la mano acompañando sus palabras— queremos ayudar a esta chica.

—Ayudarla, ¿cómo? —preguntó curiosa, entornando los ojos.

—Es que la persigue mala gente.

—¿Quién?

—Su chulo. Mira, nosotros trabajamos en Covenant House. ¿Has oído hablar de ese centro?

La chica se encogió de hombros.

—Es un centro de acogida —añadió Cuadrados tratando de no darle importancia—. No es nada del otro mundo, pero puedes pasar por allí a comer algo caliente, dormir en una cama decente, llama r por teléfono y coger algo de ropa y otras cosas. Bien, esta chica — prosiguió mostrándole la foto de una colegiala blanca con corrector de ortodoncia— se llama Angie —siempre hay que dar un nombre para personalizar— y estaba con nosotros haciendo unos cursillos; es una chica estupenda, y además tiene un trabajo. Está cambiando de vida, ¿sabes?

La jovencita no decía nada.

—A mí me llaman Cuadrados —añadió él tendiéndole la mano.

—Yo soy Jeri —susurró ella estrechándosela.

—Encantado.

—De acuerdo. Pero yo no he visto a esa Angie y ahora tengo cosas que hacer.

Llegados a este punto, había que andar con tacto porque si se insiste demasiado las pierdes para siempre, se guarecen en su concha y no vuelven a salir. En ese momento, lo que hay que hacer, lo único que se puede hacer, es plantar la semilla y decirles que tienen un refugio, un lugar seguro donde poder comer y estar. Les ofrece una manera de dejar la calle una noche. Cuando acuden se les da cariño incondicional, pero no antes, porque se asustan y huyen.

Aunque te duela en el alma, es lo único que se puede hacer.

Muy poca gente es capaz de realizar el trabajo de Cuadrados mucho tiempo seguido, y los que aguantan, los que se destacan en él, es porque están... un poco descentrados. Hay que estarlo.

Cuadrados dudó un instante. Desde que lo conozco recurre siempre al truco de la «chica desaparecida» para romper el hielo. A la chica de la foto, la verdadera Angie, la había encontrado él hacía quince años muerta de congelación en la calle junto a un contenedor. En el entierro, la madre de la chica le dio una foto y Cuadrados siempre la llevaba encima.

—Bien, gracias —dijo sacando una tarjeta y entregándosela—. ¿Me informarás si la ves? Puedes pasarte por allí cuando quieras. Para lo que sea.

—Sí, a lo mejor —contestó ella aceptándola.

Cuadrados volvió a titubear y añadió:

—Hasta la vista.

—Vale.

A continuación hicimos lo menos natural del mundo: alejarnos.

El verdadero nombre de Raquel era Roscoe. Al menos es lo que él o ella nos dijo. Yo no sabía si tratarla en femenino o en masculino.

Cuadrados y yo encontramos el coche aparcado frente a un muelle de carga y descarga; un lugar habitual para la prostitución callejera; el coche tenía las ventanillas empañadas pero, de todos modos, nos quedamos a cierta distancia. Lo que fuera que se desarrollaba en el interior, y nos imaginábamos perfectamente qué era, no necesitaba testigos.

Transcurrido un minuto, se abrió la portezuela. Como se habrán imaginado, Raquel era un travestido, de ahí la ambigüedad de género. Con los transexuales no hay problema: los tratas en femenino; pero el travestismo es más complicado. En ocasiones es pasable el trato en femenino, pero hay otras en que resulta un poco demasiado políticamente correcto.

Probablemente era lo que sucedía con Raquel.

Raquel bajó del coche, abrió el bolso y sacó el vaporizador Binaca. Lo pulsó tres veces, hizo una pausa y se roció tres veces más. El coche arrancó y ella se volvió hacia nosotros.

Hay travestidos guapísimos, pero no era el caso de Raquel, un negro altísimo que no andaría lejos de los ciento cincuenta kilos, con unos bíceps como jamones y una sombra vertical que a mí me recordaba a Homer Simpson, pero con una voz tan atiplada que Michael Jackson a su lado resultaba un camionero; la voz de Raquel se parecía a la de Betty Boop en apuros.

Raquel confesaba veintinueve años, pero llevaba seis diciendo lo mismo; desde que yo lo conocía. Trabajaba cinco noches por semana, lloviera o no, y contaba con una clientela fiel. De haber querido, habría podido dejar la calle y buscar un sitio donde trabajar previa cita, como hacen otros, pero a Raquel le gustaba la calle. Eso es algo que la gente no entendía; la calle es oscura y peligrosa, pero también adictiva. Tiene una energía, electricidad. Te hace conectar con ella. Para algunos de nuestros jóvenes, la alternativa que se plantea es un trabajo basura en un McDonald's o el embrujo de la noche y, cuando uno no tiene futuro, la elección es bien sencilla.

Raquel nos vio y echó a caminar hacia nosotros tambaleándose grotescamente sobre aquellos tacones de aguja con zapatos del cuarenta y cinco —empresa nada fácil— hasta detenerse bajo una farola. Su cara estaba gastada como una roca embestida por mil tormentas. No conozco su pasado porque miente tanto como respira, pero se cuenta de él que era un famoso jugador de rugby que se rompió la rodilla, aunque él en cierta ocasión me dijo que había obtenido una beca para la universidad por su elevada puntuación en el Test de Aptitud Escolar. Pero existía también la versión de que era ex combatiente de la guerra del Golfo. A gusto del lector.

Raquel saludó a Cuadrados con un afectuoso beso en la mejilla y fijó su atención en mí.

—Tienes muy buen aspecto, Will, cariño —dijo.

—Gracias, Raquel.

—Estás de rechupete.

—Las preocupaciones me hacen más apetitoso —repliqué.

—Podría enamorarme de un hombre como tú —añadió Raquel pasándome un brazo por los hombros.

—Me halagas, Raquel.

—Un hombre como tú me redimiría.

—¿Y tú ibas a dejar tantos corazones rotos como tienes por estos andurriales?

—Sí que es verdad —replicó Raquel con una risita.

Enseñé a Raquel una foto de Sheila; la única que tenía. Al pensarlo me percaté de que era algo bastante extraño; la verdad es que a ninguno de los dos nos gustaba hacernos fotos, pero de eso a no tener más que una...

—La conoces, ¿no? —pregunté.

—Es tu novia —contestó Raquel después de mirar la foto—. La vi una vez en el albergue.

—Exacto. ¿La habías visto antes en algún otro sitio?

—No. ¿Por qué?

No había motivo para mentir.

—Es que se ha largado y la busco.

Raquel examinó otra vez la foto.

—¿Puedo quedármela?

Como en la oficina había hecho copias en color, se la di.

—Preguntaré por ahí —dijo Raquel.

—Gracias.

Asintió con la cabeza.

—Raquel —dijo Cuadrados—, ¿recuerdas aquel chulo que se llamaba Louis Castman?

Raquel se puso tensa y miró a un lado y otro sin contestar.

—Raquel.

—Tengo que volver al trabajo, Cuadrados. El negocio es el negocio.

Le corté el paso y él me miró como si fuese una mota de caspa en su hombro.

—Hacía la calle —dije.

—¿Tu chica?

—Sí.

—¿Y trabajaba para Castman?

—Sí.

— Un mal hombre, Will, encanto —dijo Raquel persignándose—. Castman era el peor de todos.

—¿Por qué?

—Las chicas de la calle —explicó humedeciéndose los labios— son simple mercancía básica, ¿me entiendes? Hacen negocio con casi todo quisque. Si sacan dinero, se quedan. Si no, ya sabes.

Lo sabía.

—Pero Castman —dijo Raquel en un susurro de misterio parecido al que algunos utilizan cuando mencionan la palabra «cáncer»— era distinto.

—¿En qué sentido?

—Él deterioraba su propia mercancía; a veces sólo por divertirse.

—Hablas de él en pasado —terció Cuadrados.

—Porque hace tres años que no se le ve por aquí.

—¿Está vivo?

Raquel dejó de moverse. Miró a su alrededor. Cuadrados y yo intercambiamos una mirada, a la espera.

—Está vivo —respondió Raquel—. Supongo.

—¿Qué quieres decir?

Raquel negó con la cabeza.

—Tenemos que hablar con él —dije—. ¿Sabes dónde podemos encontrarlo?

—He oído rumores.

—¿Qué rumores?

Raquel volvió a negar con la cabeza.

—Preguntad en una casa del Bronx Sur, en la esquina de Wright Street con la Avenida D. He oído decir que está allí.

Raquel se alejó con paso más seguro sobre sus tacones de aguja. Un coche que pasaba se detuvo a su altura y otra vez la noche se tragó a un ser humano.

9

En la mayoría de los barrios no se atreve uno a despertar a nadie a la una de la mañana. Ése no era de la mayoría. Las ventanas estaban entabladas y la puerta era un mazacote de contrachapado. Les diría que la pintura se estaba cayendo, pero sería más correcto decir que se estaba deshaciendo.

Cuadrados llamó e inmediatamente se oyó gritar a una mujer:

—¿Qué quiere?

Cuadrados tomó la iniciativa de hablar.

—Buscamos a Louis Castman.

—Lárguense.

—Tenemos que hablar con él.

—¿Traen una orden judicial?

—No somos de la policía.

—¿Quiénes son? —dijo la mujer.

—Trabajamos en Covenant House.

—Aquí no hay nadie escapado de casa —vociferó casi histérica—. Váyanse.

—Elija usted —añadió Cuadrados—. Hablamos con Castman ahora o volvemos con unos cuantos policías curiosos.

—Yo no he hecho nada.

—Puedo inventarme algo —replicó Cuadrados—. Abra.

La mujer no se hizo de rogar. Oímos descorrer un cerrojo, otro más, luego una cadena. La puerta se abrió ligeramente. Di un paso adelante, pero Cuadrados me lo impidió con el brazo. Debía esperar hasta que se abriera del todo.

—Deprisa; entren —dijo la mujer con un cacareo de bruja—. No quiero que nadie los vea.

Cuadrados empujó la puerta hasta abrirla de par en par. Entramos y la mujer cerró. Dos cosas me llamaron la atención de inmediato. Primero, la oscuridad, sólo había una bombilla de escasos vatios al fondo del cuarto. Vi una silla raída y una mesita nada más. Y después, el olor. Imagine su recuerdo más vívido del aire fresco y del aire libre e imagine todo lo contrario. No me atrevía a respirar en aquel ambiente cerrado, en parte de hospital, en parte de algo que no acababa de determinar. Pensé cuál sería la última vez que habrían abierto una ventana y tuve la impresión de que el cuarto contestaba: «Nunca».

Cuadrados se volvió hacia la mujer, que estaba encogida en un rincón. Únicamente veíamos el bulto en la oscuridad.

—Me llaman Cuadrados —dijo.

—Sé quién es usted.

—¿Nos conocemos?

—Eso da igual.

—¿Dónde está? —preguntó él.

—Sólo hay esa habitación —respondió señalando desmayadamente con la mano—. No sé si ahora duerme.

Comenzábamos a acostumbrarnos a la escasa luz. Me acerqué a ella, no me rehuyó. Me acerqué más. Cuando levantó la cabeza, casi me quedé sin habla. Musité una excusa y retrocedí.

—No —dijo—, quiero que me vea.

Cruzó el cuarto y se detuvo delante de la lámpara frente a nosotros. A duras penas contuvimos un estremecimiento. Quien le hubiera hecho aquello lo había hecho a conciencia porque, aunque antes hubiese sido hermosa, parecía haber sido objeto de un verdadero programa de cirugía plástica adversa. Su nariz, tal vez antaño uniforme, estaba aplastada como una cucaracha debajo de una bota. El cutis, una vez suave, había sido cortado y desgarrado. La comisura de la boca estaba desfigurada y resultaba imposible saber dónde empezaba y dónde acababa. Su rostro era un trenzado de horribles cicatrices rojizas como el dibujo con rotulador de un niño de tres años. Tenía el ojo izquierdo desplazado y muerto en la cuenca, y nos miraba fijamente con el otro.

—Usted hacía antes la calle —dijo Cuadrados.

Ella asintió con la cabeza.

—¿Cómo se llama?

—Tanya —contestó moviendo sus labios con evidente esfuerzo.

—¿Quién le hizo eso?

—¿Quién creen?

La respuesta era obvia.

—Está detrás de esa puerta —añadió ella—. Lo cuido. No le hago daño. ¿Entienden? No le pongo la mano encima.

Asentimos con la cabeza, aunque yo no sabía a qué se refería y creo que Cuadrados tampoco; nos acercamos a la puerta tras la cual no se oía nada. Quizá durmiera. Me daba igual, lo despertaríamos. Cuadrados puso la mano en el pomo volviéndose hacia mí; yo le hice una señal afirmativa y abrió la puerta.

Allí sí había luz, y deslumbrante. Al tiempo que me protegía los ojos, oí como un pitido y vi una especie de aparato médico junto a la cama. Pero no fue nada de eso lo que primero llamó mi atención.

Las paredes.

Era lo que de inmediato atraía la mirada: estaban recubiertas de corcho (en ciertos lugares se veía el color marrón), pero lo curioso era la cantidad de fotos que las cubrían. Centenares de fotos, algunas en ampliación de tamaño cartel, otras en formato corriente de ocho por doce y la mayoría en un tamaño intermedio; todas ellas sujetas con chinchetas.

Y todas, retratos de Tanya.

Al menos, es lo que me imaginé. Eran de antes de que la hubieran desfigurado. No me había equivocado: Tanya había sido muy guapa. Las fotos, casi todas en poses, como destinadas a una carpeta de modelo, eran contundentes. Alcé la vista al techo y vi que lo recubrían igualmente fotografías a la manera de un horrible fresco.

—Ayúdenme, por favor.

La vocecilla procedía de la cama. Cuadrados y yo nos acercamos a ella. Tanya entró en el cuarto carraspeando. Nos volvimos y observamos que a la luz hiriente sus cicatrices parecían más recientes y resaltaban en su rostro como gusanos en movimiento. Su nariz, más que aplastada, era deforme como un pegote de barro. Las viejas fotografías parecían exhalar un resplandor arremolinándose en torno a su figura como un halo perverso del antes en contraste con el después.

El hombre postrado en la cama lanzó un gemido.

Aguardamos y Tanya dirigió sucesivamente su ojo sano hacia mí y Cuadrados; un ojo conminándonos a recordar, a grabar en nuestro cerebro aquella imagen de lo que ella era antes y lo que él le había hecho.

—Una navaja de afeitar —dijo—. Roñosa. Le llevó más de una hora. Y no cortó sólo mi cara.

Sin decir nada más, salió del cuarto y cerró la puerta tras ella.

Estuvimos un rato sin decir nada. Por fin Cuadrados preguntó:

—¿Es usted Louis Castman?

—¿Son polis?

—¿Es usted Castman?

—Sí y yo lo hice. Dios, soy culpable de lo que quieran que confiese, pero sáquenme de aquí, por amor de Dios.

—No somos de la policía —dijo Cuadrados.

Castman yacía boca arriba con una especie de tubo conectado al pecho. El aparato no cesaba de emitir pitidos a la par que un instrumento subía y bajaba como un acordeón. Era un hombre de raza blanca, recién afeitado y limpio, y tenía el pelo cuidado; la cama contaba con palancas de control y en un rincón había una cuña y un lavabo. Aparte de eso, no había nada más en el cuarto. No había cómoda, ni televisor, ni radio, reloj, libros, periódicos o revistas, y la ventana tenía la persiana bajada.

Sentí un malestar en el estómago.

—¿Qué le pasa? —pregunté.

La mirada de Castman, sólo la mirada, se dirigió hacia mí.

—Estoy paralítico —contestó—. Un jodido tetrapléjico a partir del cuello. No siento nada. —Hizo una pausa y cerró los ojos—. Nada.

Yo no sabía por dónde empezar y, al parecer, Cuadrados tampoco.

—Por favor —añadió Castman—, tienen que sacarme de aquí. Antes de...

—¿Antes de qué?

Volvió a cerrar y abrir los ojos.

—Me dispararon hará tres o cuatro años; ya ni me acuerdo. No sé en qué día, en qué mes ni en qué año vivimos. Mantiene siempre la luz encendida y no sé si es de día o de noche. No sé ni quién es el presidente. —Tragó saliva con esfuerzo—. Está loca, tío. Grito pidiendo ayuda pero es inútil. La habitación está forrada de corcho. Me paso todo el día aquí acostado, mirando las paredes.

No me salían las palabras pero Cuadrados ni se inmutaba.

—No hemos venido a que nos cuente su vida —dijo—. Queremos que nos hable de una de sus chicas.

—Se equivocan de tío —replicó—. Hace tiempo que no trabajo las calles.

—Da lo mismo. También ella hace tiempo que no hace la calle.

—¿De quién se trata?

—De Sheila Rogers.

—Ah —exclamó Castman sonriéndome—. ¿Qué quieren saber?

—Todo.

—¿Y si me niego a contarlo?

—Vámonos —dijo Cuadrados tocándome en el hombro.

—¡Eh! —replicó Castman con voz de pánico.

—Si no quiere colaborar, señor Castman —añadió Cuadrados mirándolo—, está bien, no lo molestamos más.

—¡Esperen! —gritó—. De acuerdo. Escuchen, ¿saben cuántas visitas he tenido desde que estoy así?

—Me tiene sin cuidado —replicó Cuadrados.

—Seis. Seis en total. Y la última fue hace...; no sé, más de un año. Y fueron siempre de chicas mías que vinieron a reírse de mí. A ver cómo me cago encima. Pero ¿saben lo peor? Ansiaba esas visitas. Cualquier cosa por romper la monotonía, ¿me comprenden?

—Sheila Rogers —insistió Cuadrados impaciente.

Cuando Castman fue a hablar surgió en su boca una burbuja y el tubo emitió un gorgojeo acuoso, por lo que tuvo que cerrarla para intentar hablar de nuevo.

—Dios, trato de recordar cuándo la conocí y debe de hacer diez o quince años. Yo trabajaba la terminal de la Autoridad Portuaria. Ella llegó en un autobús de Iowa o Idaho, o algún lugar de mierda de ésos.

Yo sabía perfectamente lo que era trabajar la terminal de la Autoridad Portuaria. Allí los proxenetas aguardan a que lleguen los autobuses de diversas procedencias con jovencitas; las desesperadas, las fugitivas, la carne fresca que acude a la Gran Manzana con la ilusión de hacerse modelo, actriz o iniciar una nueva vida, o aquellas que se marchan de casa hartas de malos tratos. Los proxenetas esperan al acecho como aves de presa. Y después se lanzan sobre ellas, las derriban y las decoran hasta sus huesos.

—Yo tenía buena labia —dijo Castman—. En primer lugar, soy blanco. La carne del Medio Oeste es casi toda blanca y recela de los bocazas achulados. Pero yo era distinto: vestía un buen traje, iba con cartera de hombre de negocios y tenía un poco más de paciencia. Bueno, aquel día aguardaba delante de la puerta 127. Era mi preferida, desde ella se dominan seis andenes de llegada. Sheila bajó del autobús y, joder, estaba buenísima. Unos dieciséis años de lo mejor y, además, virgen; aunque eso lo supe después.

Sentí que mis músculos se tensaban. Cuadrados interpuso despacio su cuerpo entre la cama y yo.

—Bien, empecé a hablarle con dulzura, poniendo en juego mis mejores recursos, ¿saben?

Sí, claro que lo sabíamos.

—Y le largué el rollo de hacer de ella una modelo famosa, pero sin precipitarme. Yo no soy como los otros imbéciles. Tengo mano de seda. Cierto que Sheila era más lista que las otras, no se dejaba embaucar y me percaté de que no acababa de convencerla. Pero es normal. Yo no insisto; actúo en plan legal, tranquilo, y al final del día acaban creyéndoselo porque todas han oído historias de supermodelos descubiertas en una pastelería o cualquier chorrada por el estilo. Eso es precisamente lo que las hace venir.

El aparato dejó de emitir pitidos, se oyó un borboteo y volvió a pitar.

—Bien, Sheila puso los puntos sobre las íes y me dijo claramente que ella no iba a fiestas ni cosas por el estilo. Yo le dije que no se preocupara, que yo era un hombre de negocios, un fotógrafo profesional en busca de talentos. La verdad es que soy bastante buen fotógrafo, ¿saben? Tengo buen ojo. ¿Ven las paredes? Esas fotos de Tanya las he hecho yo.

Miré las fotos de la otrora bella Tanya y sentí un escalofrío en mi corazón. Cuando volví los ojos a la cama, Castman me miraba.

—Y usted... —dijo.

—Yo, ¿qué?

—Sheila significa algo para usted, ¿a que sí? —añadió sonriendo.

No contesté.

—Es amor.

Hizo hincapié en la palabra «amor» con sorna, pero yo no me inmuté.

—Oiga, no se lo reprocho. Era un bombón y la chupaba...

Me arrimé a la cama y Castman se echó a reír, pero Cuadrados se interpuso, me miró a los ojos y meneó la cabeza de un lado a otro. Comprendí que tenía razón y retrocedí.

Castman dejó de reír sin apartar la vista de mí.

—¿Quiere saber cómo convencí a su chica, enamorado?

No repliqué.

—Igual que hice con Tanya. Yo me dedicaba a las primerizas, esas a quienes los compadres no pueden hincar el diente. Era una operación bien calculada. Le largué mi rollo a Sheila y al final conseguí que viniera a mi estudio para una sesión de fotos. La tenía y lo único que necesitaba era ponerle el collar.

—¿Cómo? —pregunté.

—¿De verdad quiere que se lo cuente?

—¿Cómo?

Castman cerró los ojos sin dejar de sonreír, complaciéndose en el recuerdo.

—Le hice cantidad de fotos. Artísticas y correctas, y cuando acabamos le arrimé un cuchillo al cuello. La esposé a una cama en un cuarto que tenía... —contuvo la risa y puso los ojos en blanco— forrado de corcho. La drogué y la filmé mientras estaba medio atontada, pero sin que pareciera abuso; y así fue como su Sheila perdió la virginidad. En vídeo. Toda suya. Mágico, ¿no?

Volvió a asaltarme brutalmente la cólera y estuve a punto de estrangularlo; pero recordé que era lo que él deseaba.

—¿Dónde estaba? Ah, sí. La esposé y estuve haciéndole fotos durante una semana. Unas fotos estupendas. Fue un gasto, pero todo negocio tiene gastos y fase de lanzamiento, ¿no es cierto? Finalmente Sheila se envició y en serio que ya no había manera de que se volviera atrás. Cuando le quité las esposas era capaz de lamerme la porquería de los dedos de los pies por un chute, ¿comprenden?

Se detuvo esperando aplausos y yo sentí como si algo me desgarrara las entrañas.

—¿Y después de eso la puso a trabajar la calle? —preguntó Cuadrados sin que su voz se alterase.

—Sí. Pero antes le enseñé algunos trucos. Cómo hacer que un tío se corra rápido; cómo hacerlo con dos a la vez. Yo la instruí a fondo.

Me daban ganas de lanzarme sobre él.

—Siga —ordenó Cuadrados.

—No... —dijo—. No hasta...

—Entonces, nos despedimos.

—Tanya... —añadió él.

—¿Qué pasa con ella?

Castman se pasó la lengua por los labios.

—¿Me dan un poco de agua?

—No. ¿Qué pasa con Tanya?

—Esa perra me tiene aquí encerrado. No está bien. Vale, le hice daño, pero tenía mis motivos. Ella quería largarse y casarse con aquel cliente de Garden City, convencida de que estaban enamorados. Venga, hombre, igual que en *Pretty Woman*. Planeaba llevarse a algunas de mis chicas para vivir todas allí, en Garden City con el cliente, y rehacer su vida. Bobadas. Yo no podía consentirlo.

—Y le dio una lección —dijo Cuadrados.

—Sí, claro, es lo que hice.

—Le destrozó la cara con una navaja de afeitar.

—No sólo la cara..., para que el tipo no pudiera..., poniéndole una bolsa en la cabeza, por ejemplo, ¿me entienden? Sí, claro que me entienden. Lo hice como castigo ejemplar para las otras chicas. Pero escuchen, que ahora viene lo divertido: su novio, aquel cliente, no sabía lo que yo le había hecho. Volvió de su maravillosa casa de Garden City dispuesto a rescatar a Tanya, el muy burro. Me reí de él. El contable gilipollas de Garden City. Me dispara debajo de la axila con una 22 y la bala se incrusta en la columna vertebral. Y me dejó como ven. ¿Se dan cuenta? Pero lo mejor de todo es que, después de dispararme a mí, el señorón de Garden City, al ver lo que yo le había hecho a Tanya, ¿saben lo que hizo el gran enamorado?

Hizo una pausa. Nos figuramos que era puro efectismo y guardamos silencio.

—Se largó y la dejó plantada. ¿Se dan cuenta? Ve el trabajo de artesanía que le hice a Tanya y sale corriendo. Su gran amor. No quiso saber nada de ella. Nunca más volvieron a verse.

Castman se echó a reír otra vez mientras yo procuraba contenerme llevando el ritmo de la respiración.

—Así que me llevaron al hospital anestesiado —prosiguió— y Tanya se quedó sin nada. Después me sacó, me trajo aquí y ahora me cuida. ¿Entienden lo que quiero decir? Se dedica a prolongar mi vida y, si me niego a comer, me mete la comida con un tubo por la garganta. Escuchen, les contaré todo lo que quieran pero tienen que hacer algo por mí.

—¿Qué? —preguntó Cuadrados.

—Matarme.

—No podemos.

—Pues avisen a la policía. Que me detengan. Confesaré lo que deseen.

—¿Qué le sucedió a Sheila Rogers? —preguntó Cuadrados.

—Prométanmelo.

—Aquí no hay nada más que hacer —dijo Cuadrados mirándome—. Vámonos.

—De acuerdo, de acuerdo, se lo diré. Pero prométanme que tendrán en cuenta... ¿Vale?

Miró a Cuadrados, luego a mí y otra vez a él sin que Cuadrados cediera en su impasibilidad. Yo, por mi parte, no sé qué expresión tendría.

—No sé dónde andará Sheila ahora. Qué diablos, realmente ni sé qué es lo que sucedió.

—¿Cuánto tiempo trabajó para usted?

—Dos o tres años.

—¿Y cómo se liberó?

—¿Eh?

—No parece la clase de tío que deja que las empleadas se larguen —dijo Cuadrados—. Por eso le pregunto qué fue de ella.

—Bueno, yo la tenía trabajando la calle y ella empezó a hacerse con una clientela habitual. Era estupenda en su trabajo, pero en un momento dado conoció a tipos importantes. No es corriente, pero a veces sucede.

—¿Qué quiere decir con tipos importantes?

—Traficantes. Traficantes de envergadura seguramente y debió de comenzar a pasar droga y a hacer entregas y, lo que es peor, se dedicó a abandonar la calle. Yo iba a presionarla, como se dice, pero tenía amigos importantes.

—¿Como quién?

—¿Conoce a Lenny Misler?

—¿El abogado? —preguntó Cuadrados sorprendido.

—Abogado de la mafia —puntualizó Castman—. La detuvieron con mercancía y él la defendió.

—¿Lenny Misler se encargó del caso de una buscona detenida con mercancía encima? —dijo Cuadrados frunciendo el ceño.

—¿Ve lo que le digo? Salió sin cargos y yo comencé a olerme algo, ¿me entiende? Averigüé lo que se traía entre manos y recibí una visita de un par de matones de primera división que me dijeron que no me metiera. Yo no soy tonto. Hay bomboncitos de sobra que vienen a Nueva York.

—¿Qué sucedió después?

—No volví a verla. Lo último que me dijeron de ella es que iba a la universidad. ¿Se imaginan?

—¿Sabe a qué universidad?

—No. Yo no sé si sería verdad. Quizá fuese un rumor.

—¿Sabe algo más?

—No.

—¿Ningún otro rumor?

Castman movió los ojos de un modo bien elocuente en cuanto a su desesperación y sus ganas de retenernos, pero no tenía nada que añadir. Miré a Cuadrados, inclinó la cabeza para darme a entender que nos marchásemos, y lo seguí.

—¡Esperen!

No hicimos caso.

—Por favor, tíos, se lo ruego. ¿No les he contado todo? Yo he colaborado y no pueden dejarme así.

Recreé en mi imaginación los días y noches interminables que pasaría en aquel cuarto, sin inmutarme.

—¡Cabrones! —gritó—. Eh, oiga, usted, el enamorado. Lo que ha disfrutado usted son las sobras que yo dejé, ¿me oye? Recuerde que todo lo que le hace para que se corra se lo he enseñado yo. ¿Me oye? ¿Oye lo que le digo?

Enrojecí pero no volví la cabeza. Cuadrados abrió la puerta.

—Mierda. —Ahora la voz de Castman se oía más débil—. Un pasado como ése no se borra nunca, ¿sabe?

Dudé un instante.

—Ahora le parecerá agradable y limpia, pero no logrará nunca liberarse de lo que ha sido. ¿Me entiende?

Aunque traté de no prestar oído a sus palabras, las capté y resonaron en mi cerebro. Salí del cuarto y cerré la puerta. Tanya, que aguardaba en la penumbra, nos salió al paso hacia la puerta.

—¿Van a denunciarlo? —preguntó con voz trémula—. Yo no le hago daño —fue todo lo que atinó a decir.

Cierto: nunca le ponía la mano encima.

Sin decir palabra nos apresuramos a salir de allí, casi zambulléndonos en el aire de la noche. Respiramos hondo como los bucea dores que salen a la superficie por falta de aire, montamos en la furgoneta y nos largamos de allí.

10

Grand Island, Nebraska

Sheila quería morir a solas.

Curiosamente, el dolor disminuía y no sabía por qué. Sin embargo, no había luz ni apenas un instante fugaz de claridad. La muerte no era desconsoladora; no había ángeles en derredor ni antiguos familiares muertos que acudieran a cogerle la mano. Pensó en su abuela, aquella mujer que le había hecho sentirse distinta y que la llamaba «tesoro».

Sola en la oscuridad.

Abrió los ojos. ¿Soñaba ahora? No lo discernía. Antes había sufrido alucinaciones, cayendo a ratos en estado de inconsciencia. Recordó que al ver el rostro de Carly le suplicó que se fuese. ¿Había sido real? Probablemente no. Sería producto de su imaginación.

Al aumentar el dolor de aquel modo insoportable, la frontera entre el estado de vela y el letargo, entre la realidad y el sueño, se desvaneció. Comenzaba a abandonarse; era la única manera de soportar la agonía. Tratas de bloquear el dolor; no sirve de nada. Intentas fraccionarlo en intervalos soportables; tampoco sirve. Al final encuentras el único exutorio posible: el juicio.

Anulas tu juicio.

Pero ¿se abandona uno realmente si no se discierne lo que sucede?

Profundas cuestiones filosóficas, pero para los vivos. Al final, después de tantas esperanzas y sueños, después de tanto daño y reconstrucción, el fin de Sheila Rogers era morir joven y sufriendo a manos de otro.

Justicia poética, pensó.

Pues en ese momento, mientras sentía que algo la desgarraba y la arrastraba, se abría paso una luz terrible e inevitable. Era el momento en que se descorría la cortina y veía claramente la verdad.

Sheila Rogers quería morir sola.

Pero él estaba con ella en la habitación. Estaba segura. Notaba aquella mano afable sobre su frente, mas le daba frío. Al sentir que su fuerza vital la abandonaba le dirigió una última súplica:

—Vete, por favor.

11

Cuadrados y yo no hablamos sobre lo que habíamos visto ni llamamos a la policía. Me imaginé a Louis Castman encerrado en aquel cuarto totalmente incapacitado, sin nada para leer, sin televisión ni radio, nada que ver salvo aquellas viejas fotografías. De haber sido mejor persona puede que hasta me hubiera importado.

Pensé también en el hombre de Garden City que disparó sobre Louis Castman y luego se echó atrás, provocando con su rechazo en Tanya probablemente peores heridas que el proxeneta, y me pregunté si pensaría aún en ella o si seguía viviendo como si Tanya no hubiera existido. Pensé en si su rostro turbaría sus sueños.

Lo dudaba.

Pensé todo eso porque sentía curiosidad y horror, pero también porque de ese modo evitaba pensar en Sheila, lo que había sido y lo que Castman le había hecho. Me recordaba a mí mismo que era la víctima, raptada, violada y cosas peores, de las que ella no había tenido la culpa. Me negaba a verla desde otra perspectiva. Pero esta racionalización lúcida y evidente se me resistía.

Y me odiaba por ello.

Eran casi las cuatro de la mañana cuando la furgoneta paró delante de mi casa.

—Bueno, ¿qué piensas de todo esto? —pregunté.

Cuadrados se atusó la barba.

—Lo que dijo Castman al final de que ella nunca llegaría a liberarse. Tiene razón, ¿sabes?

—¿Hablas por experiencia?

—Pues, en realidad, sí.

—¿Y qué?

—Que imagino que algo de su pasado volvió a apoderarse de ella.

—Entonces seguimos la pista adecuada.

—Probablemente —respondió Cuadrados.

—Independientemente de lo que haya hecho —dije agarrando la manilla de la portezuela—, quizás uno no se libera de su pasado, pero tampoco te condena.

Cuadrados miró por la ventanilla. Aguardé. Siguió mirando fuera. Me bajé y él arrancó.

Me sorprendió ver que había un mensaje en el contestador. Miré la pantalla y vi que lo habían grabado a las 23:47, muy tarde. Pensé que sería de mi familia, pero no era así.

Apreté el botón de escucha y se oyó una voz de mujer que no conocía: «Hola, Will».

—Soy Katy. Katy Miller.

Me quedé de piedra.

—Cuánto tiempo, ¿no? Escucha..., perdona que llame tan tarde. Seguramente estarás acostado, no sé. Escucha, Will, ¿puedes llamarme en cuanto recibas el mensaje? No te preocupes por la hora. Es que tengo que decirte una cosa.

Dejaba su número de teléfono. Me quedé estupefacto, sin saber qué hacer. Era Katy Miller, la hermana pequeña de Julie; la última vez que la había visto tendría seis años... Sonreí recordando los tiempos en que ella se escondía detrás del baúl militar de su padre y de pronto salía en el momento más inoportuno..., ¡si apenas tendría cuatro años! Recordé cómo Julie y yo nos tapábamos con una manta sin tener tiempo de subirnos los pantalones, procurando no soltar la carcajada.

La pequeña Katy Miller.

Ahora tendría diecisiete o dieciocho años. Resultaba extraño pensar en ella; yo sabía bien la impresión que había causado en mi familia la muerte de su hermana, y me imaginaba lo que habría sido para sus padres, pero nunca me había parado a pensar en el impacto que el crimen habría causado en la pequeña Katy. Volví a recordar la época en que Julie y yo nos tapábamos con la manta entre risitas y recreé aquel sótano y el sofá en que estábamos. Habíamos estado retozando en el mismo en que había aparecido Julie muerta.

¿Por qué me llamaba Katy Miller al cabo de tantos años?

Podía ser una simple llamada para darme el pésame, me dije, aunque me parecía extraño por diversos motivos, uno de ellos la hora tan tardía. Volví a escuchar el mensaje tratando de descubrir algún significado oculto, pero no lo logré. Quería que la llamase a cualquier hora, pero eran las cuatro de la madrugada y estaba rendido. Fuese lo que fuere, podía esperar hasta el día siguiente.

Me metí en la cama y recordé la última vez que había visto a Katy Miller. A mis padres les habían insinuado que no asistiéramos al entierro y así lo hicimos, pero dos días más tarde yo solo tomé la Autopista 22 y fui al cementerio. Estaba sentado en la tumba en silencio , no lloraba y no sentía ni desahogo ni que fuera el fin del mundo. La familia Miller llegó en su Oldsmobile Cierra blanco y corrí a esconderme. Mi mirada se cruzó con la de la pequeña Katy y vi en su rostro una extraña expresión de resignación consciente impropia de su edad mezclada con cierta tristeza, horror y quizá compasión.

Después me fui del cementerio y no he vuelto a verla desde entonces.

Belmont, Nebraska

La sheriff Bertha Farrow había visto cosas peores. Los escenarios de un crimen eran horribles, pero náuseas aparte por los huesos astillados, las cabezas abiertas y la crudeza de las salpicaduras de sangre, nada era comparable al resultado de un atropello —metal contra carne— al estilo de los accidentes automovilísticos de antes. Una colisión frontal. Un camión que ha cruzado la barrera divisoria. Un vehículo partido por un árbol desde el capó hasta el maletero o uno que se ha saltado a toda velocidad las bandas protectoras y dado vueltas de campana. Eso sí que eran daños pavorosos.

Sin embargo, aquella imagen, aquella muerta casi sin sangre en la cuneta, era mucho peor. Bertha Farrow vio aquel rostro de rasgos contorsionados por el terror, la sorpresa, la desesperación quizás, y comprendió que la mujer había muerto con gran sufrimiento. Observó sus dedos mutilados, el tórax deforme, las contusiones, y comprendió que aquel daño lo había infligido otro ser humano, carne contra carne. No era consecuencia de un patinazo sobre una placa de hielo, o de la torpeza de cambiar de emisora a ciento treinta por hora; no lo habían provocado un camión, la velocidad o los efectos del alcohol.

Aquello era intencionado.

—¿Quién la encontró? —preguntó a su adjunto George Volker.

—Los chicos de los Randolph.

—¿Quiénes?

—Jerry y Ron.

Bertha calculó: Jerry tendría unos dieciséis años y Ron, catorce.

—Iban de paseo con *Gipsy* —añadió el adjunto—. *Gipsy* era el pastor alemán de los Randolph. Y el perro la olfateó.

—¿Y dónde están los chicos?

—Dave se los llevó a casa porque estaban muy afectados. Tengo su declaración, pero ellos no saben nada.

Bertha asintió con la cabeza. Llegó una ranchera a toda velocidad por la autopista. Era el forense del condado, Clyde Smart, quien frenó con un chirrido de neumáticos, abrió la portezuela de golpe y fue corriendo hacia ellos. Bertha se protegió los ojos con la mano a modo de visera.

—No tengas prisa, Clyde. Ésta ya no va a ninguna parte.

George soltó una risita.

Clyde Smart estaba acostumbrado. No andaba lejos de los cincuenta años, la edad de Bertha más o menos, y ambos ocupaban sus respectivos cargos desde hacía casi veinte. Pasó al lado de los dos sin hacer caso de la gracia, miró el cadáver y su ánimo flaqueó.

—Dios bendito —musitó.

Se puso en cuclillas junto al cadáver y apartó cuidadosamente el pelo de la frente.

—Dios mío. Será posible... —Se calló y empezó a menear la cabeza de un lado a otro.

Bertha lo conocía bien y no le causó sorpresa la reacción de Smart. Casi todos los forenses que conocía se comportaban de forma aséptica y fría, pero para Clyde las personas no eran simples entes compuestos de tejidos y fluidos químicos. No era la primera vez que veía llorar a Smart ante un cadáver. Siempre entregaba los muerto s al depósito con un respeto increíble, casi absurdo. Realizaba la autopsia como si existiera alguna posibilidad de resucitar al muerto, y a la hora de comunicar la mala noticia a los familiares se solidarizaba sinceramente con su dolor.

—¿Puedes decirme a qué hora ha muerto aproximadamente? —preguntó Bertha Farrow.

—No hace mucho —respondió él en voz baja—. La piel está aún en la primera fase de rigidez cadavérica. Yo diría que no hará más de seis horas. Comprobaré la temperatura hepática y... —En ese momento vio la mano con los dedos desviados en distintas direcciones—. Oh, Dios mío —exclamó.

Bertha Farrow miró a su ayudante.

—¿Hay algún indicio sobre la identidad? —preguntó.

—Nada.

—¿Crees que se trata de un robo?

—Demasiado brutal —respondió Volker alzando la vista—. Alguien quería que sufriera.

Se hizo un silencio y la sheriff advirtió que los ojos del forense se llenaban de lágrimas.

—¿Qué más? —preguntó.

Smart se apresuró a agachar la cabeza.

—No es ninguna pordiosera —dijo el médico—. Va bien vestida y está bien alimentada, y tiene la dentadura bien cuidada —añadió mientras examinaba la boca.

—¿Hay señales de violación?

—Está vestida —replicó Smart—. Pero, Dios mío, ¿cómo han podido hacerle esto? Desde luego hay muy poca sangre para pensar que la han matado aquí. Supongo que la traerían y la dejarían aquí. Te daré más datos después de hacer la autopsia.

—De acuerdo —dijo Bertha—. Comprobaremos la lista de personas desaparecidas y enviaremos las huellas.

El forense asintió con la cabeza y la sheriff se alejó.

13

No tuve que llamar a Katy.

El timbrazo fue como una puñalada. Estaba profundamente dormido y no soñaba, pasé brutalmente del sopor a la vigilia sobresaltado y con el corazón a cien. Miré el reloj digital y eran las 6:58.

Lancé un gruñido y me incliné a ver quién llamaba, pero el número estaba bloqueado; un dispositivo que es un latazo porque tanto el que quiere rehuir una llamada como el que desea ocultar su número pagan por el servicio y santas pascuas.

Oí mi propia voz exageradamente despierta contestando animosamente:

—Diga.

—¿Will Klein?

—¿Sí?

—Soy Katy Miller. La hermana de Julie —añadió.

—Hola, Katy —contesté.

—Te dejé anoche un mensaje.

—No llegué hasta las cuatro.

—Ah, entonces, te habré despertado.

—No te preocupes —dije.

Tenía la voz triste y forzada de una chica joven. Recordé su fecha de nacimiento y calculé a grosso modo.

—¿En qué estás, en primer curso de carrera?

—Empiezo la universidad en otoño.

—¿Dónde?

—En Bowdoin. Es una universidad pequeña.

—De Maine —dije—. La conozco; es estupenda. Enhorabuena.

—Gracias.

Me incorporé un poco más, pensando en algo para romper el silencio y recurrí a lo habitual.

—Cuánto tiempo.

—Will.

—Dime.

—Me gustaría verte.

—Pues claro; estupendo.

—¿Puede ser hoy?

—¿Tú dónde estás? —pregunté.

—En Livingston —contestó—. Te vi acercarte a nuestra casa —añadió.

—Siento haberlo hecho.

—Puedo ir yo a Nueva York, si quieres.

—No hace falta —dije—. Hoy mismo iré a ver a mi padre. ¿Quieres que nos veamos antes?

—Muy bien —contestó ella—. Pero en casa no. ¿Te acuerdas de las canchas de baloncesto del instituto?

—Claro —dije—. Nos vemos allí a las diez.

—De acuerdo.

—Katy —añadí cambiándome el teléfono de oído—. Perdona que te diga que esta llamada me parece un poco rara.

—Sí, claro.

—¿Para qué quieres verme?

—¿Tú qué crees? —replicó.

Tardé un instante en contestar, pero ya daba igual porque ella había colgado.

14

Cuando Will salió de casa, El Espectro vigilaba.

No lo siguió porque sabía adónde iba pero, sin dejar de observarlo, flexionó y apretó los dedos varias veces; sus antebrazos se tensaron y su cuerpo se estremeció.

El Espectro recordaba a Julie Miller. Recordaba su cadáver desnudo en aquel sótano. Recordaba el tacto de su piel, cálida al principio, fugazmente; luego, lentamente, endurecerse hasta convertirse en mármol húmedo. Recordaba la palidez amoratada del rostro, los puntitos rojos en aquellos ojos desorbitados, el rictus de horror y sorpresa, las vénulas reventadas, la saliva congelada sobre una de las mejillas como una cuchillada. Recordaba su cuello en aquella curvatura antinatural de la muerte y cómo el alambre se había hundido en la piel cortando el esófago, casi decapitándola.

Toda aquella sangre.

La estrangulación era su modo preferido de matar. Había estudiado en la India el Thuggee, el ritual de los asesinos sigilosos que habían perfeccionado el arte secreto de la estrangulación. Aunque con los años El Espectro había llegado a destacar en el empleo de pistolas, puñales y similares, siempre que era posible prefería la fría eficacia, el silencio definitivo, el poder rudimentario y el toque personal de la estrangulación.

Un aliento suave.

Perdió de vista a Will.

El hermano.

El Espectro pensó en las películas de Kung Fu en las que asesinan a uno de dos hermanos y el que sale con vida venga al muerto, y se preguntó qué sucedería si él mataba a Will Klein.

No, no se trataba de eso. Aquello iba más allá de la venganza. Pero siguió pensando en Will. Después de todo era la clave. ¿Habría cambiado con los años? Esperaba que no, pero no tardaría en saberlo.

Sí, casi había llegado el momento de ir al encuentro de Will y recordar los viejos tiempos.

El Espectro cruzó la calle hacia la casa de Will Klein.

Cinco minutos después estaba en su apartamento.

Cogí el autobús en Nueva York hasta el cruce de Livingston Avenue y Northfield, el núcleo original de la gran zona residencial de Livingston, donde la escuela elemental se había convertido en un modesto centro comercial con tiendas especializadas en las que casi nunca se veían clientes. Bajé del autobús con un grupo de empleados domésticos que iban a Livingston, en extraña simetría respecto a quienes trabajan en Nueva York. Los residentes de ciudades como Livingston llegan a la Gran Manzana por la mañana y los que limpian sus casas y cuidan de sus hijos hacen lo contrario. Equilibrio.

Me dirigí por Livingston Avenue hacia el instituto anexo a la biblioteca pública, al juzgado municipal y a la comisaría. ¿No es casualidad? Los cuatro edificios eran construcciones de ladrillo y parecían ser de la misma época, obra del mismo arquitecto y hechos con ladrillo del mismo proveedor; como si uno de ellos hubiera engendrado a los otros.

Era el sitio en que me había criado, donde acudía de niño a aquella misma biblioteca para sacar en préstamo los clásicos en versión de C. S. Lewis y Madeleine L'Engle. Allí, en aquel juzgado, a los dieciocho años recurrí (en vano) una multa por exceso de velocidad y allí, junto con otros seiscientos alumnos, hice la enseñanza secundaria en el edificio más grande de los cuatro.

Di media vuelta a la glorieta y doblé a la derecha hasta los campos de baloncesto, donde me dispuse a esperar junto a una valla oxidada. Tenía a mi izquierda las dos canchas de tenis de la ciudad; yo jugaba al tenis cuando iba al instituto y no lo hacía mal, a pesar de que nunca sentí inclinación por el deporte por mi falta de espíritu competitivo para triunfar. No es que me gustase perder, pero no me esforzaba lo suficiente para ganar.

—¿Will?

Me volví y al verla me dio un vuelco el corazón y se me heló la sangre en las venas. La ropa era distinta —vaqueros holgados, chanclos estilo años setenta, una camisa muy ajustada y muy corta que dejaba al descubierto un estómago liso, con un *piercing*—, pero la cara y el pelo... Sentí que iba a desmayarme y desvié la mirada hacia el campo de fútbol, porque habría jurado que estaba viendo a Julie.

—Ya sé, es como ver a un fantasma, ¿verdad? —dijo Katy Miller.

Volví la mirada hacia ella.

—Mi padre todavía es incapaz de mirarme sin echarse a llorar —añadió metiendo las manos en los apretados bolsillos de los vaqueros.

No sabía qué decir y ella se me acercó más. Estábamos frente al instituto.

—Tú habrás estudiado aquí, ¿verdad? —pregunté.

—Terminé el mes pasado.

—¿Te gustó?

Ella se encogió de hombros.

—Me alegro de irme —contestó.

El sol descargaba sus rayos contra el edificio y se me antojó una prisión. El instituto es como la cárcel. Yo tenía bastantes amigos en él y era vicepresidente del consejo de alumnos y co-capitán del equipo de tenis; sí, amigos no me faltaban, pero traté de escarbar en mis recuerdos recordando alguno íntimo y no lo había tenido: todos adolecían de la provisionalidad que marca esa época estudiantil. Mirando en retrospectiva, el instituto —la adolescencia, si se quiere— es en cierto modo como un largo combate en el que el único aliciente es sobrellevar las cosas, pasar el tiempo y salir de ello indemne. No fui feliz en el instituto y no estoy seguro de que uno tenga que serlo.

—Siento lo de tu madre —dijo Katy.

—Gracias.

Sacó una cajetilla del bolsillo de atrás, me ofreció un cigarrillo y yo le aparté la mano. La observé mientras lo encendía y me contuve para no sermonearla.

—Yo nací por accidente —dijo Katy mirando con denuedo hacia diversos sitios menos a mí—. Julie ya iba al instituto cuando yo nací; a mis padres les habían dicho que ya no podrían tener más hijos, pero... —Se encogió de hombros—. En fin, que no me esperaban.

—A diferencia de todos nosotros, que fuimos perfectamente planificados —comenté.

Se echó a reír y el sonido hizo eco en mi interior. Era la risa de Julie; incluso en la manera de apagarse.

—Perdona a mi padre —añadió—. Alucinó al verte.

—No habría debido acercarme a tu casa.

—¿Por qué lo hiciste? —preguntó ella dando una gran calada y ladeando la cabeza.

Pensé una respuesta, pero contesté:

—No lo sé.

—Yo te vi en cuanto diste la vuelta a la esquina. Fue extraño, ¿sabes? Me acordé de cuando era niña y te veía llegar desde tu casa. Como sigo teniendo la misma habitación, fue como revivir el pasado. Me resultó muy extraño.

Miré a la derecha. La entrada estaba vacía, pero durante el curso se llenaba de coches con padres que esperaban a sus hijos. Quizá me falle la memoria sobre mi época escolar, pero recordé a mi madre que iba a recogerme en su viejo Volkswagen rojo. Aguardaba leyendo una revista hasta que sonaba el timbre y yo salía corriendo hacia el coche, y reviví el momento exacto en que ella, al verme, levantaba la cabeza y cuando llegaba a su lado me dirigía su sonrisa, aquella sonrisa de Sunny que traspasaba mi corazón, aquella sonrisa deslumbrante de cariño incondicional. En ese preciso instante comprendí, como si me dieran un mazazo, que nunca más alguien volvería a sonreírme así.

Todo aquello era demasiado, pensé: estar en aquel lugar, después de la remembranza visual de Julie en la persona de Katy, más todos los viejos recuerdos. Era demasiado.

—¿Tienes hambre? —pregunté.

—Ah, pues sí.

Ella había venido en un viejo Honda Civic. En el retrovisor había muchos colgantes. El coche olía a chicle y champú de frutas. No conocía la música a todo volumen que brotaba de los altavoces, pero me daba igual.

Fuimos a un restaurante típico de Nueva Jersey en la Autopista 10, sin hablar por el camino. Detrás del mostrador había fotografías firmadas de presentadores locales de televisión y cada compartimiento con su mesa, una minimáquina de discos y una carta casi más larga que una novela de Tom Clancy.

Un barbudo que apestaba a desodorante nos preguntó cuántos éramos. Le dije que dos y Katy añadió que nos diera mesa para fumadores. Yo ignoraba que todavía hubiese zonas de fumadores, pero se ve que los grandes restaurantes vuelven a los viejos tiempos. Nada más sentarnos, Katy se arrimó un cenicero casi como quien se arma de un escudo.

—Después de verte rondar por la casa fui al cementerio —dijo.

Un camarero nos llenó los vasos de agua. Ella aspiró el humo, se arrellanó y lo expulsó.

—Hacía años que no iba, pero al verte..., no sé, me sentí en la obligación.

Seguía sin mirarme a los ojos. Es algo que sucede a menudo con nuestros jóvenes en el centro de acogida: no te miran a los ojos; yo n o les digo nada porque sé que lo hacen instintivamente, aunque yo sí pro curo mirarlos a la cara, pero he aprendido, desde luego, que se atribuye excesiva importancia a eso de mirar a los ojos.

—Mis recuerdos de Julie son muy vagos. Veo sus fotos y no sé si lo que recuerdo es real o invención mía. Me acuerdo, por ejemplo, de cuando íbamos a Great Adventure a tomar té pero miro la foto y ya no sé si es que lo recuerdo o es la simple imagen de la foto lo que recuerdo. ¿Me comprendes?

—Sí, creo que sí.

—Bueno, pues al verte rondar por la casa tuve el impulso de salir. Mi padre estaba que se subía por las paredes, mi madre lloraba y tuve que salir.

—Yo no pretendía molestar a nadie —dije.

Ella rechazó mi disculpa con un gesto evasivo de la mano.

—No pasa nada. En cierto modo les viene bien. Siempre pasamos de puntillas sobre el asunto, ¿sabes? Es un poco siniestro y a veces pienso... que me gustaría gritarles: «¡Está muerta!». ¿Quieres que te confiese una cosa muy rara? —añadió inclinándose sobre la mesa.

Hice un gesto para animarla a continuar.

—El sótano sigue igual que entonces, con aquel sofá, el televisor y la alfombra raída y el mismo viejo baúl que a mí me servía de escondite. Todo sigue allí. Nadie lo toca; no se ha cambiado. Y eso que tenemos allí mismo el lavadero y hay que cruzar por delante para llegar a él. ¿Te das cuenta? Así vivimos. Bajamos la escalera de puntillas, como si pisáramos una capa de hielo que pudiera romperse y nos precipitara al sótano.

Se detuvo y aspiró el cigarrillo como si fuese un tubo de oxígeno. Yo me recliné en el asiento. Como ya he dicho, nunca había pensado en Katy Miller ni en la impresión que el asesinato de su hermana habría podido causar en ella. En sus padres sí había pensado, desde luego. Reflexionaba sobre su devastación moral y me preguntaba a veces por qué se habrían quedado en aquella casa, aunque tampoco entendía por qué mis propios padres no se habían mudado. Antes mencioné la relación entre comodidad y pena autoinfligida, ese deseo de aguantar porque sufrir es preferible a olvidar. Que permanecieran en aquella casa es un ejemplo palpable de ello.

Pero no había reflexionado sobre Katy Miller ni sobre lo que habría representado para ella crecer entre aquellos despojos en torno a los que rondaba constantemente una especie de fantasma de la hermana. Volví a mirarla como si la viera por primera vez y comprobé que sus ojos seguían divagando de un sitio a otro como pájaros asustados y que ahora los tenía bañados en lágrimas. Estiré el brazo y le cogí la mano: era tan parecida a la de su hermana que el pasado se me vino encima tan brutalmente que estuve a punto de caerme.

—Es muy extraño —dijo.

—A mí también me lo parece —añadí, pensando en cuánta razón tenía.

—Esto tiene que acabar, Will. Toda mi vida..., ocurriese lo que ocurriese aquella noche, esto tiene que acabar. A veces oigo en la televisión, cuando capturan al asesino: «No por eso va a resucitar la víctima», y pienso que es verdad. Pero ése no es el tema. Termina. Cogen al tío, se le da un final. La gente lo necesita.

No tenía ni idea de adónde quería ir a parar. Intenté pensar que estaba delante de una de las jóvenes que acudían al centro de acogida en busca de ayuda y cariño. Permanecí inmóvil mirándola para que viese que escuchaba lo que tuviera que decirme.

—No sabes cuánto he odiado a tu hermano..., no sólo por lo que le hizo a Julie, sino por lo que representó para nosotros su huida. Recé para que lo cogieran. Soñaba que lo rodeaba la policía, que se entablaba un tiroteo y lo mataban. Ya sé que no te gustará oír esto, pero quiero que me comprendas.

—Tú querías un final.

—Sí, pero...

—Pero ¿qué?

Alzó la vista por primera vez y nos miramos a los ojos. Volví a sentir un escalofrío y quise retirar mi mano, pero estaba paralizado.

—Lo he visto —dijo.

Pensé que había oído mal.

—He visto a tu hermano. Creo que era él.

Tardé en poder preguntar:

—¿Cuándo?

—Ayer, en el cementerio.

Llegó la camarera, se quitó el bolígrafo de la oreja y preguntó qué tomábamos. Durante un momento, ninguno contestó. La mujer carraspeó. Katy pidió una ensalada, la camarera miró hacia mí y yo pedí una tortilla de queso; me preguntó qué clase de queso —americano, suizo o cheddar— y dije que cheddar. Añadió si quería patatas fritas normales o francesas, y contesté que normales; especificó qué clase de tostadas: de centeno, de trigo o de trigo candeal, y contesté que de centeno y nada para beber. Gracias.

Al fin se fue.

—Continúa —dije.

Katy apagó el cigarrillo.

—Pues, como te decía, fui al cementerio por salir de casa. Tú sabes dónde está enterrada Julie, ¿no?

Asentí con la cabeza.

—Ah, sí; te vi un par de días después del entierro.

—Sí —dije.

—¿Tú la querías? —preguntó inclinándose sobre la mesa.

—No lo sé.

—Pero te partió el corazón.

—Puede ser, pero de eso hace mucho tiempo —repliqué.

Katy se miró las manos.

—Cuéntame qué sucedió —dije.

—Tu hermano estaba muy cambiado. Yo no me acuerdo mucho de él. Un poco. Y he visto fotos —y se detuvo.

—Pero ¿estaba allí junto a la tumba?

—Al lado de un sauce.

—¿Qué?

—A unos treinta metros de la tumba hay un sauce. No entré al cementerio por la puerta. Salté una valla, él no me vio llegar. Vi a un tío de espaldas, debajo del sauce, mirando la tumba de Julie. No me oyó, estaba absorto. Le toqué en el hombro y dio un salto al verme... Bueno, ya sabes a quién me parezco. Casi gritó. Creía que estaba viendo a un fantasma.

—¿Tú estabas segura de que era Ken?

—No, segura no. ¿Cómo iba a estarlo? —Cogió otro cigarrillo y añadió—: Sí, sí; era él.

—¿Por qué estás tan segura?

—Porque me dijo que era inocente.

La cabeza me dio vueltas y mis manos se desplazaron de la

mesa para agarrar el cojín. Finalmente pude hablar, no sin esfuerzo:

—¿Qué te dijo exactamente?

—Al principio, sólo eso: «Yo no maté a tu hermana».

—¿Y tú qué hiciste?

—Le repliqué que era mentira y que iba a gritar.

—¿Lo hiciste?

—No.

—¿Por qué?

Katy tenía el cigarrillo sin encender; se lo quitó de los labios y lo puso sobre la mesa.

—Porque le creí —dijo—. No sé, noté algo en su voz... No puedes hacerte una idea de cuánto lo había odiado, pero ahora...

—Bueno, ¿y qué hiciste?

—Retrocedí. Aún iba a gritar, pero él se acercó a mí, me cogió la cara entre las manos, me miró a los ojos y me dijo: «Voy a encontrar al asesino; te lo prometo». No dijo nada más; me miró un instante, me soltó y se marchó corriendo.

—¿Se lo has contado...?

—A nadie —contestó negando con la cabeza—. A veces ni siquiera acabo de creerme que lo he vivido. Es como si fuera pura imaginación, como si lo hubiera soñado o me lo inventara. Lo mismo que me sucede con los recuerdos de Julie. —Alzó la vista y me miró—. ¿Tú crees que él mató a Julie?

—No —contesté.

—Te he visto en la tele —dijo— y tú afirmabas que él había muerto porque encontraron sangre suya en el escenario del crimen.

Asentí con la cabeza.

—¿Sigues creyendo eso?

—No —respondí—. Ahora ya no lo creo.

—¿Por qué has cambiado de idea?

No sabía qué decirle.

—Creo que yo también voy a buscarlo —respondí.

—Quiero ayudarte.

Había dicho «quiero», pero sé que era como una súplica.

—Por favor, Will, deja que te ayude.

Le dije que de acuerdo.

15

Belmont, Nebraska

La sheriff Bertha Farrow frunció el ceño mientras miraba por encima del hombro de su ayudante George Volker.

—Odio estos chismes —dijo.

—No debería —replicó Volker tecleando ágilmente—. Los ordenadores son amigos nuestros.

Ella volvió a fruncir el ceño.

—Bien, ¿qué hace este amigo nuestro?

—Está escaneando las huellas dactilares de la desconocida.

—¿Escaneando?

—¿Cómo se lo explicaría yo a una tecnófoba...? —contestó Volker levantando la vista y frotándose la barbilla—. Escanear es algo parecido a lo que hacen una fotocopiadora y un fax simultáneamente. Saca una copia de la huella dactilar y la envía por correo electrónico al SIJC, en Virginia.

SIJC eran las siglas de Servicio de Información de Justicia Criminal. Desde que todas las fuerzas policiales estaban conectadas a la red —hasta los centros más rurales como era el caso de Hicksville—, podían enviar las huellas a través de Internet para su identificación y, en caso de existir constancia de éstas en la gigantesca base de datos del Centro Nacional de Información Criminal, se verificaba automáticamente si eran iguales y se identificaba al individuo al que pertenecían.

—Yo creía que el SIJC tenía su sede en Washington —comentó Farrow.

—Ya no. El senador Byrd consiguió que lo trasladasen.

—Es un senador estupendo.

—Ya lo creo.

Farrow se ajustó la funda de la pistola y cruzó el pasillo. Su comisaría compartía el espacio con el depósito de cadáveres de Clyde Smart, lo que era bastante práctico pese a ocasionales olores, porque la ventilación del depósito era pésima y de vez en cuando despedía una vaharada a formaldehído y putrefacción.

Farrow dudó un instante antes de abrir la puerta del depósito. En la dependencia no había cajones relucientes ni instrumental impoluto como se ve en la televisión. Era una instalación casi artesanal, donde Smart ejercía su trabajo a tiempo parcial porque realmente no había mucho que hacer, sólo ingresaba alguna víctima de accidentes de tráfico, pese a que un año atrás Don Taylor, borracho, se disparó accidentalmente en la cabeza y su compungida esposa comentó en broma que había sido porque al mirarse en el espejo el pobre se confundió con un alce. El matrimonio. Pero no había mucho más. En aquel depósito de cadáveres —término más que pomposo para aquella portería habilitada al efecto— apenas cabían dos muertos. Si Smart tenía que acomodar alguno más, recurría a los servicios de la funeraria de Wally.

El cadáver de la desconocida yacía sobre la mesa de autopsias. Smart, con delantal azul y guantes quirúrgicos blancos, lo contemplaba llorando. En el transistor sonaba una ópera, un lamento trágicamente adecuado.

—¿Ya la has abierto? —preguntó Bertha por decir algo.

—No —respondió Smart enjugándose las lágrimas con dos dedos.

—¿Aguardas a que te dé su consentimiento?

—No he concluido el examen externo —replicó él mirándola con ojos enrojecidos.

—¿Cuál es la causa de la muerte, Clyde?

—No lo sabré seguro hasta terminar la autopsia.

Farrow se aproximó a él y le puso la mano en el hombro fingiendo que comprendía y le daba ánimos.

—¿Cuál es tu impresión previa, Clyde? —insistió.

—Ha recibido una paliza brutal. Mira esto.

Señaló al sitio donde normalmente estaría la caja torácica. No se distinguía bien. Las costillas se habían hundido y aplastado como una caja de cartón.

—Sí que tiene contusiones —comentó Farrow.

—Sí, hay mucha discromía. Pero ¿ves esto? —añadió señalando con el dedo una protuberancia bajo la piel junto al estómago.

—¿Son costillas rotas?

—Costillas aplastadas —puntualizó él.

—¿Cómo?

Smart se encogió de hombros.

—Probablemente utilizarían una maza o algo por el estilo. Supongo, es una simple suposición, que alguna costilla astillada perforó un órgano vital, quizás un pulmón o el abdomen. O quizá tuvo la fortuna de que le atravesara el corazón.

Farrow meneó la cabeza.

—Afortunada, precisamente, no me lo parece.

Smart le dio la espalda cabizbajo y rompió a llorar de nuevo entre sollozos.

—Estas señales en los pechos... —comentó Farrow.

—Son quemaduras de cigarrillo —contestó él sin volverse.

Lo que ella se había figurado. Dedos mutilados y quemaduras de cigarrillo: no había que ser Sherlock Holmes para deducir que la habían torturado.

—Clyde, haz un examen completo con análisis de sangre y comprobación de sustancias tóxicas, todo.

Smart sorbió por la nariz y se volvió hacia ella.

—Sí, claro, Bertha, por supuesto.

Oyeron que se abría la puerta detrás de ellos y se volvieron. Era Volker.

—Hay datos —dijo.

—¿Ya?

Volker asintió con la cabeza.

—Está en cabeza de la lista.

—¿Qué quieres decir con que está en cabeza de la lista?

—A nuestra desconocida —añadió Volker señalando el cadáver— la buscaba nada más y nada menos que el FBI.

16

Katy me dejó en Hickory Place, a unas tres manzanas de casa de mis padres. No queríamos que nos vieran juntos, aunque probablemente fuese pura paranoia por nuestra parte.

—¿Qué hacemos, entonces? —preguntó Katy.

Yo me lo había estado planteando.

—No sé, pero si Ken no mató a Julie...

—Tuvo que ser otro.

—Vaya, somos listísimos —comenté, y ella sonrió.

—Tendremos que buscar sospechosos —añadió.

Parecía absurdo. ¿Es que éramos la patrulla juvenil? Pero asentí con la cabeza.

—Me pondré a hacer averiguaciones.

—¿Qué vas a averiguar? —dije.

Me dio un achuchón de quinceañera usando toda su anatomía.

—No sé, empezaré por el pasado de Julie, por ejemplo, para hacerme una idea de quién pudo querer matarla.

—Eso ya lo hizo la policía.

—Will, sólo hicieron indagaciones sobre tu hermano.

Tenía razón.

—De acuerdo —volví a decir sintiendo que era absurdo.

—Nos veremos esta noche.

Asentí con la cabeza y me bajé del coche. Arrancó como la detective Nancy Drew, sin decir adiós, mientras yo me quedaba en la acera hundido en mi soledad sin ganas de moverme.

Las calles de la zona residencial estaban vacías pero en todos los caminos perfectamente pavimentados de las casas había coches; las rancheras de mi juventud habían sido sustituidas por una diversidad de modelos parecidos a todoterrenos: minicamionetas, módulos familiares (sea lo que sea lo que signifiquen) y monovolúmenes. Eran casi todas casas de dos plantas, en auge en la construcción en torno a 1962, y en muchas de ellas se apreciaban obras de ampliación. Algunas habían sido totalmente rehabilitadas hacia 1974 con ese tipo de piedra demasiado blanca y pulida, pero todas sin excepción habían envejecido como el esmoquin azul pólvora que yo vestí en el baile de gala de fin de curso.

Cuando llegué a casa de mis padres vi que no había coches en el camino de entrada ni nadie dentro. Nada extraño. Llamé a mi padre y no contestó. Lo encontré solo en el sótano con una navaja de afeitar en la mano. Estaba en medio del cuarto, rodeado de cajas de ropa vieja a las que había cortado la cinta adhesiva para abrirlas. Papá estaba totalmente inmóvil entre las cajas y no se volvió cuando me oyó llegar.

—Había demasiadas cajas —dijo en voz baja.

Eran cajas de mi madre. Mi padre metió la mano en una de ellas y sacó una cinta plateada para la cabeza.

—¿La recuerdas? —preguntó volviéndose hacia mí.

Sonreímos los dos. Supongo que todos tenemos fases de apego a una moda, pero no se puede comparar con el caso de mi madre, que las lanzaba, las definía y las personalizaba. Por ejemplo, tuvo su época de la cinta para la cabeza cuando se dejó melena y coleccionó una plétora de cintas multicolores como si fuera una princesa hindú. Durante unos meses —y creo que la época de las cintas duró seis— no hubo un solo día en que no se pusiera alguna, y después de la fase de las cintas dio principio la fase tenaz de los flecos de ante, seguida de la del color púrpura renacimiento —que a mí no me gustaba nada, pues era como vivir con una berenjena gigante o una incondicional de Jimi Hendrix— y a continuación vino la época de la fusta, cuando la única relación de mi madre con los caballos era haber visto a Elizabeth Taylor en *National Velvet*.

Las fases de la moda, como tantas otras cosas, terminaron con el asesinato de Julie Miller. Mi madre Sunny guardó su vestuario en cajas y las amontonó en el rincón más oscuro del sótano.

Mi padre volvió a dejar la cinta en la caja.

—Íbamos a mudarnos, ¿sabes?

No lo sabía.

—Hace tres años. Íbamos a comprar un piso en West Orange, quizás en Scottsdale, cerca de donde viven la prima Esther y Harold, pero cuando nos dijeron que tu madre estaba enferma desistimos del proyecto. ¿Tienes sed? —preguntó mirándome.

—No mucha.

—¿Te apetece una Coca-Cola light? Yo me tomaría una.

Pasó rápido junto a mí hacia la escalera. Yo miré las cajas de tapas rotuladas a mano por mi madre. En una estantería del fondo vi dos raquetas viejas de tenis de Ken; una de ellas era la primera que tuvo cuando contaba tres años. Mi madre se las había guardado. Me di la vuelta y seguí a mi padre. Llegamos a la cocina y abrió la nevera.

—¿Quieres decirme qué sucedió ayer? —preguntó.

—No sé a qué te refieres.

—A ti y a tu hermana —añadió, sacando una botella de Coca-Cola light—. ¿De qué hablabais?

—De nada —contesté.

Asintió con la cabeza mientras abría un armarito, sacó dos vasos, abrió el congelador y los llenó de cubitos de hielo.

—Tu madre solía escucharos a escondidas a ti y a Melissa —dijo.

—Lo sé.

Sonrió.

—No era muy discreta. Yo se lo reprochaba pero ella me decía que me callara; era su tarea de madre.

—A mí y a Melissa, dices.

—Sí.

—Y a Ken, ¿por qué no?

—Quizá no quería saber —respondió llenando los vasos—. Últimamente sientes gran curiosidad por tu hermano.

—Es una simple pregunta natural.

—Sí, claro, natural. Después del entierro me preguntaste si creo que sigue vivo y al día siguiente tú y Melissa tuvisteis una discusión sobre él. Por eso te repito: ¿qué sucede?

Aún llevaba la foto en el bolsillo; no sé por qué. Por la mañana había hecho copias en color con el escáner, pero no podía desprenderme de ella.

Sonó el timbre de la entrada y nos sobresaltamos; nos miramos los dos y mi padre se encogió de hombros. Yo me ofrecí para abrir, di un sorbo a la Coca-Cola y dejé el vaso en la encimera; fui rápido a la puerta. Cuando la abrí y vi quién era, estuve a punto de dar un paso atrás.

Era la señora Miller. La madre de Julie.

Llevaba una bandeja envuelta en papel de aluminio; mantenía la vista baja como si estuviera haciendo una ofrenda ante un altar. Me quedé de una pieza sin saber qué decir, ella alzó la vista y nuestras miradas se cruzaron como dos días antes en el umbral de su casa. Noté en sus ojos una pena evidente, eléctrica, y se me ocurrió pensar si ella vería lo mismo en los míos.

—He pensado que... —comenzó a decir—. Bien, es que...

—Pase, por favor —dije.

—Gracias —respondió forzando una sonrisa.

Mi padre salió de la cocina.

—¿Quién es? —preguntó.

Yo retrocedí y la señora Miller entró con la bandeja en las manos a guisa de protección. Mi padre abrió desmesuradamente los ojos y yo advertí en ellos una explosión.

Su voz era un susurro de cólera contenida.

—¿Qué demonios hace usted aquí?

—Papá —dije.

—Le he hecho una pregunta, Lucille —insistió él sin hacerme caso—. ¿Qué demonios quiere?

La señora Miller agachó la cabeza.

—Papá —repetí impaciente.

Pero fue inútil; sus ojos contraídos se habían ofuscado.

—Váyase de aquí —dijo.

—Papá, ha venido a ofrecernos...

—Fuera.

—¡Papá!

La señora Miller retrocedió y me tendió la bandeja.

—Será mejor que me vaya, Will.

—No, no, espere —dije.

—No habría debido venir.

—Claro que no habría debido venir —gritó mi padre.

Yo lo fulminé con la mirada pero él tenía la suya clavada en ella.

—Los acompaño en el sentimiento —añadió la mujer con la vista baja.

Pero mi padre no quiso ceder.

—Está muerta, Lucille. Ahora eso no nos sirve de nada.

La señora Miller se marchó a toda prisa y yo seguí con la bandeja en la mano mirando a mi padre sin acabar de creérmelo. Él me miró y dijo:

—Tira esa porquería.

Yo no sabía qué hacer. Quería seguir a la señora Miller y

pedirle disculpas, pero caminaba deprisa y ya estaba lejos. Mi padre había vuelto a la cocina; lo seguí y dejé de mala manera la bandeja en la encimera.

—¿Por qué te has puesto así? —dije.

—No la quiero ver en esta casa —respondió cogiendo su vaso.

—Ha venido a dar el pésame.

—Ha venido a descargar su conciencia.

—Pero ¿qué dices?

—Tu madre ha muerto y ella aquí no pinta nada.

—Eso es una tontería.

—Tu madre llamó a Lucille poco después del asesinato. ¿Lo sabías? Quería darle el pésame y ella le dijo que se fuera al diablo, reprochándonos haber criado a un asesino; según ella, era culpa nuestra. Habíamos criado a un asesino.

—De eso hace once años, papá.

—¿No te das cuenta de lo que le hizo a tu madre?

—Acababan de matar a su hija y estaba muy apenada.

—¿Y ha estado esperando hasta hoy para arreglar las cosas? ¿Ahora que ya no sirve de nada? —replicó moviendo severo la cabeza de un lado a otro—. Yo no admito disculpas y tu madre ya no puede oírlas.

Se abrió la puerta y entraron tía Selma y tío Murray con sonrisa de circunstancias. Selma pasó a la cocina y Murray se puso a manosear un panel de la pared suelto que había visto el día anterior.

Mi padre y yo dejamos de discutir.

17

La agente especial Claudia Fisher enderezó la espalda y llamó a la puerta.

—Adelante.

Fisher hizo girar el picaporte y entró en el despacho del director Joseph Pistillo adjunto responsable. Después del director en Washington, un director adjunto es el agente del FBI con mayor relevancia y poder.

Pistillo alzó la vista y no le gustó lo que vio.

—¿Qué sucede?

—Han encontrado muerta a Sheila Rogers —dijo la agente.

Pistillo farfulló una maldición.

—¿Cómo?

—Apareció en una cuneta de Nebraska, sin documentos de identificación. Comprobaron las huellas en la base de datos y era ella.

—Maldita sea.

Pistillo se mordió una cutícula mientras Fisher aguardaba.

—Quiero la confirmación visual —dijo él.

—Está hecha.

—¿Qué?

—Me tomé la libertad de enviar por correo electrónico a la sheriff Farrow unas fotos de Sheila Rogers, y tanto ella como el forense confirman que se trata de la misma persona. También coinciden la altura y el peso.

Pistillo se reclinó en el asiento, cogió un bolígrafo, se lo llevó a la altura de los ojos y se quedó mirándolo hasta dirigir un gesto a la agente que la invitaba a sentarse. Fisher así lo hizo.

—Los padres de Sheila Rogers viven en Utah, ¿verdad? —preguntó él.

—En Idaho.

—Bueno, eso. Hay que comunicárselo.

—Tengo a la espera a la policía local de su lugar de residencia. El jefe los conoce personalmente.

—Muy bien, de acuerdo —dijo Pistillo asintiendo con la cabeza y quitándose el bolígrafo de la boca—. ¿Cómo la mataron?

—Probablemente murió de una hemorragia interna a consecuencia de golpes, pero no han terminado la autopsia.

—Dios bendito.

—La torturaron: tenía los dedos dislocados y retorcidos. Debieron de utilizar unos alicates. Y en los pechos había quemaduras de cigarrillo.

—¿Cuánto tiempo llevaba muerta?

—Falleció probablemente ayer a última hora o a primera hora de hoy.

Pistillo miró a Fisher y recordó que Will Klein había estado sentado en aquella misma silla la víspera.

—Qué rápido —dijo.

—¿Cómo dice?

—Si huyó, como es de suponer, la encontraron rápido.

—A menos que ella fuera a su encuentro.

—O que no huyera —añadió Pistillo.

—No lo entiendo.

Pistillo miró un instante el bolígrafo.

—Siempre hemos dado por supuesto que Sheila Rogers huyó

a causa de su relación con los asesinatos de Alburquerque, ¿no es eso?

Fisher ladeó la cabeza despacio.

—Pues, sí y no. Quiero decir que ¿por qué iba a volver a Nueva York para huir de nuevo?

—Quizá pretendía asistir al funeral de la madre de Klein. No sé —replicó Pistillo—. De todos modos, no creo que eso importe ahora. A lo mejor no sabía que la buscábamos. O tal vez, escuche lo que le digo, Claudia, la secuestraron.

—¿Cómo lo harían?

—Según Will Klein —respondió Pistillo dejando el bolígrafo—, se fue del apartamento ¿a qué hora?, ¿a las seis de la mañana?

—A las cinco.

—Bueno, a las cinco. Reconstruyámoslo con arreglo a esos datos. Sheila Rogers sale del apartamento a las cinco. Se esconde. Alguien la encuentra, la tortura y la deja tirada en el quinto infierno en Nebraska. ¿Le parece factible?

—Demasiado rápido, como usted dice —comentó Fisher asintiendo.

—¿Muy rápido?

—Eso creo.

—Es cuestión de coordinarlo —replicó Pistillo— porque lo más probable es que la secuestraran a primera hora nada más salir del apartamento.

—¿Para llevarla en avión a Nebraska?

—O en coche, conduciendo como un loco.

—O... —balbució Fisher.

—¿O qué?

La agente miró a su jefe.

—Me parece que los dos llegamos a la misma conclusión: es un plazo de tiempo muy corto. Probablemente desapareció la noche anterior —añadió.

—O sea, ¿que...?

—O sea, que Will Klein nos mintió.

—Exacto —apostilló Pistillo sonriente.

—Muy bien, otra posibilidad más verosímil es —comenzó a decir Fisher sin interrupciones—: Will Klein y Sheila Rogers asisten al entierro de la madre de él, regresan a casa de los padres y, según Klein, aquella tarde vuelven en coche al apartamento de Nueva York. Pero no tenemos confirmación independiente de ello. Así que tal vez —prosiguió tratando inútilmente de hablar más despacio—, tal vez la entregó a un cómplice que la torturó y abandonó después el cadáver. Mientras tanto, Will regresa a su apartamento y acude al trabajo por la mañana y, cuando Wilcox y yo lo sorprendemos en su despacho, se inventa la historia de que ella se fue por la mañana.

—Es una hipótesis interesante —dijo Pistillo asintiendo con la cabeza.

Claudia Fisher lo miró sin inmutarse.

—¿Y el móvil? —preguntó él.

—Klein tenía que silenciarla.

—¿Por qué?

—Por lo que sucediera en Alburquerque.

Reflexionaron los dos en silencio.

—No me convence —dijo Pistillo.

—A mí tampoco.

—Pero estamos de acuerdo en que Will Klein sabe más de lo que cuenta.

—Sin ninguna duda.

Pistillo lanzó un suspiro prolongado.

—De todos modos, tenemos que darle la mala noticia del fallecimiento de la señorita Rogers.

—Sí.

—Llame a ese jefe de policía de Utah.

—Idaho.

—Bueno, lo que sea. Dígale que comunique la noticia a los padres y que los haga venir en avión para efectuar la identificación oficial.

—¿Y Will Klein?

Pistillo reflexionó un instante.

—Llamaré a Cuadrados a ver si él nos echa una mano para descargar el golpe.

18

La puerta de mi apartamento estaba abierta.

Después de la llegada de tía Selma y tío Murray, mi padre y yo nos rehuimos el uno al otro. Yo quiero a mi padre; creo que eso ha quedado claro, pero hay algo en mí que me impulsa irracionalmente a responsabilizarlo de la muerte de mi madre. No sé por qué tengo esa sensación, y me resulta muy duro admitirlo, pero desde el primer día en que cayó enferma comencé a mirarlo de un modo distinto. Como reprochándole no haber hecho el esfuerzo debido. O quizá lo culpaba por no haber contribuido a que ella se sobrepusiera al asesinato de Julie Miller; no haber sido lo bastante fuerte ni bastante buen marido. ¿No habría podido el amor ayudar a mi madre a recuperarse y a descargar su conciencia?

Insisto en que es algo irracional.

La puerta estaba entreabierta, pero me detuve sorprendido pues yo siempre la cierro con llave —al fin y al cabo vivo en Manhattan en una casa sin portero— pero, claro, últimamente no estoy muy centrado. Tal vez por las prisas del encuentro de Katy Miller me había olvidado. No sería de extrañar. Además, a veces se atasca el cerrojo de seguridad. A lo mejor no la cerré.

Fruncí el ceño. Poco probable.

Apoyé la mano en la puerta y la empujé con suavidad esperando que crujiera. No fue así. Oí algo. Débil al principio. Asomé la cabeza por la abertura e inmediatamente sentí que se me helaba la sangre en las venas.

No había cambiado nada. De hecho, las luces seguían apagadas. Las persianas estaban bajadas y no se veía muy bien, y en apariencia no sucedía nada raro, o al menos que a mí me resultara obvio. Me quedé en el pasillo y me asomé un poco más.

Sonaba música.

Tampoco era alarmante, pues, aunque no tengo costumbre de dejar música puesta como algunos neoyorquinos preocupados por la seguridad, tengo que reconocer que soy muy despistado y a lo mejor me había dejado enchufado el reproductor de discos compactos. Eso no me asustaría de aquel modo.

No, lo que me heló la sangre fue la canción que sonaba.

Eso fue lo que me puso nervioso, porque era —no lograba recordar cuándo la había oído por última vez— *Don't Fear the Reaper*. Me estremecí.

La canción preferida de Ken.

De Blue Oyster Cult, un grupo de heavy metal. La que sonaba ahora era una versión más suave, casi etérea. Ken solía coger su raqueta de tenis a guisa de guitarra para acompañar los solos. La cuestión era que yo no tenía esa canción en ningún CD. Seguro. Cuántos recuerdos.

¿Qué demonios sucedía en mi apartamento?

Di un paso a oscuras; ya he dicho que la luz estaba apagada. Me detuve y me sentí como un perfecto imbécil. «Bueno, ¿por qué no encenderla?, idiota.» ¿No era lo mejor?

Estiré el brazo para hacerlo cuando otra voz interior me dijo: «¿No sería mejor echar a correr?». Es lo que grita el público en el cine cuando el asesino está escondido dentro de la casa y la estúpida quinceañera que acaba de encontrar a su mejor amiga decapitada decide que es el momento más idóneo para deambular a oscuras por la casa, en vez de salir corriendo dando gritos como un animal enloquecido.

«¡Bien; con quedarme en sujetador podría interpretar el papel!»

La canción atacó el solo de guitarra final. Aguardé a que se produjera la pausa de silencio; fue breve. La música se reanudó. La misma canción.

¿Qué demonios sucedía?

«Huye y grita.» Exacto: es lo que haría. Aunque verdaderamente no me había tropezado con ningún cadáver decapitado. ¿Qué hacer, entonces? ¿Llamar a la policía? Me imaginé el diálogo: «¿Qué problema tiene usted, señor?». «Mire, es que en el equipo suena la canción preferida de mi hermano y he echado a correr hasta el portal gritando asustado. ¿Pueden venir pistola en mano?» «Ah, sí, por supuesto; ahora mismo vamos.»

¿No les parecería algo de locos?

Pero incluso suponiendo que alguien hubiese entrado, que hubiese, efectivamente, un intruso en mi apartamento, una persona que había traído su propio CD...

¿Quién era más probable que fuera?

Se me aceleró el ritmo cardíaco a medida que mis ojos se iban adaptando a la oscuridad. Decidí no encender las luces. Si había un intruso era peor avisarle de mi presencia para facilitarle el blanco. ¿O lo asustaría encendiendo las luces?

Dios, no soy bueno para estas cosas.

Decidí no encender la luz.

Bien, de acuerdo, las luces siguen apagadas. ¿Y ahora qué?

La música. Debía localizar la música. Venía de mi habitación.

Fui hasta el cuarto. Estaba cerrado. Entré con cautela. No iba a ser tan tonto. Abrí de paso la puerta del apartamento de par en par y la dejé así por si tenía que gritar o echar a correr.

Avancé muy despacio, como quien se desliza, con los músculos tensos, adelantando el pie izquierdo y con el derecho claramente orientado hacia la salida. Me vino a la memoria una de esas posturas de yoga de Cuadrados que consistía en abrir las piernas inclinándose hacia un lado, pero con el peso y la «conciencia» puestos en el otro, eso que algunos yoguis, no Cuadrados a Dios gracias, llaman «ensanchar la conciencia».

Me deslicé un metro y luego otro. Buck Dharma, de Blue Oyster Cult —el hecho de que no sólo recordase su nombre, sino de que su nombre real fuese Donald Roeser, decía mucho sobre mi niñez—, entonaba en aquel momento que todos podemos ser como ellos, como Romeo y Julieta.

En una palabra: muertos.

Llegué a la puerta del dormitorio, tragué saliva y la empujé. No se abrió. Tendría que girar el pomo. Agarré el metal con la mano mientras miraba hacia atrás: la puerta de entrada seguía abierta y mi pie derecho continuaba vuelto hacia ella, aunque yo ya no mantenía mucho control de mi «conciencia». Hice girar el pomo lo más silenciosamente posible pero a pesar de ello me sonó como un disparo.

Abrí un resquicio, despegando apenas la puerta del marco, y solté el pomo. Ahora la música era más intensa, nítida y clara; seguramente procedía del reproductor de discos compactos que Cuadrados me había regalado dos años antes por mi cumpleaños.

Asomé la cabeza para echar un vistazo y en ese momento me agarraron del pelo.

Apenas me dio tiempo a sofocar un grito. Me tiraron con tal fuerza del pelo que mis pies se despegaron del suelo y crucé el cuarto con los brazos abiertos como Supermán, hasta caer de bruces.

Sentí que mis pulmones perdían aire como un globo que se deshincha y quise rodar de costado, pero él —supuse que era un hombre— se me echó encima. Me atenazó la espalda con las piernas y me pasó un brazo por el cuello mientras yo me revolvía inútilmente porque me sujetaba con una fuerza inaudita. Apretó el brazo y casi me ahoga.

Estaba inmovilizado y totalmente a su merced; cuando se inclinó sobre mí y sentí su hálito en la oreja, hizo un movimiento con el otro brazo para afianzarse y apretó aún más hasta casi cortarme la respiración.

Se me salían los ojos de las órbitas. Me llevé las manos a la garganta pero fue inútil. Intenté clavarle las uñas en el antebrazo, pero era duro como la caoba. Sentí que aumentaba de un modo insoportable la presión en mi cabeza y me agité impotente sin que él dejara de apretar. Sentía el cráneo a punto de estallar. Entonces oí la voz:

—Hola, Will, muchacho.

Esa voz.

Reconocí inmediatamente aquella voz. No la había oído..., Dios mío, ¿cuánto tiempo hacía...? Diez o quince años quizá; desde la muerte de Julie, desde luego. Pero hay sonidos, voces sobre todo, que el córtex cerebral conserva grabados en una zona especial, en la sección de supervivencia por así decir, y que cuando se oyen, las fibras sensoras se tensan, sienten el peligro.

Me soltó el cuello de repente y me desplomé desmadejado y jadeante, tratando de librarme de algo imaginario que me atragantaba. Él se dejó rodar de costado y se echó a reír.

—Will, chico, veo que me adoras.

Me di la vuelta, retrocedí arrastrándome sobre la espalda y mis ojos confirmaron lo que había percibido mi oído. No me lo podía creer. Estaba cambiado, pero no había duda.

—¿Eres John? —pregunté—. ¿John Asselta?

Me dirigió aquella sonrisa ambigua y sentí que retrocedía en el tiempo y afloraba en mi ser aquel miedo, el miedo que no había sentido desde la adolescencia. El Espectro —así lo llamaban todos aunque nadie tenía valor para decírselo a la cara— siempre me había infundido ese pavor, y creo que no sólo a mí porque todos le tenían miedo; pero, en mi caso, yo contaba con la atenuante de ser el hermano pequeño de Ken. Para El Espectro, eso bastaba.

Yo siempre he sido un debilucho que rehuía la confrontación física; hay quien dice que con ello soy más prudente y maduro, pero no es cierto. La verdad es que soy cobarde, me aterra la violencia; quizá sea normal, por aquello del instinto de conservación, pero a mí me sigue avergonzando. Mi hermano, que, curiosamente, era el mejor amigo de El Espectro, poseía la envidiable agresividad que diferencia a los ambiciosos de los grandes; en su manera de jugar al tenis, por ejemplo, se parecía al joven John McEnroe por aquella tenacidad agresiva capaz de comerse el mundo, incansable y extrema da. Ken se pegaba ya desde niño con los demás hasta matarse y, si les podía, encima los pateaba. Yo nunca fui así.

Me levanté como pude, mientras Asselta se incorporaba de un salto abriendo los brazos como un espíritu que abandona la tumba.

—¿No hay un abrazo para tu viejo amigo, Will, muchacho?

Se acercó y sin darme tiempo a reaccionar me dio un apretujón. Era bastante bajo, lo que contrastaba extrañamente con su torso tan largo y sus brazos tan cortos. Noté su mejilla contra mi pecho.

—Cuánto tiempo —dijo.

Yo no sabía qué decir, ni por dónde empezar.

—¿Cómo has entrado?

—¿Cómo? —replicó soltándome—. Ah, estaba abierta la puerta. Perdona que te sorprendiera de ese modo, pero... —Me sonrió y se encogió de hombros—. No has cambiado nada, Will, muchacho. Tienes buen aspecto.

—No habrías debido...

Ladeó la cabeza y recordé su peculiar modo de repartir golpes a diestro y siniestro. John Asselta era compañero de clase de Ken y estaba dos cursos por delante de mí en el instituto de Livingston, donde fue capitán del equipo de lucha libre y dos años seguidos campeón de pesos ligeros del condado de Essex; probablemente habría podido ser campeón estatal, pero lo descalificaron por descoyuntar a propósito un hombro al adversario. Era su tercera falta. Aún recuerdo los gritos de dolor del otro contendiente, la reacción de repulsa de parte del público al ver aquel brazo desarticulado y la sonrisita de Asselta mientras lo retiraban en camilla.

Mi padre decía que El Espectro tenía complejo de Napoleón, pero a mí me parecía una explicación muy simplista. No sé lo que era, El Espectro necesitaba demostrarse algo a sí mismo, poseía un cromosoma Y extra o, sencillamente, era el hijo de puta más grande del mundo.

En cualquier caso, se trataba de un psicópata.

No había duda. Le complacía hacer daño a la gente y un aura destructiva rodeaba todos sus actos. Incluso los deportistas mayores que él lo rehuían y nadie lo miraba a los ojos ni se cruzaba en su camino porque sabían que él lo tomaba como una provocación y que golpeaba sin previo aviso, exponiéndote a que te rompiera la nariz, te diera una patada en los testículos o intentara sacarte los ojos o sacudirte cuando estabas de espaldas.

Cuando yo hacía segundo año, El Espectro le provocó una conmoción cerebral a Milt Saperstein. Saperstein era un timorato de primer curso que tenía un bolsillo con protector para tinta de bolígrafo y que cometió la imprudencia de apoyarse en su taquilla. Primero, en los vestuarios, le sonrió y lo despidió con una palmadita en el hombro, pero aquel mismo día, más tarde, cuando Saperstein salía de una clase, echó a correr detrás de él, le pasó a traición el brazo por el cuello, lo tiró al suelo y le pateó la cabeza riéndose. Tuvieron que llevarlo a urgencias a St. Barnabas.

Nadie vio nada.

Según se contaba, a la edad de catorce años El Espectro mató al perro de un vecino metiéndole petardos por el ano. Pero, con mucho, el peor rumor que circulaba era el de que a la tierna edad de diez años apuñaló con un cuchillo de cocina a un chico llamado Daniel Skinner. Por lo visto, Skinner, que era dos años mayor que él, le pegó y El Espectro se vengó con una puñalada en el corazón. Se decía también que había pasado una temporada en el reformatorio y que lo habían sometido a terapia sin ningún resultado. Ken decía que él no sabía nada de eso y, cuando en cierta ocasión le pregunté a mi padre, él tampoco lo confirmó ni lo negó.

Intenté olvidar el pasado.

—¿Qué quieres, John?

Nunca había entendido la amistad entre mi hermano y él, que tampoco a mis padres les hacía gracia, a pesar de que con las personas mayores El Espectro era encantador. Su cutis casi albino —de ahí el apodo— modelaba unos rasgos delicados, y casi resultaba guapito con aquellas pestañas pobladas y el hoyuelo en la barbilla. Me contaron que después de graduarse se alistó en el ejército y que, por lo visto, había formado parte de un comando secreto de operaciones especiales o de los Boinas Verdes, pero esto tampoco me lo confirmó nadie.

El Espectro volvió a ladear la cabeza.

—¿Dónde está Ken? —preguntó con aquella voz sedosa amenazadora.

No contesté.

—He estado fuera una buena temporada, Will, muchacho.

—¿Haciendo qué? —pregunté.

Volvió a sonreírme.

—Y ahora que he vuelto me han entrado ganas de ver a mi buen amigo.

No sabía qué decir, pero de pronto me vino al pensamiento la noche de la víspera y aquel rato que estuve en la terraza: quien me observaba desde el otro extremo de la calle era El Espectro.

—Bien, Will, muchacho, ¿dónde puedo encontrarlo?

—No lo sé.

—¿Cómo dices? —replicó haciendo pantalla con la mano en el oído.

—Yo no sé dónde está.

—No es posible. Tú eres su hermano, a quien tanto quería.

—¿Qué es lo que quieres, John?

—Escúchame —replicó mostrándome otra vez los dientes—, ¿qué es lo que sucedió con ese bombón del instituto, Julie Miller? ¿No estabais muy enrollados?

Lo miré fijamente y mantuvo su sonrisa. Sabía que estaba tomándome el pelo. Él y Julie habían sido amigos; curiosamente, bastante amigos. Julie decía que había visto algo en él, algo oculto bajo su psicosis agresiva. En cierta ocasión, yo había comentado en broma que era como si ella le hubiera sacado una espina de la pata. No sabía a qué atenerme; pensé en salir corriendo, pero sabía que de poco me serviría. También sabía que no era oponente para él.

Mi miedo iba en aumento.

—¿Has estado fuera mucho tiempo? —pregunté.

—Años, Will.

—¿Cuándo fue la última vez que viste a Ken?

Hizo como si reflexionara.

—Debe de hacer... unos doce años. He estado fuera desde entonces y perdimos el contacto.

—Ya.

Entrecerró los ojos.

—Hablas como si no me creyeras, Will. —Se acercó más. Traté de mantenerme entero—. ¿Te doy miedo?

—No.

—Ahora ya no tienes a tu hermano mayor para defenderte, Will.

—Tampoco estamos en el instituto, John.

—¿Crees que tanto han cambiado las cosas? —replicó mirándome a los ojos.

Traté de seguir impasible.

—Pareces asustado, Will.

—Vete —dije.

Su respuesta fue rápida y me derribó de un manotazo en las piernas. Caí de espaldas y él, sin darme tiempo a reaccionar, me hizo una llave en el codo; noté de inmediato el intenso tirón en la articulación, pero él siguió doblándome el brazo hacia atrás y entonces sentí un dolor agudo.

Traté de no oponer resistencia; ceder a cualquier precio con tal de aliviar la presión.

El Espectro me habló con la voz más tranquila que nunca había oído.

—Dile que no siga escondiéndose, Will. Dile que puede ser malo para otras personas. Tú, por ejemplo, tu padre. O tu hermana. O incluso esa zorrita de Katy Miller con quien te has visto hoy. Díselo.

Era rápido como un demonio: al mismo tiempo que me soltaba me propinó un puñetazo en la cara. Me reventó la nariz. Caí de nuevo de espaldas casi inconsciente con la cabeza dándome vueltas. O quizá me desmayara. Ya no lo sé.

Cuando levanté la vista, El Espectro había desaparecido.

19

Cuadrados me tendió una bolsa de hielo.

—Bueno, «si hubieras visto al otro día», ¿no es eso?

—Ya lo creo —contesté arrimando la bolsa a la nariz dolorida—. Parecía un héroe de película.

Cuadrados se sentó en el sofá y apoyó los pies en la mesita.

—Cuéntamelo.

Se lo conté.

—Un tipo de lo más recomendable —comentó Cuadrados.

—¿Te he mencionado que torturaba a los animales?

—Sí.

—¿Y que tenía una colección de calaveras en su habitación?

—Eso sí que debía de impresionar a las señoras.

—No lo entiendo —dije apartando la bolsa y sintiendo como si tuviese en la nariz calderilla triturada—. ¿Por qué andará El Espectro buscando a mi hermano?

—Vete a saber.

—¿Crees que debería llamar a la policía?

Cuadrados se encogió de hombros.

—Dime otra vez su nombre.

—John Asselta.

—Me imagino que no sabes dónde vive.

—No.

—Pero dices que se crió en Livingston.

—Sí —contesté—. Vivía en Woodland Terrace; en el cincuenta y siete de Woodland Terrace.

—¿Te acuerdas de su dirección?

Me encogí de hombros. Es lo que sucedía con Livingston, que me acordaba de cosas así.

—No sé qué sucedió con su madre; se marchó o desapareció cuando él era muy pequeño. Su padre era un borracho. Tenía dos hermanos mayores que él. Uno creo que se llamaba Sean, ex combatiente de Vietnam, se dejó el pelo largo y barba y andaba por la calle hablando solo, todos decían que estaba loco. El jardín de la casa en que vivían era un basurero lleno de hierbajos. A la gente de Livingston no le gustaba y los guardias los multaban.

Cuadrados tomó nota de todo.

—Haré averiguaciones —dijo.

Me dolía la cabeza y traté de centrarme.

—¿En tu colegio había alguien así? —pregunté—. ¿Un psicópata que hiciera daño a la gente por placer?

—Sí —contestó él—. Yo.

No acababa de creérmelo. Sabía más o menos que Cuadrados había sido un punk tremendo, pero no podía pensar que hubiese sido como El Espectro, capaz de hacerme temblar al pasar por su lado, capaz de romper a alguien la cabeza carcajeándose... No me encajaba.

Volví a ponerme la bolsa de hielo en la nariz con una mueca de dolor.

—Pobre —comentó Cuadrados meneando la cabeza de un lado a otro.

—Lástima que no se te ocurriera estudiar Medicina.

—Seguramente te ha roto la nariz —dijo.

—Eso creo.

—¿Quieres que te lleve al hospital?

—No. Soy un tipo duro.

Eso lo hizo reír.

—De todos modos, ya no tiene remedio. —Calló un instante y se pasó la lengua por el interior de la mejilla—. Hay novedades —añadió.

No me gustó su tono de voz.

—Me ha llamado nuestro federal favorito, Joe Pistillo.

Me quité otra vez la bolsa de hielo.

—¿Han encontrado a Sheila?

—No lo sé.

—¿Qué quería?

—No me lo ha dicho. Me ha pedido que te lleve a verlo.

—¿Cuándo?

—Ahora. Me ha comentado que me lo comunicaba por deferencia.

—Deferencia, ¿a qué?

—Y yo qué sé.

—Me llamo Clyde Smart y soy el forense del condado —dijo el hombre con la voz más amable que Edna Rogers había oído en su vida.

Edna Rogers vio a su marido Neil estrechar la mano al hombre mientras ella le dirigía una simple inclinación de cabeza. La sheriff y un ayudante estaban presentes. Edna Rogers advirtió que todos estaban muy serios con cara de circunstancias. El hombre llamado Clyde trató de añadir unas palabras de consuelo, pero ella lo hizo callar.

Clyde Smart se acercó entonces a la mesa mientras Neil y Edna Rogers, casados hacía cuarenta y dos años, aguardaban de pie y esperaban. No se tocaron. No se dieron ánimos el uno al otro. Hacía años que habían dejado de hacerlo.

Finalmente, el forense, sin decir nada más, apartó la sábana.

Cuando Neil Rogers vio el rostro de Sheila retrocedió como un animal herido, alzó los ojos al cielo y profirió un grito que a Edna le recordó el de un coyote que barrunta la tormenta. Por la angustia de su esposo, sabía sin necesidad de mirar a la mesa que no habría marcha atrás ni un milagro en el último momento. Sacó fuerzas de flaqueza y, al ver a su hija, estiró el brazo —el instinto protector maternal nunca se apaga, ni siquiera en la muerte— pero se detuvo en seco.

La contempló hasta que se le nubló la visión, como si el rostro de Sheila se transformara retrospectivamente hasta configurar la cara de su hijita recién nacida, su hijita, con toda la vida por delante y una segunda oportunidad para ella de ser una buena madre.

A continuación, Edna Rogers rompió a llorar.

20

—¿Qué le ha pasado en la nariz? —preguntó Pistillo.

Estábamos otra vez en su despacho. Cuadrados se había quedado en la antesala. Yo me senté en el sillón frente a la mesa de Pistillo y en esa ocasión advertí que el suyo estaba más alto que el mío, seguramente para conseguir un efecto intimidatorio. Claudia Fisher, la agente que había ido a Covenant House, estaba detrás de mí con los brazos cruzados.

—El otro era más fuerte —contesté.

—¿Se ha peleado?

—Me caí —dije.

Pistillo no se lo creyó pero no hizo comentarios. Puso las manos sobre el escritorio.

—Queremos que nos lo cuente otra vez —dijo.

—¿El qué?

—Cómo desapareció Sheila Rogers.

—¿La han encontrado?

—Tenga paciencia, por favor —replicó tosiendo en el hueco de la mano—. ¿A qué hora salió de su apartamento Sheila Rogers?

—¿Por qué?

—Señor Klein, haga el favor de ayudarnos.

—Creo que se marchó hacia las cinco de la mañana.

—¿Está seguro?

—Creo —repetí—. He dicho «creo».

—¿Por qué no está seguro?

—Estaba dormido. Me pareció oírla salir.

—¿A las cinco?

—Sí.

—¿Miró el reloj?

—¿Lo dice en serio? Yo qué sé.

—¿Cómo sabía, entonces, que eran las cinco?

—No sé, porque tengo un reloj interno. ¿Podemos pasar a otra cosa?

Asintió con la cabeza y se acomodó en el asiento.

—La señorita Rogers le dejó una nota, ¿correcto?

—Sí.

—¿Dónde dejó la nota?

—¿En qué sitio del apartamento, quiere decir?

—Sí.

—¿Qué puede importar?

—Por favor —replicó con su mejor sonrisa paternalista.

—En la encimera de la cocina —dije—. Una encimera de formica, por si le sirve de algo.

—¿Qué decía exactamente la nota?

—Eso es algo íntimo.

—Señor Klein...

Lancé un suspiro. No tenía por qué negarme.

—Decía que siempre me querría.

—¿Y qué más?

—Nada más.

—¿Sólo que siempre lo querría?

—Sí.

—¿Conserva la nota?

—Sí.

—¿Puedo verla?

—¿Quiere decirme por qué estoy aquí?

Pistillo se reclinó en su sillón.

—Después de salir de casa de su padre, ¿fue con la señorita Rogers directamente a su apartamento?

—Pero ¿a qué viene esto? —repliqué sorprendido.

—Fueron al entierro de su madre, ¿correcto?

—Sí.

—Y luego usted y Sheila Rogers volvieron a su apartamento. Eso es lo que nos dijo, ¿no es así?

—Eso es lo que les dije.

—¿Y es la verdad?

—Sí.

—¿No se detuvieron por el camino?

—No.

—¿Tiene testigos?

—¿Testigos de que no nos detuvimos?

—De que volvieron al apartamento y estuvieron allí el resto del día.

—¿Por qué tendría que haber testigos de eso?

—Por favor, señor Klein.

—No sé si alguien podrá atestiguarlo o no.

—¿Hablaron con alguien?

—No.

—¿Los vio algún vecino?

—No lo sé —contesté mirando por encima del hombro a Claudia Fisher—. ¿Por qué no indagan entre el vecindario? ¿No son ustedes célebres por sus métodos de indagación?

—¿Por qué estaba Sheila Rogers en Nuevo México?

—No lo sabía —contesté sorprendido mirando a uno y otro.

—¿No le dijo que iba allí?

—No sabía nada.

—¿Y usted, señor Klein?

—Yo, ¿qué?

—¿Conoce a alguien en Nuevo México?

—Ni siquiera sé cómo se va a Santa Fe.

—San José —corrigió Pistillo sonriente—. Tenemos una lista de las últimas llamadas que ha recibido.

—Qué bien.

—La tecnología moderna —comentó Pistillo encogiéndose imperceptiblemente de hombros.

—¿Eso es legal? ¿Han grabado mis conversaciones?

—Tenemos un permiso judicial.

—Sí, claro. ¿Qué quieren saber?

Claudia Fisher hizo un movimiento por primera vez y me tendió una hoja de papel. Miré lo que parecía ser una fotocopia de una factura telefónica: había un número que no conocía subrayado en amarillo.

—Recibió en su domicilio una llamada desde un teléfono público de Paradise Hills, Nuevo México, la noche antes del entierro de su madre. ¿De quién era esa llamada? —inquirió aproximándose más.

Miré de nuevo el número realmente sorprendido. Habían llamado a las seis y cuarto de la tarde y era una conversación de ocho minutos. No sabía qué sucedía, pero no me gustaba el cariz que estaba tomando la conversación. Levanté la vista.

—¿Debería tener un abogado?

Pistillo se quedó algo parado e intercambió una mirada con Claudia Fisher.

—Puede pedir un abogado —dijo con cierta prevención.

—Quiero que esté presente Cuadrados.

—Él no es abogado.

—No importa. No sé qué demonios sucede, pero no me gusta este interrogatorio. He venido porque creí que tenía algo de qué informarme y, por el contrario, me veo sometido a interrogatorio.

—¿Interrogatorio? —replicó Pistillo abriendo las manos—. Estamos simplemente charlando.

Oí sonar un teléfono a mi espalda. Claudia Fisher cogió su móvil como si fuera un sheriff del Oeste y se lo acercó al oído, diciendo: «Fisher». Escuchó un minuto y cortó la comunicación sin despedirse. A continuación confirmó algo a Pistillo con una inclinación de cabeza.

—Estoy harto de esta situación —dije levantándome.

—Siéntese, señor Klein.

—Estoy harto de sus tonterías, Pistillo; estoy cansado de...

—Acabamos de recibir una llamada... —dijo muy serio.

—¿Qué pasa con esa llamada?

—Siéntese, Will.

Se había dirigido a mí por mi nombre de pila. No me gustó oírlo. Me quedé de pie aguardando.

—Estábamos a la espera de la confirmación ocular —dijo.

—¿De qué?

No me contestó.

—Hemos hecho venir en avión a los padres de Sheila desde Idaho y ellos lo han confirmado, aunque ya lo sabíamos por las huellas.

Su expresión se dulcificó y sentí que no me sostenían las piernas, mas conseguí permanecer erguido. Me miró apesadumbrado y yo comencé a asentir con la cabeza; pero sabía que no había modo de evitar el golpe.

—Lo siento, Will —dijo Pistillo—. Sheila Rogers ha muerto.

21

La resistencia a aceptar la verdad es sorprendente. Aunque sentía una agobiante contracción de estómago, aunque tuviera un núcleo de hielo interno cuyo frío me helaba desde el interior, aunque las lágrimas pugnaban por brotar, logré distanciar me. Asentí con la cabeza y me concentré en los detalles que Pistillo me facilitó. La habían encontrado tirada en la cuneta de una carretera de Nebraska; la habían asesinado «de un modo muy brutal», según sus propias palabras; no llevaba encima ningún documento de identificación, pero se habían comprobado sus huellas dactilares y habían hecho venir a sus padres en avión desde Idaho para identificar oficialmente el cadáver. Asentí de nuevo en silencio.

No me senté ni lloré. Me quedé totalmente inmóvil. Dentro de mí sentía que algo adquiría consistencia y crecía presionándome el tórax e impidiéndome respirar. Sus palabras resonaban muy lejanas, a través de un filtro o debajo del agua, y me vino a la imaginación una escena concreta: Sheila leyendo en el sofá sentada sobre las piernas con las mangas del jersey dadas de sí. Vi claramente su rostro, cómo movía el dedo para pasar página, cómo entornaba los ojos al leer ciertos párrafos, cómo levantaba la vista y sonreía al darse cuenta de que yo la miraba.

Sheila estaba muerta.

Yo seguía con ella en el apartamento, aferrándome a algo irreal, tratando de retener algo inexistente. Las palabras de Pistillo me sacaron de mi ensoñación.

—Tendría que haber colaborado con nosotros, Will.

—¿Cómo? —repliqué como quien despierta.

—Si nos hubiera dicho la verdad, tal vez habríamos podido salvarla.

Lo único que recuerdo a continuación es que estaba en la furgoneta.

Cuadrados alternaba los puñetazos sobre el volante con juramentos de venganza. Nunca lo había visto tan fuera de sí. Mi reacción había sido totalmente opuesta, como si me hubieran dejado sin energía. Miré por la ventanilla. Seguía resistiéndome a admitir la realidad, pero comenzaba a notarla como un martillo que golpea las paredes, y pensé cuánto tiempo resistirían el ataque.

—Lo cogeremos —dijo Cuadrados.

De momento no le di importancia.

Aparcamos en doble fila delante de mi casa y él bajó de un salto.

—No hace falta que me acompañes —dije.

—Sí, voy a subir contigo. Quiero enseñarte una cosa —replicó.

Asentí aturdido.

Al entrar en el apartamento, Cuadrados sacó una pistola del bolsillo y miró en las habitaciones. No había nadie y me tendió el arma.

—Cierra con llave y, si vuelve ese mamón horrendo, le pegas un tiro.

—No necesito esto —dije.

—Le pegas un tiro —repitió.

Miré la pistola.

—¿Quieres que me quede aquí? —preguntó.

—Creo que prefiero estar solo.

—Bien, de acuerdo, pero si me necesitas llevo el móvil. Dos, cuatro, siete.

—Sí. Gracias.

Me dejó sin decir más y yo puse la pistola en la mesa, me levanté y recorrí el apartamento. Ya no quedaba nada de Sheila; hasta su olor se había desvanecido. El aire parecía más leve, menos sustancial. Pensé en cerrar puertas y ventanas, sellarlas e intentar conservar algo de ella.

Habían matado a la mujer que amaba.

¿Por segunda vez?

No. Cuando asesinaron a Julie no me había sentido así ni remotamente. Sí, seguía negándome a aceptar la realidad, pero desde lo más profundo de mi ser comenzaba a filtrarse algo por las grietas: nada volvería a ser igual. Estaba seguro. Y estaba seguro de que esta vez no lo superaría. Hay golpes de los que uno se recupera, como me sucedió con Ken y Julie, pero esto era distinto; esto era un bombardeo de sentimientos en el que el predominante era la desesperación.

No volvería a estar con Sheila: habían asesinado a la mujer que amaba.

Me concentré en la segunda parte: asesinada. Pensé en su pasado, en el infierno que había vivido, y recapacité en la forma tan valiente en la que había luchado y en cómo alguien —probablemente alguien de ese pasado— le había arrebatado todo a traición.

La indignación comenzó a abrirse paso dentro de mí.

Fui al escritorio, me senté y busqué en el fondo del último cajón: allí estaba el estuche de terciopelo; suspiré hondo y lo abrí.

El anillo tenía un brillante de 1,3 quilates, era de talla en escalera, de refracción G y grado de pureza VI y estaba engastado sobre una tira de platino sencilla con dos pequeñas *baguettes* rectangulares. Lo había comprado en una tienda del barrio de los diamantes en la Calle 47 dos semanas antes con intención de enseñárselo a mi madre antes de declararme a Sheila, pero mi madre empeoró y lo pospuse todo; en cualquier caso, me quedaba el consuelo de que ella sabía que había encontrado a una mujer y eso la hacía feliz. Lo guardaba esperando el momento oportuno, después de la muerte de mi madre, para dárselo a Sheila.

Sheila y yo nos amábamos y yo le habría propuesto el matrimonio de una forma algo así peculiar, casi original, y sus ojos se habrían llenado de lágrimas, y habría aceptado abrazándose a mi cuello y nos habríamos unido para compartir nuestras vidas. Habría sido estupendo.

Pero alguien lo había truncado.

Los muros de negación de la realidad comenzaron a resquebrajarse. El dolor me ahogaba y me impedía respirar; me derrumbé en un sillón y apreté las rodillas contra el pecho, balanceándome hacia delante y hacia atrás, llorando a lágrima viva.

No sé cuánto tiempo duraron mis sollozos, pero al cabo de un rato hice un esfuerzo y dejé de llorar. Fue en ese momento cuando decidí combatir el dolor. El dolor paraliza pero la cólera no, y era cólera lo que comenzaba a crecer en mí pugnando por estallar.

Y me dejé llevar.

22

Cuando Katy Miller oyó a su padre levantar la voz se acercó a la puerta.

—¿Por qué has ido? —lo oyó decir a voces.

Sus padres estaban en el estudio, un cuarto que, como gran parte de la casa, parecía una pieza de cadena hotelera con muebles funcionales, relucientes, pesados y fríos. Los cuadros de las paredes eran imágenes intrascendentes de barcos y bodegones y no había figuritas, recuerdos de vacaciones, colecciones ni fotos familiares.

—Fui a dar el pésame —dijo la madre.

—¿Y por qué demonios lo hiciste?

—Pensé que era lo correcto.

—¿Lo correcto? Su hijo mató a nuestra hija.

—El hijo; no ella —replicó Lucille Miller.

—No me vengas con tonterías. Ella lo educó.

—Eso no quiere decir que ella tuviese la culpa.

—No creías eso antes.

—Hace mucho que lo creo aunque no haya dicho nada —replicó la madre poniéndose tensa.

Su marido le volvió la espalda y empezó a pasear de arriba abajo.

—¿Y ese animal te echó?

—Está sufriendo. Se desahogó conmigo.

—No quiero que vuelvas —dijo él esgrimiendo con impotencia un dedo—. ¿Me oyes? Sabes que ayudó a ese cabrón asesino de su hijo a esconderse.

—¿Y qué?

Katy contuvo un grito y el señor Miller volvió rápido la cabeza.

—¿Cómo que qué?

—Era su madre. ¿No habríamos hecho lo mismo nosotros?

—¿Qué estás diciendo?

—Si hubiera sido al revés, si Julie hubiese matado a Ken y hubiera tenido que esconderse, ¿qué habrías hecho tú?

—Dices cosas absurdas.

—No, Warren, no. Yo quiero saber qué habríamos hecho si se hubieran invertido los papeles. ¿Habríamos denunciado a Julie o la habríamos ayudado a huir?

El padre de Katy se volvió y la vio en el marco de la puerta; sus miradas se cruzaron y por enésima vez en su vida él no fue capaz de sostenerle la mirada. Sin decir nada más, Warren Miller subió a toda prisa la escalera y se encerró en el «cuarto del ordenador». El «cuarto del ordenador» era la antigua habitación de Julie. Durante nueve años la habían conservado tal como estaba cuando murió, pero un buen día, sin previo aviso, su padre lo guardó todo en cajas y la vació; pintó las paredes de blanco, compró una mesa de ordenador en Ikea y a partir de ese momento fue el cuarto del ordenador. Había quien lo interpretaba como una señal de punto final, o al menos de paso adelante. Significaba todo lo contrario. Había sido una decisión forzada, la de un moribundo que se obstina en levantarse aun sabiendo que va a empeorar. Katy no había vuelto a entrar; ahora que no quedaban signos tangibles de su hermana, se le antojaba que su espíritu flotaría con más agresividad. Uno confía en la imaginación en lugar de en los ojos. Evoca lo que se supone que no debe ver.

Lucille fue a la cocina y Katy la siguió en silencio. Su madre comenzó a fregar los platos y ella la miró deseando —también por enésima vez— poder decirle algo que no abriera su herida. Sus padres nunca hablaban de Julie con ella. Jamás. Durante todos aquellos años los había sorprendido hablando del asesinato apenas unas cuantas veces y siempre habían acabado como aquel día: enfadados y llorando.

—¿Mamá?

—No pasa nada, cariño.

Katy se acercó a ella y su madre se concentró aún más en su tarea; Katy advirtió que tenía más canas, la espalda algo más encorvada y su cutis era más grisáceo.

—¿Tú habrías hecho eso? —preguntó Katy.

Su madre no contestó.

—¿Habrías ayudado a Julie a huir?

Lucille Miller continuó fregando, llenó el lavavajillas, echó el detergente y puso en marcha la máquina. Katy permaneció aún un rato en la cocina, pero su madre siguió guardando silencio.

Katy subió de puntillas la escalera y oyó los sollozos angustiosos de su padre en el cuarto del ordenador; la puerta cerrada amortiguaba el sonido, pero se oían. Se detuvo para apoyar la palma de la mano en la madera y le pareció sentir las vibraciones. Su padre sollozaba siempre así, profundamente, con toda su alma. Con voz ahogada exclamaba: «¡Ya está bien, ya está bien, por favor!», una y otra vez pidiendo a un supuesto torturador que acabara con él de un balazo en la cabeza. Permaneció callada escuchando, pero los sollozos no cesaban.

Al cabo de un rato no pudo más y continuó hasta su cuarto, metió su ropa en una mochila y se dispuso a acabar con aquello de una vez para siempre.

Seguía sentado a oscuras con las rodillas pegadas al pecho.

Era ya casi medianoche. Esperaba ansioso una llamada. Normalmente habría desconectado el teléfono, pero mi rechazo de la realidad era tan potente que abrigaba la esperanza de que acaso Pistillo llamase para decirme que todo era un error. La mente funciona así. Trata de encontrar una alternativa. Hace tratos con Dios. Promesas. Intenta convencerse de que puede haber un indulto, que todo ha sido un sueño, una horrible pesadilla y que de algún modo se puede volver atrás.

Sólo había atendido el teléfono una vez, y era Cuadrados. Me dijo que la gente de Covenant House quería celebrar un funeral por Sheila al día siguiente y si yo estaba de acuerdo. Le dije que eso a Sheila le habría gustado.

Miré por la ventana y vi la furgoneta dando la vuelta a la manzana. Cuadrados llevaba toda la noche de ronda, vigilante. Yo sabía que no andaba lejos y él seguramente esperaba que sucediera algo para poder descargar su cólera en alguien. Pensé en su comentario de que él no había sido muy distinto de El Espectro, pensé en el peso del pasado, en las experiencias de Cuadrados, en las experiencias de Sheila, y me asombré de que hubieran tenido fortaleza para no naufragar en aguas revueltas.

Volvió a sonar el teléfono.

Miré el fondo de mi cerveza. Yo no era de los que ahogan sus penas en alcohol, y lo lamentaba, quería quedarme aletargado de una vez, pero sucedía todo lo contrario. Tenía la sensación de que me arrancaban la piel y mi sensibilidad se exacerbaba; sentía una pesadez indescriptible en brazos y piernas, como si fuera a hundirme inexorablemente cuando apenas me faltaban unos centímetros para salir a la superficie porque unas manos invisibles tiraban de mí hacia abajo.

Aguardé a que se conectara el contestador; al tercer timbrazo sonó el *clic* y oí mi voz diciendo que dejaran un mensaje después de la señal, y a continuación se oyó una voz que no me resultaba del todo desconocida.

—¿Señor Klein?

Me incorporé. La voz de mujer contuvo un sollozo.

—Soy Edna Rogers, la madre de Sheila.

Agarré enfebrecido el receptor.

—La escucho —dije.

Ella se echó a llorar y yo también.

—No creí que iba a sentir tanta pena —admitió al cabo de un rato.

Allí solo, en lo que había sido nuestro apartamento, comencé a balancearme hacia atrás y hacia delante.

—Hace mucho tiempo que la había apartado de mi vida —prosiguió la señora Rogers—. Ya no era hija mía. Yo tenía otros hijos. Ella se fue. Desapareció. Yo no quería. Cuando llegó la policía a casa a decirme que había muerto fui incapaz de reaccionar y sólo supe asentir con la cabeza, ¿comprende?

La comprendía. No dije nada y seguí escuchando.

—Después me hicieron ir en avión allí, a Nebraska. Nos dijeron que aunque habían comprobado las huellas dactilares, era necesario que algún familiar la reconociese. Así que Neil y yo fuimos al aeropuerto de Boise para coger el avión y al llegar allí nos condujeron a una comisaría pequeña. En la televisión siempre lo muestran detrás de un cristal, ¿sabe a qué me refiero? Esperas afuera hasta que traen el cadáver en una camilla para enseñártelo, pero detrás de un cristal. Allí no. Me hicieron pasar a una oficina donde tenían un... bulto tapado con una sábana. No en una camilla, sino en una mesa; el hombre apartó la sábana y vi su cara. Por primera vez en catorce años vi la cara de Sheila...

En ese momento perdió los nervios. Rompió a llorar sin tregua durante un buen rato. Yo aguardé pacientemente sin apartar el receptor del oído.

—Señor Klein —dijo luego.

—Llámeme Will, por favor.

—Usted la quería, ¿verdad, Will?

—Mucho.

—¿La hizo usted feliz?

—Espero que sí —contesté pensando en el anillo de pedida.

— Voy a pasar la noche en Lincoln y mañana por la mañana tomo el avión para Nueva York.

—Ah, muy bien —comenté, y le expliqué lo del funeral.

—¿Podríamos hablar después? —preguntó.

—Naturalmente.

—Me gustaría saber algunas cosas —dijo—. Y hay otras... Otras muy graves que tengo que contarle.

—No acabo de entender.

—Ya hablaremos mañana, Will.

Aquella noche tuve una visita.

A la una de la mañana sonó el timbre y pensé que sería Cuadrados. Logré ponerme en pie y crucé tambaleante el cuarto, pero me acordé de El Espectro y volví la cabeza: la pistola estaba allí, en la mesa. Me detuve.

Volvió a sonar otro timbrazo.

Meneé la cabeza. No, no estaba tan borracho. Al menos aún no. Me acerqué a la puerta y miré por la mirilla. No era Cuadrados ni El Espectro.

Era mi padre.

Abrí la puerta y los dos nos miramos como si nos viéramos de lejos. Estaba sin aliento y tenía los ojos hinchados y enrojecidos; me quedé inmóvil sintiendo que el alma se me caía a los pies. Él asintió con la cabeza, abrió los brazos para acogerme y yo me apreté contra su pecho, notando en la mejilla la lana áspera de su jersey, que olía a húmedo y viejo. Comencé a sollozar y él me acarició el pelo y me apretó contra su cuerpo. Sentí que me fallaban las piernas, pero no me desplomé porque él me sujetó. Me sujetó un buen rato.

23

Las Vegas

Morty Meyer puso boca arriba sus dos dieces haciendo una señal a la mujer que repartía para que le diera otras dos cartas. La primera fue un nueve y la segunda, un as: diecinueve en la primera mano y veintiuna en la segunda. Blackjack.

Tenía una buena racha. Había ganado ocho manos seguidas y en doce de las trece últimas había acumulado once mil dólares. Estaba en vena. El cosquilleo del subidón de los ganadores le recorría brazos y piernas; era una delicia, algo incomparable. Morty había llegado a la conclusión de que el juego era cosa de suerte, la tentación suprema. La persigues y te rehúye, te rechaza y te hace desgraciado, pero de pronto, cuando eres tú quien decide prescindir de ella, te sonríe, te acaricia melosa y entonces uno se siente en la gloria.

La banca volvió a dar cartas y hubo otro ganador; la que daba, un ama de casa de pelo demasiado teñido de color heno, recogió las cartas y le acercó las fichas. Morty seguía en racha. Sí, a pesar de lo que difundían aquellos cretinos de Jugadores Anónimos, en los casinos se podía ganar. Alguien tenía que ganar, ¿no? El azar cuenta, por Dios bendito, no va a ganar siempre la casa. Qué demonios, a los dados se puede incluso jugar con la casa. Claro que sí: hay gente que gana y se va con dinero a casa. Tiene que ser así; por lógica. Decir que nadie gana formaba parte de esa increíble paparruchada de Jugadores Anónimos que resta toda credibilidad a la organización, porque si empiezan por decir mentiras, ¿cómo puedes creer que vaya a ayudarte?

Morty jugaba en Las Vegas. La auténtica Las Vegas; no la de los circuitos de *striptease* para turistas vestidos de ante de imitación y con mocasines que lanzaban silbidos y gritos de admiración o euforia; nada de falsa Estatua de la Libertad ni torre Eiffel o Cirque du Soleil, montañas rusas, cine en tres dimensiones, disfraces de gladiadores, fuentes de surtidores cambiantes, falsos volcanes ni salones de juegos para niños. Aquél era el centro neurálgico. El lugar en el que hombres desdentados alrededor de una mesa, sin sacudirse el polvo de un viaje en camioneta, perdían su escasa paga. Allí no se veían más que jugadores con ojos de cansancio, agotados, de caras arrugadas, arrasadas por el trabajo al sol. Un hombre acudía allí, después de trabajar como un esclavo en un trabajo que detestaba, porque no quería volver a casa, a su remolque o lo que fuese, un hogar con televisor estropeado, niños llorando y una mujer abandonada que antaño le metía mano en la parte de atrás del coche y que ahora lo miraba con palpable repugnancia. Acudían allí con el anhelo más parecido a la esperanza de que eran capaces, el tenue convencimiento de que estaban a una jugada de cambiar de vida. Pero la esperanza nunca dura. Morty ni siquiera sabía si existía. Todos los jugadores saben en lo más profundo de su ser que no existe esperanza y que ésta siempre es huidiza, que están condenados para siempre al desengaño, a deambular sin remisión por delante de los escaparates pegando la nariz al cristal.

La mesa cambió de repartidor y Morty se arrellanó en la silla; miró sus ganancias y sintió que reverdecía el viejo recuerdo:

echaba de menos a Leah. Aún había días en que al despertarse en la cama se volvía hacia ella y, cuando eso sucedía, la pena lo consumía y era incapaz de levantarse. Miró a los hombres sucios de las mesas. Cuando era más joven los habría considerado perdedores; pero tenían una excusa para estar allí. Habían nacido con la P de perdedores pegada al culo. Los padres de Morty, emigrantes de una *Sh Telt* de Polonia, hicieron grandes sacrificios por él; entraron clandestinamente en el país para huir de la miseria, pusieron el océano por medio de todo cuanto conocían y lucharon a brazo partido para que su hijo tuviera una vida mejor; trabajaron sin descanso, de un modo agotador hasta la muerte, aguantando apenas para ver a su Morty licenciarse en Medicina, satisfechos de que sus esfuerzos no hubieran sido en vano, de que el destino de la familia cambiara de rumbo para mejor y para siempre. Murieron en paz.

A Morty le sirvieron un seis descubierto y un siete tapado. Pidió carta y le dieron un diez. Nada. Perdió también la mano siguiente. Maldita sea. Necesitaba aquel dinero porque Locani, un clásico corredor de apuestas rompepiernas, reclamaba su deuda. Morty, perdedor de perdedores, había logrado una prórroga a cambio de una información y le había soplado lo del hombre enmascarado y la mujer herida. Al principio, a Locani no pareció interesarle, pero la noticia se difundió y al final alguien pidió más detalles.

Morty lo contó casi todo.

Se calló lo del pasajero del asiento de atrás, nunca lo contaría. No tenía ni idea de qué asunto era aquél, pero había cosas que ni él haría.

Por muy bajo que hubiera caído, Morty no contaría aquello.

Le dieron dos ases y Morty los jugó descubiertos. A su lado se sentó un hombre. Más que verlo, lo sintió; lo sintió en sus viejos huesos como si se tratase de un cambio de tiempo. No volvió la cabeza, por irracional que parezca, por miedo a mirarlo.

El repartidor dio las dos cartas. Un rey y una jota. Morty tenía dos blackjacks.

—Déjalo ahora que estás a tiempo, Morty —susurró el hombre inclinándose hacia él.

Morty se volvió despacio y vio que era un individuo de ojos de color gris claro, de piel, más que blanca, translúcida, como si se le transparentasen las venas. El hombre le sonrió.

—Tal vez te ha llegado el momento de cambiar las fichas —añadió en otro susurro de plata.

Morty contuvo un estremecimiento.

—¿Quién es usted? ¿Qué quiere?

—Tenemos que hablar —respondió el desconocido.

—¿De qué?

—De cierta paciente que atendiste hace poco en tu acreditada clínica.

Morty tragó saliva. ¿Por qué habría dicho nada a Locani? Habría debido negociar con cualquier otra cosa.

—Ya dije todo lo que sabía.

—¿De verdad, Morty? —replicó el hombre pálido ladeando la cabeza.

—Sí.

Los ojos claros se clavaron en él con dureza. Ninguno de los dos habló. Morty notó que se ruborizaba y quiso enderezar la espalda, pero sintió que aquella mirada lo acobardaba.

—No creo que sea cierto, Morty. Creo que te guardas algo.

Morty no contestó.

—¿Quién más había en el coche aquella noche?

Morty miró sus fichas conteniendo un estremecimiento.

—No sé de qué me habla.

—Había alguien más, ¿verdad, Morty?

—Oiga, ¿quiere dejarme en paz? ¿No ve que tengo una buena racha?

El Espectro se levantó de la silla y meneó la cabeza.

—No, Morty —dijo tocándole suavemente en el brazo—, yo diría que tu suerte está a punto de cambiar a peor.

24

El funeral se celebró en el salón de actos de Covenant House. Cuadrados y Wanda estaban sentados a mi derecha y mi padre, a mi izquierda, con el brazo encima de mis hombros, acariciándome a veces la espalda. Me sentía a gusto. El salón estaba lleno, en su mayor parte de jóvenes que acudían al centro. Me abrazaron entre lágrimas manifestándome cuánto echaban de menos a Sheila. El acto duró casi dos horas. Terrell, un chico de catorce años que se prostituía por diez dólares el servicio, tocó con la trompeta una composición suya dedicada a Sheila. Era la melodía más triste y dulce que había oído nunca. Lisa, de diecisiete años y maníaco-depresiva, expuso cómo Sheila había sido la única persona con quien fue capaz de hablar cuando confesó que estaba embarazada. Sammy contó una graciosa historia de cómo Sheila le había enseñado a bailar esa «música chunga de las blancas», y Jim, de dieciséis años, un ser desesperado y al borde del suicidio, dijo que aquella sonrisa de Sheila le había valido para comprender que aún quedaba bondad en el mundo, y que fue ella quien lo convenció para que se quedara un día más y otro después.

Me inhibí del dolor para escuchar atentamente, porque aquellos jóvenes realmente se lo merecían. El centro representaba mucho para mí y para todos nosotros; siempre que teníamos dudas sobre nuestra labor, sobre nuestra capacidad de ayuda, nos repetíamos que los jóvenes estaban antes que nada, que no eran seres de peluche. La mayoría no tenía ningún atractivo y eran difíciles de querer, habían tenido una vida horrible que los había llevado a la cárcel, a la calle y a algunos, a la muerte, pero no por eso había que abandonar. Todo lo contrario: precisamente por eso había que quererlos más, de un modo incondicional y sin reservas. Sheila lo sabía y lo había tenido muy presente.

La madre de Sheila —yo al menos pensé que se trataba de la señora Rogers— llegó a los veinte minutos de que hubiera comenzado el acto. Era una mujer alta; su rostro tenía el aspecto seco y frágil de un objeto que ha estado mucho tiempo al sol; nuestras miradas se cruzaron, ella me escrutó inquisitiva y yo asentí con la cabeza. Durante el acto volví la vista hacia ella varias veces y vi que permanecía sentada muy atenta escuchando lo que decían de su hija casi con gesto de admiración.

En un momento dado en que nos pusimos todos en pie vi algo que me sorprendió pues, como había estado al tanto de si descubría algún rostro conocido, en aquel instante percibí una cara que me resultaba familiar casi oculta por un pañuelo.

Tanya.

La mujer desfigurada que «cuidaba» del repugnante Castman. Supuse que era ella casi con toda seguridad porque coincidían el pelo, la altura y la contextura física y, a pesar de no poder ver bien su rostro, los ojos no me eran desconocidos. No se me había ocurrido pensar que era posible que ella hubiera conocido a Sheila en sus tiempos de prostituta.

Volvimos a sentarnos.

El último en hablar fue Cuadrados. Estuvo locuaz y gracioso, hizo una rememoración de Sheila como yo no habría sido capaz de hacer. Dijo a los jóvenes que Sheila había sido «como ellos», una chica que se había escapado de casa, luchadora infatigable contra sus propios demonios, y recordó cómo desde el día de su llegada él vio cómo se recuperaba; luego hizo hincapié en que había sido testigo de cómo se enamoraba de mí.

Me sentía vacío. Me habían arrancado las entrañas y volví a ver claramente que mi dolor no tenía paliativos, que, aunque lo rehuyese o anduviera de un lado a otro investigando hasta averiguar una verdad esencial, no iba a servirme de nada porque era un dolor para siempre, un dolor que sería mi fiel compañero en sustitución de Sheila.

Al finalizar el acto, nadie sabía qué hacer en concreto. Permanecimos todos sentados extrañamente un instante sin movernos, hasta que Terrell hizo sonar de nuevo la trompeta y luego la gente se fue levantando para acercarse llorosa a abrazarme: no sé cuánto tiempo estuve recibiendo afecto. Agradecía aquellas manifestaciones pero, por otro lado, su efecto era que echase en falta a Sheila todavía más. El entumecimiento volvió a apoderarse de mí; sin él sería incapaz de soportar su pérdida.

Busqué a Tanya con la mirada pero ya no estaba.

Anunciaron que había algo para comer en la cantina y fuimos despacio hacia allí. Vi a la madre de Sheila en un rincón, aferrando entre sus manos un bolsito; parecía agotada, como si la vitalidad se le hubiera escapado por una herida abierta. Me acerqué a ella.

—¿Usted es Will? —preguntó.

—Sí.

—Yo soy Edna Rogers.

No nos abrazamos, ni nos dimos un beso en las mejillas ni nos estrechamos la mano.

—¿Dónde podemos hablar? —añadió.

La conduje pasillo adelante hacia la escalera. Cuadrados comprendió que queríamos estar solos y se plantó allí para que nadie nos siguiera. Cruzamos por delante del nuevo servicio médico, las consultas de psiquiatría y los cuartos de tratamiento para drogadictos. Muchas de las jóvenes que se han escapado de casa y llegan al centro de acogida acaban de dar a luz o están embarazadas, y allí procuramos darles tratamiento. Entre los jóvenes que acogemos, muchos tienen problemas mentales graves, a quienes procuramos ayudar, y no son menos, desde luego, los que sufren incontables problemas a causa de las drogas y tampoco regateamos esfuerzos.

Encontramos un cuarto libre y entramos. Cerré la puerta.

—Ha sido un acto precioso —dijo la señora Rogers vuelta de espaldas.

Asentí con la cabeza.

—No tenía ni idea —dijo meneando la cabeza— de que Sheila hubiese superado así su pasado. Me hubiera gustado verlo. Ojalá me hubiese llamado para decírmelo.

Yo no sabía qué decir.

—Sheila nunca me hizo sentirme orgullosa de ella mientras estuvo viva —añadió Edna Rogers hurgando en el bolso casi con furia y sacando un pañuelo con el que se sonó con fuerza. Luego volvió a guardarlo—. Sé que le parecerá cruel. Era una niña preciosa y ejemplar en la escuela elemental, pero luego —desvió la mirada y se encogió de hombros— cambió. Se volvió hosca, se quejaba de todo y siempre estaba de mal humor; me robaba dinero del bolso y se escapaba constantemente de casa. No tenía amigas, los chicos la aburrían y no quería estudiar, odiaba tener que vivir en Mason. Luego, un buen día dejó la escuela y se fue de casa para no volver.

Me miró como si esperase una respuesta por mi parte.

—¿Nunca más la vio? —pregunté.

—Nunca.

—No lo entiendo —dije—. ¿Qué sucedió?

—¿Quiere decir qué es lo que la hizo marcharse definitivamente?

—Sí.

—Piensa que hubo un acontecimiento concreto determinante, ¿verdad? —En ese momento alzó la voz en tono desafiante—. Que su padre abusó de ella o que yo le pegaba, algo que lo explique porque es lo que suele suceder: simple y claro, causa y efecto. Pues no hubo nada de eso. Nosotros, como padres, no éramos perfectos, ni mucho menos, pero no fue culpa nuestra.

—No pretendía insinuar...

—No me diga qué pretendía insinuar.

Echaba fuego por los ojos y frunció los labios mirándome con insolencia. Opté por cambiar de tema.

—¿Sheila no la llamaba nunca? —pregunté.

—Sí.

—¿A menudo?

—La última vez fue hace tres años.

Calló aguardando a que yo volviera a preguntar.

—¿Desde dónde la llamó?

—No me lo dijo.

—¿Qué es lo que contó?

Esta vez, Edna Rogers tardó un buen rato en contestar. Comenzó a dar vueltas por el cuarto mirando las camas y las cómodas; mulló una almohada y la colocó debidamente sobre la sábana.

—Sheila me llamaba cada seis meses aproximadamente; solía estar colocada o borracha o puesta, como se diga. Se ponía sentimental y las dos llorábamos, y me decía cosas terribles.

—¿Como qué?

Meneó la cabeza.

—Eso que dijo antes abajo ese hombre del tatuaje en la frente, de que os habíais enamorado, ¿es cierto?

—Sí.

Se irguió y me miró con los labios insinuando tal vez una sonrisa.

—Así que Sheila se acostaba con su jefe —comentó en un tonillo siniestro.

Edna Rogers frunció algo más aquella extraña sonrisa y fue como si se convirtiese en otra persona.

—Ella trabajaba como voluntaria —repliqué.

—Claro, ¿y qué es exactamente lo que hacía voluntariamente por ti, Will?

Sentí un escalofrío en la espalda.

—¿Aún quiere seguir juzgándome? —añadió.

—Creo que es mejor que se vaya.

—No puede aceptar la verdad, ¿no es así? Cree que yo soy una especie de monstruo que dejé a mi hija abandonada sin motivo.

—A mí no me corresponde decirlo.

—Sheila era mala. Mentía, robaba...

—Creo que ahora empiezo a entenderlo —dije.

—Entender, ¿qué?

—Por qué se fue.

Parpadeó y volvió a mirarme furiosa.

—Usted no la conocía y sigue sin conocerla.

—¿Acaso no ha oído usted nada de lo que han dicho de ella en el acto?

—Lo he oído —replicó Edna Rogers en tono más conciliador—. Pero y o esa Sheila no la he conocido, nunca se mostró así conmigo. La Sheila que yo conocía...

—Con el debido respeto, no estoy de ánimo para escuchar cómo sigue hablando mal de ella.

Edna Rogers se detuvo. Cerró los ojos y fue a sentarse en el borde d e una cama, y en el cuarto reinó un silencio absoluto.

—No he venido a eso —dijo.

—¿A qué, entonces?

—En primer lugar, quería oír algo agradable.

—Lo ha oído —repliqué.

—Sí, en efecto —añadió asintiendo con la cabeza.

—¿Qué otra cosa quiere?

Edna Rogers se puso en pie y se acercó a mí; contuve el impulso de apartarme cuando me miró a los ojos.

—He venido a por Carly.

Aguardé pero, al ver que no añadía nada más, dije:

—Mencionó usted ese nombre cuando hablamos por teléfono.

—Sí.

—No conocía a ninguna Carly y sigo sin conocerla.

Esgrimió de nuevo aquella sonrisa aviesa y cruel.

—Will, ¿no me estará usted mintiendo?

Me estremecí.

—No.

—¿No le mencionó nunca Sheila el nombre de Carly?

—No.

—¿Está seguro?

—Sí. ¿Quién es?

—Carly es la hija de Sheila.

Me quedé sin habla y Edna Rogers lo advirtió complacida.

—Su encantadora voluntaria nunca le dijo que tenía una hija, ¿eh?

No contesté.

—Carly tiene doce años y, desde luego, ignoro quién es el padre. Y no creo que Sheila lo supiera tampoco.

—No lo entiendo —dije.

Ella sacó una foto del bolso y me la tendió. Era una instantánea de las que toman en los hospitales a los recién nacidos: un bebé envuelto en una manta con los ojos cerrados. Le di la vuelta y vi escrito a mano «Carly» y la fecha de nacimiento.

La cabeza me daba vueltas.

—La última vez que me llamó Sheila fue cuando Carly cumplió nueve años —dijo— y hablé con ella; quiero decir con la niña.

—¿Dónde está ahora?

—No lo sé —contestó Edna Rogers—. Por eso he venido, Will. Quiero encontrar a mi nieta.

25

Cuando volví a casa aturdido me encontré a Katy Miller sentada en la puerta del apartamento con la mochila entre las piernas.

—Llamé pero... —dijo poniéndose en pie.

Asentí con la cabeza.

—Es que mis padres... —añadió—. No puedo estar en esa casa un día más. Pensé que podría dormir aquí en el sofá.

—No es el mejor momento —dije.

—Ah.

Metí la llave en la cerradura.

—Resulta que he estado intentando atar cabos como dijimos para averiguar quién pudo matar a Julie, ¿sabes? Y se me ocurrió pensar que tú sabrías algo de la vida de Julie después de vuestra ruptura.

Entramos en el apartamento y nos quedamos los dos de pie.

—Creo que no es momento...

Katy por fin advirtió mi estado.

—¿Por qué? ¿Qué sucede?

—Ha muerto alguien a quien quería mucho.

—¿Te refieres a tu madre?

Negué con la cabeza.

—Una persona muy allegada. Ha muerto asesinada.

—¿Muy allegada? —inquirió ella sofocando un grito y dejando la mochila.

—Mucho.

—¿Una amiga?

—Sí.

—¿La querías?

—Mucho.

Me miró.

—¿Qué sucede? —dije.

—No sé, Will, es como si alguien matase a las mujeres que amas.

Era lo mismo que yo había estado pensando, pero expresado en palabras resultaba más absurdo.

—Julie y yo habíamos roto hacía más de un año antes de que la asesinaran.

—¿Tú ya no estabas enamorado?

No quería volver a hablar de aquello y dije:

—¿Qué decías sobre la vida que llevó Julie después de la ruptura?

Katy se sentó en el sofá con esa elasticidad de las quinceañeras que dan la impresión de no tener huesos; cruzó una pierna por encima del brazo y echó la cabeza hacia atrás alzando la barbilla insolente. En esta ocasión vestía también vaqueros desgastados y un top tan ajustado que parecía que el sujetador estaba puesto por encima. Iba peinada con cola de caballo pero algunos mechones le caían sueltos sobre la cara.

—He estado pensando —dijo— que, si Ken no la mató, tuvo que ser otro, ¿no?

—Sí, claro.

—Así que me he dedicado a averiguar su vida en aquella época y he llamado a viejas amistades a ver si recordaban qué es lo que hacía por entonces.

—¿Y qué has descubierto?

192

—Que tenía bastantes problemas.

—¿Ah, sí? —comenté tratando de prestar atención a lo que decía.

—¿Tú qué recuerdas de aquella época? —preguntó apoyando los pies en el suelo y sentándose recta.

—Por entonces ella hacía el último curso en Haverton.

—No.

—¿No?

—Julie abandonó los estudios.

—¿Estás segura? —repliqué sorprendido.

—Antes del último curso —contestó ella—. ¿Tú cuándo la viste por última vez, Will? —preguntó.

Reflexioné y le dije que incluso en aquella época hacía ya mucho tiempo.

—¿Fue cuando rompisteis?

Negué con la cabeza.

—Ella rompió, por teléfono.

—¿En serio?

—Sí.

—Qué modo tan frío —comentó—. ¿Y tú lo aceptaste por las buenas?

—Yo intenté verla pero ella se negó.

Katy me miró como si yo hubiese alegado la excusa más ridícula de la historia de la humanidad. Pensándolo en retrospectiva, no creo que le faltara razón. ¿Por qué no fui a Haverton? ¿Por qué no insistí en que nos viésemos los dos?

—Creo que Julie acabó metiéndose en algo malo —añadió ella.

—¿Qué quieres decir?

—No lo sé. Tal vez sea una exageración, porque yo no lo recuerdo muy bien; de lo que sí estoy segura es de que pocos días antes de morir estaba contenta. Hacía mucho tiempo que no la veía contenta. Quizá fuese porque todo estaba mejorando... No lo sé.

Sonó el timbre de la puerta. Mi decaimiento se agravó; no estaba con ánimo de ver a nadie. Katy lo advirtió y se levantó.

—Abriré yo —dijo.

Era un repartidor con un cestillo de fruta. Katy se hizo cargo de él y lo dejó en la mesa.

—Hay una tarjeta —dijo.

—Ábrela.

Sacó la tarjeta del sobre diminuto.

—Es de uno de los chicos de Covenant House, dando el pésame. Y trae también una esquela —añadió sacándola del sobre.

Katy miraba la tarjeta sorprendida.

—¿Qué sucede? —pregunté.

Katy volvió a leerla y me miró.

—¿Sheila Rogers? —dijo.

—Sí.

—¿Tu novia se llamaba Sheila Rogers?

—Sí, ¿por qué?

Katy meneó la cabeza y dejó la esquela en la mesa.

—¿Qué sucede?

—Nada —contestó.

—No me vengas con cuentos. ¿La conocías?

—No.

—Entonces, ¿qué pasa?

—Nada —replicó en tono terminante—. Olvídalo, ¿de acuerdo?

Sonó el teléfono y aguardé a que saltara el contestador automático, pero por el altavoz se oyó la voz de Cuadrados:

—Descuelga.

Lo hice.

—¿Te has creído eso que ha contado la madre de Sheila de que tenía una hija? —preguntó sin preámbulos.

—Sí.

—¿Y qué vamos a hacer ahora?

No había dejado de pensarlo desde que me lo anunció la madre.

—Tengo una teoría —contesté.

—Te escucho.

—Quizá la huida de Sheila guarda relación con su hija.

—¿En qué sentido?

—Tal vez ella quería ir a buscar a Carly o traérsela. Quizá corría peligro. No sé exactamente.

—Tiene cierta lógica.

—Si pudiéramos averiguar los pasos de Sheila, a lo mejor podríamos localizar a la niña —dije.

—Y a lo mejor acabamos como Sheila.

—Es un riesgo —añadí.

Noté que Cuadrados dudaba y dirigí los ojos a Katy, que miraba al vacío tirándose del labio inferior.

—Entonces, ¿quieres seguir? —preguntó Cuadrados.

—Sí, pero no quiero que te arriesgues.

—O sea, ¿que ahora es cuando tú me dices que puedo dejarlo si quiero?

—Exacto, y ahora es cuando tú respondes que me seguirás hasta el final.

—Música de violines —dijo Cuadrados—. Bueno, escucha, ahora que ya ha pasado todo: Roscoe me ha llamado vía Raquel y es posible que tenga una buena pista sobre las andanzas de Sheila. ¿Te apetece una vueltecita nocturna en coche?

—Pasa a recogerme —contesté.

26

Philip McGuane vio a su viejo enemigo en la pantalla de la cámara de seguridad antes de que sonara el zumbador de la recepcionista.

—¿Señor McGuane?

—Hágalo pasar —respondió él.

—Sí, señor McGuane. Viene con...

—A ella también.

McGuane se puso en pie. Tenía un despacho en la esquina del edificio con vistas al río Hudson cerca de la punta sudoeste de la isla de Manhattan. En los meses de verano surcaban sus aguas los nuevos megacruceros turísticos con esos adornos de luces de neón y sus salones de columnatas, y a algunos los veía deslizarse a la altura de sus ventanas, pero aquel día no había movimiento. McGuane continuó pulsando el mando a distancia de la cámara de seguridad para seguir los pasos de su adversario del FBI Joe Pistillo y de la subordinada que le iba a la zaga.

McGuane gastaba mucho en seguridad porque valía la pena. Tenía un circuito de vigilancia de ochenta y tres cámaras y todo aquel que entraba en su ascensor privado quedaba digitalmente grabado desde distintos ángulos; pero lo notable del sistema era que permitía que la imagen de quienes entraban fuera manipulada de tal modo que parecía que a continuación salían. Tanto el pasillo como el ascensor estaban pintados de color verde hierbabuena. Aquél era un detalle más bien repelente, pero los especialistas en efectos especiales y manipulación digital no ignoraban que era crucial, puesto que una imagen con fondo verde se puede recortar para situarla sobre un fondo cambiado.

A sus enemigos no les importaba acudir allí, pues, al fin y al cabo, era su oficina oficial y daban por sentado que no se atrevería a matarlos en su propio terreno. Craso error, porque precisamente esa osadía y el hecho de que la policía también lo pensara —unido al detalle de que podía demostrar que la víctima había salido de allí por su propio pie—, hacían del edificio un lugar idóneo para un asesinato.

McGuane sacó una antigua foto del primer cajón del escritorio. Algo que había aprendido desde el principio era que no hay que subestimar a las personas ni las situaciones y le constaba que, por el contrario, obtenía ventaja sobre sus adversarios logrando que lo subestimasen. Miró aquella foto en la que aparecían tres muchachos de diecisiete años: Ken Klein, John Asselta *el Espectro* y él mismo, McGuane, los tres criados en Livingstone, Nueva Jersey, aunque él vivía en el extremo opuesto de la ciudad, lejos de Ken y de EL Espectro. Se hicieron amigos en el instituto por atracción mutua, por una afinidad que traicionaba sus miradas, o quizá fuese mucho decir.

Ken Klein era el fogoso jugador de tenis; John Asselta, el psicópata pendenciero, y McGuane, el muchacho encantador presidente del consejo de alumnos. Miró los rostros de aquella fotografía: eran simplemente los de tres simpáticos estudiantes sin peculiaridad alguna. Cuando unos años atrás unos chicos como aquéllos llevaron a cabo la matanza en el colegio Columbine, McGuane había observado con fascinación la reacción de los medios de comunicación. El mundo buscaba excusas cómodas. Los chicos eran marginados, niños atormentados y maltratados, hijos de padres ausentes y acostumbrados a videojuegos

197

violentos. Pero McGuane sabía que todas aquellas razones no contaban. Cierto que los tiempos habían cambiado, pero podía haberse tratado de ellos mismos —Ken, John y McGuane— porque en el fondo nada importa que vivas con desahogo económico, tus padres te den cariño, que no te metas con nadie o que simplemente te esfuerces por destacar entre la masa.

Algunas personas sienten esa furia.

Se abrió la puerta del despacho y entraron Joe Pistillo y su joven ayudante. McGuane sonrió y guardó la fotografía.

—Bah, Javert, ¿aún me persigue por robar un pan? —dijo saludando a Pistillo.

—Sí, claro —replicó el hombre del FBI—. Ése es usted, McGuane. El inocente acosado.

McGuane fijó la atención en la mujer.

—Joe, ¿cómo se las arregla para estar siempre tan bien acompañado?

—Le presento a la agente especial Claudia Fisher.

—Encantado —dijo McGuane—. Siéntense, por favor.

—Preferimos quedarnos de pie.

McGuane se encogió de hombros y se sentó en su sillón.

—Bien, ¿qué lo trae hoy por aquí?

—Está en un mal momento, McGuane.

—¿Ah, sí?

—Muy malo.

—¿Y ha venido a ayudarme? Qué emoción.

Pistillo lanzó un bufido.

—Hace tiempo que voy detrás de usted.

—Sí, lo sé, pero soy veleidoso. Le sugiero una cosa: la próxima vez me envía un ramo de flores, me abre la puerta, me cede el paso. A los hombres nos gusta que nos galanteen.

Pistillo apoyó los puños en la mesa.

—En el fondo me complacería aguardar tranquilamente sentado para ver cómo lo despedazan vivo. —Tragó saliva y trató de controlarse—. Pero algo más profundo en mi ser me pide verlo pudriéndose entre rejas por sus delitos.

McGuane se volvió hacia Claudia Fisher.

—Resulta muy atractivo cuando habla en ese tono tan duro, ¿no cree?

—¿Sabe a quién hemos encontrado, McGuane?

—¿A Hoffa?* Ya era hora.

—A Fred Tanner.

—¿A quién?

—No se haga el disimulado —replicó Pistillo con una sonrisita—. Es uno de sus matones.

—Creo que pertenece a mi departamento de seguridad.

—Pues lo hemos encontrado.

—No sabía que se hubiera perdido.

—Muy gracioso.

—Creía que estaba de vacaciones, agente Pistillo.

—De vacaciones permanentes. Lo hemos encontrado en el río Passaic.

—Qué insalubre —comentó McGuane torciendo el gesto.

—Con dos balazos en la cabeza. Hemos encontrado también a un tal Peter Appel; estrangulado. Era un tirador de élite retirado del ejército.

—No somos nada.

«Uno solo estrangulado —pensó McGuane—. A El Espectro le habrá fastidiado tener que disparar al otro.»

—Sí, en fin, veamos —añadió Pistillo—. Tenemos estos dos muertos más los otros dos de Nuevo México, lo que suma cuatro.

---

* Jimmy Hoffa, influyente y temido dirigente sindical de los camioneros estadounidenses desaparecido el 30 de junio de 1975, presuntamente a manos de la mafia. *(N. del T.)*

—Y lo ha calculado sin contar con los dedos. Agente Pistillo, no le pagan lo que merece.

—¿No tiene nada que decirme?

—Sí, mucho —replicó McGuane—. Lo confieso: yo los maté. ¿Satisfecho?

Pistillo se inclinó sobre la mesa acercando su rostro al de McGuane.

—Está a punto de hundirse, McGuane —dijo.

—Y usted ha comido sopa de cebolla.

—¿Sabe —añadió Pistillo sin despegar la cara de la de McGuane— que ha muerto también Sheila Rogers?

—¿Quién?

Pistillo se apartó de la mesa.

—Claro, tampoco la conoce. No trabaja para usted.

—Tengo mucha gente trabajando para mí. Soy un hombre de negocios.

—Vámonos —dijo Pistillo mirando a Fisher.

—¿Se marchan ya?

—Llevo mucho tiempo aguardando este momento —añadió Pistillo—. La venganza, como dicen, es un plato que se sirve frío.

—Como la vichyssoise.

Pistillo le respondió con otra sonrisa sarcástica.

—Que tenga un buen día, McGuane —dijo.

Salieron. McGuane permaneció sentado diez minutos sin moverse. ¿A qué obedecería aquella visita? Sencillo. Querían ponerlo nervioso. Lo subestimaban. Pulsó el número tres, la línea de seguridad sometida a comprobación diaria por si estaba intervenida; dudó al marcar el número. ¿Lo interpretaría como pánico por su parte?

Sopesó los pros y los contras y decidió correr ese riesgo.

El Espectro contestó al primer timbrazo con un melodioso «¿diga?».

—¿Dónde estás?

—Acabo de llegar en avión de Las Vegas.

—¿Has averiguado algo?

—Ya lo creo.

—Te escucho.

—Además de ellos dos, había una tercera persona en el coche —dijo El Espectro.

—¿Quién? —preguntó McGuane revolviéndose en el asiento.

—Una niña pequeña —dijo El Espectro— de unos once o doce años.

27

Katy y yo estábamos en la calle cuando llegó Cuadrados. Ella se inclinó y me besó en la mejilla. Cuadrados enarcó una ceja mirándome, pero yo fruncí el ceño.

—Pensé que ibas a quedarte a dormir en el sofá —dije a Katy.

Katy había estado abstraída desde la llegada del castillo.

—Volveré mañana —contestó.

—¿No vas a contarme qué sucede?

—Tengo que hacer algunas averiguaciones —respondió hundiendo las manos en los bolsillos y encogiéndose de hombros.

—¿Sobre qué?

Negó con la cabeza y no insistí. Me dirigió una sonrisita mientras se alejaba y subí a la furgoneta.

—¿Ésta quién es? —preguntó Cuadrados.

Se lo expliqué en el camino hacia la periferia. Llevábamos docenas de bocadillos y mantas. Cuadrados los repartía a los chicos. Los bocadillos y las mantas funcionaban para romper el hielo, como el truco de la desaparecida Angie; pero, aunque no diese resultado, al menos los menesterosos tenían algo que comer y con qué abrigarse. Había visto a Cuadrados hacer maravillas con aquel género. En la primera ocasión siempre había alguno que rehusaba la ayuda, que incluso se mostraba hostil, pero Cuadrados no se enfadaba y volvía a pasar noche tras noche porque estaba convencido de que la clave era la insistencia, hacerlos ver que estábamos a su disposición en cualquier momento y que no se les abandonaba en ninguna circunstancia.

Al cabo de unas cuantas noches, aquel chico o chica reacio aceptaba el bocadillo, otro día cogía la manta y a continuación aguardaba ya al paso de la furgoneta.

Estiré el brazo y cogí un sándwich del montón.

—¿Te toca trabajar esta noche otra vez?

Agachó la cabeza y me miró por encima de las gafas de sol.

—Qué va, es que tengo mucha hambre —respondió con sorna.

—Cuadrados —dije al cabo de un rato—, ¿cuánto tiempo piensas seguir esquivando a Wanda?

Cambió de emisora y sonó *You're so Vain* de Carly Simon, que él acompañó cantando.

—¿Recuerdas esta canción? —preguntó.

Asentí con la cabeza.

—¿Era verdad el rumor de que era una alusión a Warren Beatty?

—No lo sé —contesté.

—Quiero preguntarte una cosa, Will —dijo al cabo de un rato sin apartar la vista de la calle. Aguardé—. ¿Te sorprendió mucho saber que Sheila tenía una hija?

—Mucho.

—¿Y te sorprendería mucho saber que yo tuve un hijo?

Lo miré.

—Tú no entiendes la situación, Will.

—Me gustaría entenderla.

—Cada cosa a su tiempo.

Aquella noche, el tráfico era increíblemente escaso. Se apagó la voz de Carly Simon y Bob Dylan pidió a su chica que tuviera un poco de paciencia hasta que su amor creciera. Era una súplica tan desesperada... Me encanta esa canción.

Entramos en la autopista norte del río Harlem y, al pasar por delante de un grupo de chicos guarecidos debajo de un puente, Cuadrados paró la furgoneta.

—Trabajo a la vista —dijo.

—¿Te ayudo?

Él negó con la cabeza.

—No tardaré mucho.

—¿Vas a darles bocadillos?

Cuadrados reflexionó.

—No. Tengo algo mejor.

—¿Qué?

—Tarjetas de teléfono —dijo tendiéndome una—. TeleReach nos ha donado más de mil, los críos se las rifan.

Así era: en cuanto las vieron se le echaron encima como moscas. Confiad en Cuadrados. Miré aquellos rostros sucios tratando de ver individuos diferenciados con deseos, sueños y esperanzas. Los críos no aguantan mucho en la calle, y no me refiero a los riesgos físicos, que suelen superar, sino a su alma, la conciencia de sí mismos, que es lo que se destruye y, cuando la destrucción alcanza cierto límite, su suerte está echada.

Sheila se había salvado antes de llegar a ese límite.

Y entonces la habían asesinado.

Deseché ese pensamiento. En aquel momento no tenía tiempo para pensar en ello. Debía centrarme en la tarea que había emprendido con dedicación, seguir actuando. La actividad mantiene a raya el dolor, te estimula, te desentumece.

Hacerlo por ella, por sensiblero que suene.

Cuadrados volvió al cabo de unos minutos.

—Vamos allá —dijo.

—No me has dicho dónde.

—A la esquina de la Calle 128 con la Segunda Avenida, donde he quedado con Raquel.

—¿Para ver qué?

—Una posible pista —respondió sonriendo.

Salimos de la autopista y pasamos por delante de una serie de casas en construcción. Dos manzanas antes de llegar atisbé a Raquel, lo que no tiene mérito dada su estatura y su vestimenta, una combinación explosiva. Cuadrados frenó a su lado y frunció el ceño.

—¿Qué pasa? —preguntó Raquel.

—¿Zapatos rosa con un vestido verde?

—Son coral y turquesa —replicó Raquel— y hacen juego con el bolso magenta.

Cuadrados se encogió de hombros y aparcó frente a un escaparate en el que había un letrero descolorido que decía farmacia goldberg . Nada más bajar de la furgoneta, Raquel me arropó en un abrazo. Apestaba a Aqua Velva y no pude por menos de pensar que, efectivamente, algo tenía del hombre Aqua Velva.

—Lo siento muchísimo —dijo.

—Gracias.

Cuando me soltó respiré con alivio. Estaba llorando. Las lágrimas le corrían el maquillaje diluyendo la máscara y sedimentando el color en su barba desigual, de forma que su cara parecía una vela derretida.

—Abe y Sadie os están esperando —dijo.

Cuadrados asintió con la cabeza, abrió la puerta de la farmacia y entramos uno detrás del otro; al cruzar el umbral sonó un ding-dong y noté un olor que me trajo al recuerdo un ambientador en forma de cerezo colgado del retrovisor de un coche. Había estanterías hasta el techo llenas a rebosar de vendas, desodorantes, champús y medicamentos para la tos, todo revuelto.

De la trastienda salió un viejo con gafas de media luna que colgaban de una cadenita, con camisa blanca y chaleco de lana;

su pelo blanco era tan largo y frondoso que parecía la peluca empolvada de los jueces ingleses, y sus pobladas cejas le daban aspecto de búho.

—¡Hombre, el señor Cuadrados!

Se dieron un abrazo y el anciano le propinó varias palmadas en la espalda.

—Tienes buen aspecto —dijo el hombre.

—Tú también, Abe.

—Sadie —gritó—. Sadie, está aquí el señor Cuadrados.

—¿Quién?

—El del yoga con un tatuaje.

—¿En la frente?

—Ése.

Yo meneé la cabeza y me incliné hacia Cuadrados.

—¿Es que hay alguien que no conozcas?

—Encantador que es uno —replicó él encogiéndose de hombros.

Sadie, una anciana tan bajita que difícilmente alcanzaría a ver dos metros de altura aunque fuera Raquel en aquellos taconazos, salió de detrás del mostrador.

—Estás muy delgado —dijo mirando a Cuadrados con el ceño fruncido.

—Déjalo en paz —dijo Abe.

—Calla, calla. ¿Comes como es debido?

—Claro que sí —contestó Cuadrados.

—Estás en los huesos; en los huesos.

—Sadie, ¿quieres dejarlo en paz?

—Tú calla —replicó ella con voz de misterio—. Tengo kugel, ¿quieres un plato?

—Quizá después. Gracias —respondió Cuadrados.

—Lo pondré a calentar.

—Muy bien, gracias. Os presento a mi amigo Will Klein —dijo Cuadrados volviéndose hacia mí.

Los dos viejos me miraron entristecidos.

—¿Es el novio?

—Sí.

—No sé —añadió Abe.

—Puedes hablar con toda confianza —insistió Cuadrados.

—Sí, puede que sí, puede que no. Lo nuestro es como secreto de confesión; tú lo sabes. Y ella insistió mucho en que no dijésemos nada en ninguna circunstancia.

—Lo sé.

—¿Qué bien haremos si hablamos?

—Me hago cargo.

—Si hablamos pueden matarnos.

—No se enterará nadie. Os doy mi palabra.

Los dos viejos cruzaron una mirada.

—Sabemos que Raquel —dijo el hombre— es buen chico. O chica, no sé; a veces me hago un lío.

—Necesitamos vuestra ayuda —añadió Cuadrados acercándose a la pareja.

Sadie cogió la mano de su esposo en un gesto tan íntimo que me dieron ganas de apartar la mirada.

—Era una chica tan guapa, Abe...

—Y muy simpática —añadió él suspirando y mirándome.

En ese momento sonó otra vez el *ding-dong* al abrirse la puerta y entró un negro desaliñado.

—Vengo de parte de Tyrone —dijo.

—Ven, yo te atiendo —dijo Sadie acercándose a él.

Abe no dejaba de mirarme, y yo, que no entendía nada, me volví hacia Cuadrados.

Cuadrados se quitó las gafas de sol.

—Por favor, Abe —dijo—, es importante.

—De acuerdo —dijo Abe levantando una mano—. De acuerdo; no pongáis esa cara. Pasad, por favor —añadió con un gesto.

Levantó la trampilla del mostrador y pasamos a la trastienda dejando atrás las pastillas, los frascos, las bolsas de recetas, los morteros y los mazos, y él abrió una puerta que daba paso al sótano y encendió la luz.

—Aquí es donde se cuece todo —comentó.

No se veía bien, pero había un ordenador, una impresora y una cámara digital. Era todo. Miré al viejo y a Cuadrados.

—¿Quiere alguien decirme de qué estamos hablando?

—Nuestro negocio es muy sencillo —dijo Abe—. No conservamos archivos ni nada, así que si la policía se incauta del ordenador no importa porque no averiguarán nada. Los archivos los tengo aquí —añadió señalando su frente—. Aunque algunos últimamente se van perdiendo, ¿no es cierto, Cuadrados?

Cuadrados le sonrió.

—¿Sigue sin entender nada? —dijo Abe al ver mi cara de sorpresa.

—Sigo sin entender nada.

—Se trata de documentos de identidad falsos —dijo él.

—Ah.

—Pero no de los que utilizan los menores de edad para beber.

—No, claro.

—¿Sabe algo sobre el tema? —preguntó bajando la voz.

—No mucho.

—Yo me refiero a los que se necesitan para desaparecer, para huir y comenzar una nueva vida. ¿Alguien tiene problemas? Paf, yo lo hago desaparecer. Como un prestidigitador. Cuando uno necesita irse, irse de verdad, no acude a una agencia de viajes; viene aquí.

—Entiendo —dije—. ¿Y utilizan mucho sus —no sabía qué palabra emplear— servicios?

—Se sorprendería usted. Bueno, generalmente, no es que sean situaciones tan extraordinarias; suele tratarse de personas en libertad condicional o bajo fianza, o gente a quien busca la policía. Ayudamos también a toda clase de inmigrantes ilegales que quieren quedarse en el país; nosotros los convertimos en ciudadanos estadounidenses —explicó sonriéndome—. Pero de vez en cuando se presenta algún caso más interesante.

—Como el de Sheila —dije.

—Exacto. ¿Quiere que le explique cómo lo hacemos?

Sin darme tiempo a contestar, el viejo prosiguió:

—Esto no es como en la tele. En la tele complican mucho las cosas, ¿no es cierto? Buscan algún niño fallecido y consiguen el certificado de nacimiento o algo parecido y lo someten a una serie de falsificaciones complicadas.

—¿No es el modo de hacerlo?

—No, no se hace así —replicó sentándose delante del ordenador y poniéndose a teclear—. En primer lugar, hay un modo más rápido. Aparte de que con Internet y la red y todas esas cosas los fallecidos han fallecido y punto, pues al morir cancelan su número de la seguridad social. Si no fuera así, se podría utilizar el número de la seguridad social de los viejos que mueren, ¿no? O de gente que muere sin llegar a la vejez. ¿Me comprende?

—Creo que sí —dije—. Entonces, ¿cómo elabora usted una falsa identidad?

—Es que no elaboro ninguna falsa identidad —replicó él—. Yo trabajo con identidades auténticas.

—No lo sigo.

—¿No me habías dicho que trabajaba en las calles? —preguntó el viejo a Cuadrados con el ceño fruncido.

—Hace mucho tiempo —contestó él.

—Bueno, en fin; vamos a ver —añadió Abe Goldberg volviéndose hacia mí—. ¿Se ha fijado en ese que ha entrado después de ustedes?

—Sí.

—Tiene aspecto de parado, ¿verdad? Probablemente es una persona sin hogar.

—No lo sé.

—No se haga el políticamente correcto conmigo. Tiene pinta de vagabundo, ¿no es cierto?

—Sí.

—Pero es un individuo, ¿entiende? Tiene nombre, madre, nació en este país y tiene —añadió sonriendo y con gesto teatral— un número de la seguridad social. Puede que incluso tenga carnet de conducir, aunque quizá caducado. Es igual. Mientras tenga número de la seguridad social, existe. Tiene una identidad. ¿Me entiende?

—Lo entiendo.

—Bien, pongamos que necesita algún dinero. A mí me tiene sin cuidado para qué. Él necesita dinero mientras que de la identidad puede prescindir. Como vive en la calle, ¿para qué le sirve? No tiene cuenta de crédito ni es propietario de tierras. Bien, con el ordenador buscamos su nombre —añadió, dando una palmadita a la máquina—, comprobamos si existe algún mandamiento judicial grave contra él y si no, en la mayoría de los casos no lo hay, le compramos el carnet de la seguridad social. Si, por ejemplo, se llama John Smith y si, por ejemplo, usted, Will, tiene necesidad de alojarse en hoteles o lo que sea con un nombre falso...

Comprendí adónde quería llegar.

—Me vende el número de la seguridad social y me convierto en John Smith.

—Premio —exclamó el viejo chasqueando los dedos.

—Pero ¿y si no nos parecemos físicamente?

—En el carnet de la seguridad social no figura la descripción física. Una vez en su poder puede dirigirse a un organismo oficial para hacer cualquier trámite. Para casos urgentes, dispongo de un programa con el que le puedo confeccionar un carnet de conducir de Ohio, por ejemplo, pero eso al final acaban por descubrirlo, mientras que la falsa identidad no.

—Supongamos que a ese John Smith lo detienen y le exigen que se identifique.

—Puede dar ese número. Hasta cinco personas a la vez pueden usarlo. ¿Quién va a enterarse? Es sencillo, ¿no?

—Sencillo —asentí—. Así que, ¿Sheila acudió a usted?

—Sí.

—¿Cuándo?

—Hará dos o tres días. Como le he dicho, no era uno de nuestros clientes habituales, sino una chica muy simpática. Y muy bonita.

—¿Le dijo adónde pensaba ir?

Abe sonrió y me tocó en el brazo.

—¿Cree que se trata de un negocio donde se hagan muchas preguntas? Los clientes no se explayan precisamente y yo tampoco quiero saber nada. Nosotros no decimos una palabra. Sadie y yo tenemos un prestigio y, como le dije arriba, si te vas de la lengua te buscas la muerte. ¿Comprende?

—Sí.

—De hecho, cuando Raquel vino a hacer un sondeo no dijimos ni mu. Nuestro negocio es la discreción misma. Pese a que a Raquel le tenemos cariño, no dijimos nada. Cremallera.

—¿Y por qué cambiaron de parecer?

Abe me miró con expresión ofendida y se volvió hacia Cuadrados, luego me volvió a mirar.

—¿Es que cree que somos animales y no tenemos sentimientos?

—No pretendía...

—Por lo del asesinato —añadió—. Al enterarnos de lo que le sucedió a la pobre chica, tan guapa... No hay derecho. Pero ¿qué puedo hacer? —exclamó levantando las manos—. No puedo ir a la policía, ¿comprende? Pero sí confío en Raquel y en el señor Cuadra dos, porque son buenas personas que trabajan en la noche repartiendo esperanza. Igual que Sadie y yo, ¿entiende?

Se abrió la puerta del sótano y apareció Sadie.

—He cerrado —dijo.

—Muy bien.

—Bueno, ¿qué? —preguntó ella.

—Estaba diciéndole que estamos dispuestos a informarlo.

—Bien.

Sadie Goldberg comenzó a descender la escalera despacio y Abe volvió hacia mí sus ojos de búho para decir:

—El señor Cuadrados nos ha explicado que hay una niña de por medio.

—Su hija —contesté—. Tendrá unos doce años.

Sadie chasqueó la lengua.

—Y no saben dónde está —dijo.

—Exacto.

Abe meneó la cabeza y Sadie se arrimó a él como si fuesen una sola persona. Se me ocurrió pensar cuánto llevarían casados, si tendrían hijos, de dónde eran y cómo habrían recalado en aquel barrio para meterse en aquel negocio.

—¿Quiere que le diga una cosa? —me interpeló Sadie.

Asentí con la cabeza.

—Su Sheila tenía algo especial —dijo alzando levemente los puños—. Tenía como un aura. Y no es porque fuera guapa, que lo era, sino algo más. Y que haya muerto... nos ha afectado. Cuando vino aquí la vimos tan asustada... Quién sabe si la identidad que le facilitamos no le sirvió y le buscamos la muerte.

—Por eso queremos ayudarlo —dijo Abe escribiendo en un trozo de papel que me tendió—. Aquí está el nombre que le dimos con el número de seguridad social: Donna White. No sé si le valdrá a usted para algo.

—¿Y quién es la auténtica Donna White?

—Una mujer sin techo adicta al *crack*.

Miré el trocito de papel.

Sadie se me acercó y me puso la mano en la mejilla.

—Parece usted un buen hombre —dijo.

Yo la miré.

—Encuentre a esa niña —añadió.

Yo asentí varias veces con la cabeza y le prometí que la encontraría.

28

Katy Miller seguía temblando cuando llegó a su casa. «No puede ser. Es un error. Debe tratarse de otro nombre», pensó.

—¿Katy? —llamó su madre.

—Sí.

—Estoy en la cocina.

—Voy ahora mismo, mamá.

Katy fue hacia la puerta del sótano pero su mano se detuvo en el pomo.

Detestaba bajar allí. Era extraño que al cabo de tantos años no se le hubiera borrado la impresión de aquel sofá raído, la alfombra manchada y el antiguo televisor. Seguía impresionándola; era como si sus sentidos percibieran aún la presencia del cadáver de su hermana ensangrentado y en descomposición, como si el olor a muerte la atragantase.

Sus padres se hacían cargo y la eximían de hacer la colada y no le pedían que bajara a traer la caja de herramientas o una bombilla nueva. Si había que entrar en el sótano lo hacían ellos.

Pero esta vez era ella quien bajaba.

Al cruzar la puerta encendió la bombilla, desnuda desde que se rompió la tulipa cuando el asesinato, y bajó despacio mirando más arriba del plano visual del sofá, la alfombra y el televisor.

¿Por qué seguirían allí?

Le parecía absurdo. Cuando asesinaron a Jon Benét, los Ramsey se fueron a vivir al campo. Pero, claro, todos pensaban que eran ellos quienes la habían matado, y probablemente querían escapar de las miradas de los vecinos y del recuerdo de la hija muerta. Pero ése no era su caso.

De todos modos, había algo inexplicable en Livingston, pues sus padres se habían quedado. Los Klein también. Como si las dos familias se hubieran atrincherado.

¿Por qué sería?

Encontró el baúl de Julie en un rincón. Su padre lo había puesto encima de un cajón por si el suelo se inundaba. Recordó a su hermana haciendo los preparativos del viaje a la universidad y que, el día que estaba guardando sus cosas en el baúl, ella se acercó a gatas hasta él figurándose que era un fuerte donde refugiarse y convencida de que Julie también iba a meterla allí para llevársela a la universidad.

Había unas cajas encima; las quitó y las puso en un rincón. Miró la cerradura. A falta de llave se apañaría haciendo palanca con algo: entre la cubertería de plata vio un cuchillo de postre que le sirvió de palanca para hacer saltar la cerradura; abrió los pasadores y levantó la tapa despacio, como Van Helsing abriendo el ataúd de Drácula.

—¿Qué haces?

La voz de su madre la sobresaltó y dio un respingo.

Lucille Miller se acercó.

—¿No es el baúl de Julie? —preguntó.

—Por Dios, mamá, qué susto me has dado.

—¿Qué haces tú con el baúl de Julie? —insistió la madre acercándose más.

—Estaba... mirando.

—¿Qué?

—Era mi hermana —replicó Katy muy digna.

—Ya lo sé, cariño.

—¿Acaso no tengo yo también derecho a echarla de menos?

Su madre la miró en silencio.

—¿Por eso has bajado aquí? —preguntó al fin.

Katy asintió con la cabeza.

—¿Todo lo demás va bien? —añadió su madre.

—Muy bien.

—Katy, tú nunca fuiste muy dada a los recuerdos.

—Porque vosotros no me dejabais —replicó.

La madre reflexionó sobre lo que había dicho.

—Supongo que es cierto —dijo.

—Mamá.

—Dime.

—¿Por qué os quedasteis?

Por un momento pareció que su madre iba a eludir la respuesta con su habitual excusa de que no quería hablar de ello pero, con la inesperada aparición de Will y la valerosa decisión de ir a casa de los Klein a darles el pésame, estaba siendo una semana muy fuera d e lo normal. La madre se sentó en una de las cajas y se alisó la falda.

—Cuando te abate una tragedia —comenzó a decir—, al principio parece que se acaba el mundo. Es como si te encontraras en pleno mar embravecido; las olas te zarandean y te llevan de aquí para allá y lo único que puedes hacer es mantenerte a flote. Parte de ti, casi todo tu ser, desea abandonarse y dejar de luchar y hundirse de una vez. Pero uno no se hunde del todo porque lo impide el instinto de supervivencia o, en mi caso, quizá fue porque tenía otra hija pequeña. No lo sé. Por un motivo u otro sigues a flote.

La madre de Katy se enjugó con un dedo el rabillo del ojo, enderezó la espalda y forzó una sonrisa.

—No, no es una buena analogía —añadió.

—A mí me parece muy apropiada —replicó Katy cogiéndole la mano.

—Puede ser —comentó la señora Miller—. El caso es que cuando la tempestad amaina viene lo peor. Es como si al final te arrojase a la playa, pero el zarandeo y las sacudidas han causado un daño irreparable. El dolor es terrible. Y ahí no ha terminado todo, porque lo que queda por delante es una alternativa horrible.

Katy, con la mano de su madre entre las suyas, escuchaba atenta.

—Puedes tratar de sobreponerte al dolor, tratar de olvidar y seguir viviendo, pero para tu padre y para mí —Lucille Miller cerró los ojos negando firmemente con la cabeza— olvidar habría sido un oprobio. No podíamos traicionar a tu hermana de ese modo. Quizá nuestro dolor era terrible, pero ¿cómo seguir viviendo y olvidar a Julie? Para nosotros existía, era real, aunque parezca absurdo.

«Tal vez no», pensó Katy.

Siguieron sentadas en silencio y finalmente Lucille Miller se soltó de la mano de su hija, se palmeteó los muslos y se levantó.

—Bueno, te dejo sola.

Katy la oyó subir la escalera y volvió a ensimismarse en el baúl revolviendo las cosas. Tardó casi media hora pero al fin lo encontró.

Aquello lo cambiaba todo.

Cuando volvimos a la furgoneta pregunté a Cuadrados qué íbamos a hacer a continuación.

—Tengo un contacto —dijo con un comedimiento inusitado— y vamos a buscar el nombre de Donna White en las listas de pasajeros de los ordenadores de las líneas aéreas, a ver si averiguamos adónde voló, se alojó o qué sé yo.

Guardamos silencio.

—Bien, alguien tiene que decirlo —espetó al cabo de un rato.

—Adelante —repliqué mirándome las manos.

—¿Qué te propones hacer, Will?

—Encontrar a Carly —respondí sin vacilar.

—Y después, ¿qué? ¿Criarla como si fuera tu hija?

—No lo sé.

—Supongo que te das cuenta de que es un simple pretexto para bloquear otra cosa.

—Igual que haces tú.

Miré por la ventanilla. Era un barrio con escombros por todas partes; cruzábamos bloques de viviendas en su mayor parte miserables y mi mirada buscaba inútilmente algo agradable.

—Estaba a punto de pedirle a Sheila que se casara conmigo —dije.

Cuadrados siguió sin decir nada, pero algo cambió en su actitud.

—Tenía preparado un anillo que le enseñé a mi madre. Sólo esperaba que pasara cierto tiempo después del entierro.

Nos detuvimos en un semáforo en rojo, pero Cuadrados no se volvió a mirarme.

—Tengo que seguir buscando —dije— porque de lo contrario no sé qué haría. No es que sea un suicida, pero si no sigo adelante... —no sabía cómo acabar la frase— esta historia se me caerá encima.

—Te va a aplastar de todos modos —replicó él.

—Lo sé, pero para entonces quizás haya conseguido hacer algo positivo como lograr salvar a su hija y, aunque ella haya muerto, tal vez es como si la ayudara.

—O tal vez descubras que no era la mujer que tú pensabas, que nos engañó a todos o algo peor —replicó Cuadrados.

—Me da igual —contesté—. ¿Sigues conmigo?

—Hasta el fin, amigo.

—Estupendo porque creo que tengo una idea.

—Vamos a ello, tío. Cuenta conmigo —dijo con una sonrisa que iluminó su cara de palo.

—Hay algo en que no habíamos pensado.

—¿Qué?

—Nuevo México: en el escenario del crimen de Nuevo México encontraron huellas de Sheila.

Él asintió con la cabeza.

—¿Tú crees que ese asesinato tiene algo que ver con Carly?

—Quizá.

Volvió a asentir.

—Pero no sabemos siquiera quiénes son las víctimas. Mierda, ni sabemos dónde fue exactamente el crimen.

—Ahí entra en acción mi plan —dije—. Déjame en casa, que voy a navegar un poco en la red.

Sí, tenía un plan.

Era lógico que no hubiera sido el FBI quien descubriera los cadáveres; seguramente habría sido un agente de la policía local, o un vecino. O un familiar. Como el crimen se había producido en una comunidad aún no insensibilizada ante esa clase de violencia, lo más probable era que la noticia hubiese aparecido en algún periódico local.

Busqué *refdesk.com* y seleccioné «periódicos nacionales». A Nuevo México correspondía una lista de treinta y tres. Probé con los de la zona de Alburquerque; me recliné en el asiento y aguardé a que se fueran descargando páginas. Seleccioné una cabecera, hice clic en «archivos» y comencé a buscar, hice clic en «asesinatos» y había muchos; probé con «doble asesinato» y tampoco conseguí nada. Probé con otro periódico y después con otro. Tardé casi una hora en localizarlo:

DOS HOMBRES ASESINADOS
Una comunidad traumatizada
Por Yvonne Sterno

Anoche, en la zona residencial privada de Stonepointe, en Alburquerque, corrió la noticia de que en una vivienda habían aparecido los cadáveres de dos hombres muertos de un disparo en la cabeza, probablemente en pleno día. «Yo no oí nada», manifestó Fred Davison, vecino del lugar del crimen. «No acabo de creerme que haya podido suceder una cosa así en nuestra comunidad.» Los dos cadáveres siguen sin ser identificados y la policía se limitó a informar que proseguía la investigación. «La investigación sigue su curso y disponemos de varias pistas. El propietario de la vivienda es Owen Enfield. Esta mañana se practicará la autopsia.»

Era lo que buscaba. Miré el periódico del día siguiente y no había nada; dos días más tarde: tampoco.

Busqué otras gacetillas redactadas por Yvonne Sterno. Todas eran sobre bodas y actos de beneficencia. Ni rastro de los dos asesinados, ni una palabra.

Me recliné en la silla.

¿Por qué no habría más noticias?

Había un modo de averiguarlo. Cogí el teléfono y marqué el número del *New Mexico Star-Beacon*. Quizá con suerte conseguía hablar con Yvonne Sterno y ella me explicaba algo.

La centralita era una de esas máquinas que solicitan que deletrees el apellido de la persona con quien quieres hablar. Había marcado S-T-E-R cuando la máquina me interrumpió para decirme que pulsara «intro» si quería hablar con Yvonne Sterno. Así lo hice y al segundo timbrazo me respondió otra máquina.

«Aquí Yvonne Sterno, del *Star-Beacon*. Estoy comunicando o no estoy en mi mesa.»

Colgué. Seguía conectado y seleccioné *centralita.com*, tecleé el nombre de la periodista y probé en la zona de Alburquerque. Premio. Aparecía una Y. M. Sterno en el 25 de Canterbury Drive de Alburquerque.

—Diga —me respondió una voz de mujer, y a continuación gritó—: Callad un momento, que mamá está hablando por teléfono.

Seguí oyendo gritos de niños pequeños.

—¿Yvonne Sterno?

—¿Es para vender algo?

—No.

—Bien, diga.

—Mi nombre es Will Klein...

—Me da la impresión de que sí es para vender algo.

—No, no —repliqué—. ¿Es usted Yvonne Sterno, periodista del *Star-Beacon*?

—¿Cómo ha dicho que se llama? —Antes de que hubiera tenido tiempo de contestar, gritó—: Eh, os he dicho que os calléis. Tommy, dale el muñeco. ¡No, ahora mismo! Oiga —volvió a decirme.

—Me llamo Will Klein y quería hablar con usted del doble crimen cuya noticia dio usted hace poco.

—Ajá. ¿Y por qué le interesa el caso?

—Quería hacerle unas preguntas.

—No soy una biblioteca, señor Klein.

—Llámeme Will, por favor. Escúcheme un instante. ¿Son muy frecuentes los asesinatos en Stonepointe?

—No.

—¿Y los asesinatos dobles con víctimas anónimas?

—Es el primero, que yo sepa.

—En ese caso —añadí—, ¿por qué no se le dio más cobertura?

Los niños volvieron a alborotar y ella les gritó de nuevo.

—¡Ya está bien! Tommy; a tu habitación. Sí, sí, luego me lo cuentas, pero ahora arriba. Y tú dame ese muñeco. Tráelo aquí antes de que lo tire a la basura. —Oí cómo volvía a coger el teléfono—. Bueno , y yo le pregunto otra vez: ¿por qué le interesa este caso?

Yo sabía de sobra que la clave para ganarse a un periodista está en la manera de replicar.

—Tengo información pertinente al caso —dije.

—Pertinente —repitió—. Eso suena muy bien, Will.

—Me imaginé que le interesaría lo que tengo que decirle.

—¿Desde dónde llama?

—Desde Nueva York —contesté.

Se hizo un silencio.

—Eso está muy lejos del escenario del crimen.

—Sí.

—Bien, lo escucho. ¿Puede decirme qué es lo pertinente e interesante?

—Antes necesito saber unos datos básicos.

—No trabajo así, Will.

—He leído otras noticias suyas, señora Sterno.

—Señorita. Y ya que nos hemos hecho amigos, llámeme Yvonne.

—Muy bien —dije—. Yvonne, usted suele hacer crónicas de bodas y banquetes sociales.

—Se come muy bien, Will, y yo en traje de noche estoy de muerte. ¿Qué quiere?

—Una noticia como ese crimen no cae del cielo todos los días.

—De acuerdo, me tiene en ascuas. ¿Qué quiere?

—Lo que quiero es que conteste a unas preguntas. ¿Qué hay de malo en ello? Y, al fin y al cabo, a lo mejor soy legal.

Como no contestaba, insistí.

—Es raro que haya hecho la crónica de un asesinato como ése sin describir a las víctimas ni señalar sospechosos o dar otros detalles.

—No estaba a mi alcance —respondió ella—. La noticia llegó a través del escáner casi a la hora del cierre y no tuvimos tiempo de nada.

—¿Y por qué no hubo seguimiento? Era una noticia importante. ¿Por qué sólo esa gacetilla?

Silencio.

—¿Oiga?

—Un segundo, los niños vuelven a armar jaleo.

Pero esta vez no se oía ningún ruido.

—Me pararon los pies —dijo ella con voz queda.

—¿Qué quiere decir?

—Quiero decir que tuvimos suerte con publicar ese simple resumen. Al día siguiente, esto estaba lleno de federales. El SAC local...

—¿El SAC?

—El agente especial encargado, el responsable de zona. Habló con mi jefe para que echásemos tierra a la noticia. Yo intenté seguir por mi cuenta, pero no obtuve más que unos cuantos «sin comentarios».

—¿No es extraño?

—No lo sé, Will. Nunca había cubierto un asesinato. Pero sí, diría que me resulta un tanto raro.

—¿Y a qué cree que es debido?

—¿Por la reacción de mi jefe? —lanzó un profundo suspiro—. A que se trata de algo gordo, muy gordo. Mucho más que un doble crimen. Le toca a usted, Will.

Pensé hasta dónde debía contarle.

—¿Sabe si encontraron huellas dactilares en el lugar del crimen?

—No.

—Había huellas de una mujer.

—Siga.

—Una mujer que apareció ayer muerta.

—Caray. ¿Asesinada?

—Sí.

—¿Dónde?

—En un pueblo de Nebraska.

—¿Cómo se llamaba?

—Cuénteme algo del inquilino de la vivienda, Owen Enfield —dije reclinándome en la silla.

—Ah, ya entiendo. Toma y daca. Yo le cuento y usted me cuenta.

—Algo por el estilo. ¿Era Enfield una de las víctimas?

—No lo sé.

—¿Qué sabe usted de él?

—Hacía tres meses que vivía allí.

—¿Solo?

—Según los vecinos, había llegado solo. Desde hacía unas semanas estaban con él una mujer y una criatura.

Una criatura: me dio un vuelco el corazón y me incorporé.

—Una criatura, ¿de qué edad?

—No lo sé, de edad escolar.

—¿Quizá de doce años?

—Sí, puede ser.

—¿Niño o niña?

—Niña.

Se me heló la sangre en las venas.

—Will, ¿sigue ahí?

—¿Sabe el nombre de esa niña?

—No. La verdad es que nadie sabía nada sobre ella ni sobre la mujer.

—¿Dónde están ahora?

—No lo sé.

—¿Cómo es eso?

—Uno de los grandes misterios de la vida, supongo. No he podido localizarlas; pero ya le he dicho que no sigo el caso y no me he esforzado mucho.

—¿Podría averiguar dónde están?

—Puedo intentarlo.

—¿Hay algo más? ¿Sabe el nombre de algún sospechoso o de las víctimas?

—Ya le digo que no hay datos. Yo trabajo en el periódico a tiempo parcial, pero como habrá deducido soy madre a tiempo completo. Yo simplemente me hice cargo de la noticia porque estaba sola en la redacción cuando llegó; pero dispongo de buenos contactos.

—Tenemos que dar con Enfield —dije—. O al menos con la mujer y la niña.

—Sí, habría que empezar por ahí —añadió ella—. ¿Quiere decirme a qué se debe su interés en este caso?

Lo pensé.

—¿Le gusta desentrañar grandes misterios, Yvonne?

—Sí, Will, ya lo creo.

—¿Se le dan bien?

—¿Quiere una demostración?

—Adelante.

—Usted llama desde Nueva York, pero es de Nueva Jersey. De hecho, aunque allí habrá muchos Klein, me apostaría algo a que es hermano de un asesino infame.

—Un presunto asesino infame —repliqué—. ¿Cómo lo ha averiguado?

—Tengo el Lexis-Nexis en el ordenador de casa y al teclear su nombre aparecieron todos esos datos y una de las entradas decía que ahora vive en Manhattan.

—Mi hermano no tiene nada que ver con esto.

—Claro, y tampoco mató a una vecina, ¿verdad?

—No he dicho eso. Él no tiene nada que ver con el doble asesinato.

—Entonces, ¿qué relación existe?

Lancé un suspiro.

—Es por alguien muy allegado a mí.

—¿Quién?

—Mi novia. Encontraron sus huellas en el escenario del crimen.

Volví a oír chillar a los niños, como si corrieran por el cuarto haciendo el ruido de una sirena, pero esta vez Yvonne Sterno no les gritó.

—¿Y fue su novia a quien encontraron en Nebraska?

—Sí.

—¿Y a eso se debe su interés?

—En parte.

—¿Cuál es la otra parte?

Aún no estaba decidido a hablarle de Carly.

—Encuentre a Enfield —dije.

—¿Cómo se llamaba, Will, su novia?

—Encuéntrelo.

—Oiga, ¿quiere que colaboremos? No confía en mí. Puedo averiguarlo en cinco minutos, de todos modos. Dígamelo.

—Rogers —respondí—. Se llamaba Sheila Rogers.

Oí que tecleaba algo.

—Haré cuanto pueda, Will —dijo ella—. Tenga paciencia. Lo llamaré pronto.

Tuve una especie de sueño extraño.

Digo una «especie» de sueño porque no estaba totalmente dormido y flotaba en esa zona entre el sopor y la conciencia en la que a veces notas que caes en un pozo sin fondo y tienes que agarrarte a la cama. Estaba tumbado a oscuras, con los ojos cerrados y las manos detrás de la cabeza.

Ya he dicho cómo nos gustaba a Sheila y a mí bailar; ella incluso consiguió que me inscribiera en un club de baile del centro de la comunidad judía en West Orange, en Nueva Jersey. El club estaba cerca del hospital de mi madre y de nuestra casa en Livingston. Íbamos todos los miércoles a visitar a mi madre y a las seis y media acudíamos a nuestra cita con los compañeros de baile.

Éramos la pareja más joven del club, con gran diferencia, aunque verdaderamente los viejecitos se movían de maravilla. Yo hacía cuanto podía por quedar bien, pero era inútil: aquellos ancianos me acomplejaban, pero no a Sheila; a veces se soltaba de mí en medio de un baile y seguía el ritmo sola. Cerraba los ojos y su cara se iluminaba como si se fundiera con la felicidad absoluta.

Recuerdo en concreto un viejo matrimonio, los Segal, que bailaban juntos desde su participación en un concurso de los años cuarenta; eran una pareja agradable y airosa. El señor Segal llevaba pañuelo blanco al cuello y su esposa vestía de azul con gargantilla de perlas. Resultaban algo mágico en la pista de baile. Se movían como amantes, como si fueran uno. Eran sociables y muy amables con todos, pero cuando sonaba la música ya no estaban para nadie.

Un día de febrero, en una tarde de nieve que fuimos al club pensando que quizás estaría cerrado, apareció el señor Segal solo con su proverbial pañuelo blanco y un traje impecable, pero nada más ver su cara sombría comprendimos. Sheila me apretó la mano y advertí que se le escapaba una lágrima. En cuanto sonó la música, el señor Segal se levantó, salió decidido a la pista y comenzó a bailar solo con los brazos abiertos como si llevara a su esposa al compás de la melodía, acunando y balanceando con tal cariño a aquel fantasma que nadie se atrevió a interrumpirlo.

La semana siguiente, el señor Segal no apareció. Nos dijeron que la señora Segal había perdido definitivamente la batalla contra el cáncer tras aguantar bailando hasta el final. La música empezó a sonar. Buscamos a nuestras parejas y ocupamos la pista. Mientras abrazaba estrechamente, tanto como podía, a Sheila, comprendí que, por triste que fuera la historia de los Segal, era la más hermosa que nunca había oído.

En ese momento comencé a entrar en aquel duermevela extraño, perfectamente consciente desde el principio de que era irreal, y me vi en el club de baile con el señor Segal y gente que no conocía, todos sin pareja; sonó la música y empezamos a bailar solos: miré a mi alrededor y vi a mi padre bailando torpemente en solitario un fox-trot, miré a los otros bailarines y advertí que se balanceaban como si realmente abrazaran a su pareja muerta con los ojos clavados en ella; yo trababa de hacer lo mismo pero no lo conseguía: bailaba en solitario pero sin Sheila.

Como si fuera algo muy distante, oí el timbre del teléfono y la voz hueca del contestador automático turbó mis sueños: «Soy el teniente Daniels, del departamento de policía de Livingston. Quiero hablar con Will Klein».

Como ruido de fondo a la voz del teniente oí más lejana una risa de mujer. Abrí los ojos y se desvaneció el club de baile; cuando cogí el teléfono sonó otra carcajada. Me pareció la risa de Katy Miller.

—Voy a llamar a tus padres —oí que decía el teniente Daniels.

—No, tengo dieciocho años y no puede...

Efectivamente, era Katy.

Descolgué el teléfono.

—Soy Will Klein.

—Hola, Will —contestó el teniente—. Soy Tim Daniels. No sé si recuerdas que fuimos juntos al colegio.

Tim Daniels: trabajaba en la gasolinera Hess; recordé que iba al instituto con un uniforme manchado de aceite y el nombre bordado en el bolsillo. Me imaginé que seguían gustándole los uniformes.

—Claro —contesté aturdido—. ¿Qué tal te va?

—Bien, gracias.

—¿Estás en la policía? —pregunté medio atontado.

—Sí, y seguimos viviendo en Livingston; me casé con Betty Jo Stetson. Tenemos dos hijas.

Intenté recordar a Betty Jo sin conseguirlo.

—Me alegro; enhorabuena.

—Gracias. Oye, Will —añadió con voz grave—, he leído lo de tu madre en el *Tribune*. Lo siento.

—Te lo agradezco —dije.

Katy Miller volvió a reírse.

—Escucha, te llamo porque... supongo que conoces a Katy Miller.

—Sí.

Se hizo un silencio. Probablemente estaría rememorando que yo había salido con su hermana y su trágico final.

—Ella me ha dicho que te llamase.

—¿Qué sucede?

—La encontré junto a los campos de deporte de Mount Pleasant con una botella de Absolut medio vacía. Está borracha como una cuba. Iba a llamar a sus padres...

—¡Olvídate! —gritó Katy—. ¡Tengo dieciocho años!

—Vale, de acuerdo. Bien, el caso es que ella me dijo que te llamara a ti. Oye, soy consciente de que cuando nosotros éramos jóvenes tampoco éramos perfectos, ¿me entiendes?

—Sí —contesté.

En ese momento, Katy gritó algo y me puse tenso. Esperaba haber oído mal, pero el tono casi burlón con que lo repetía a gritos hizo que un escalofrío me recorriera la espalda.

—¡Idaho! —gritaba—. ¿A que sí, Will? ¡Idaho!

Apreté con fuerza el receptor. No podía ser.

—¿Qué dice? —pregunté.

—Ni idea. No para de gritar no sé qué sobre Idaho, pero está bastante pasada.

—¡Jodido Idaho! —volvió a gritar Katy—. ¡Idaho y sus patatas! ¿A que sí?

Me quedé sin respiración.

—Mira, Will, ya sé que es tarde, pero ¿no podrías venir a recogerla?

—Voy ahora mismo —dije sobreponiéndome.

Cuadrados subió cauteloso la escalera para no despertar a Wanda con el ruido del ascensor.

El edificio era propiedad de la Cuadrado Yoga Corporation. Él y Wanda vivían dos pisos más arriba de las instalaciones de yoga. Eran las tres de la mañana cuando abrió la puerta. Las luces estaban apagadas. Entró en la habitación. Las farolas de la calle desprendían esquirlas de luz.

Wanda estaba sentada en el sofá con los brazos y las piernas cruzados.

—Hola —dijo él en voz baja, como si temiera despertar a alguien, pese a que no había nadie más en el edificio.

—¿Quieres que me deshaga de él? —preguntó ella.

Cuadrados lamentó no haberse dejado puestas las gafas de sol.

—Wanda, estoy muy cansado. Déjame dormir unas horas.

—No.

—¿Qué quieres que diga?

—Aún no ha cumplido el primer trimestre y bastaría con tomar una pastilla. Por eso quiero saber a qué atenerme. ¿Quieres que me deshaga de él?

—¿Así que de repente la decisión es mía?

—Estoy esperando.

—Yo creía que eras una feminista de pro, Wanda. ¿No es la mujer quien tiene derecho a decidir?

—No me vengas con gilipolleces.

Cuadrados metió las manos en los bolsillos.

—¿Qué quieres hacer tú?

Wanda volvió la cabeza hacia un lado. Veía su perfil, aquel cuello esbelto, su pose altanera. La amaba; nunca había querido a nadie antes ni nadie lo había querido a él. Cuando era muy pequeño, su madre le quemaba con el rizador, práctica que cesó súbitamente cuando tenía dos años, al matarla casualmente su padre de una paliza, para a continuación ahorcarse en el cuarto de baño.

—Tú llevas tu pasado en la frente —dijo Wanda—, pero no todos podemos permitirnos ese lujo.

—No sé qué quieres decir.

Ninguno de los dos había encendido la luz y, tal vez por hablar a oscuras sin verse bien, el diálogo resultaba quizá más fácil.

—Yo era la que leía el discurso de fin de curso en mi clase del instituto —dijo Wanda.

—Lo sé.

—Déjame hablar, ¿vale? —añadió ella cerrando los ojos.

Cuadrados asintió con la cabeza.

—Me crié en una zona residencial acomodada donde había pocas familias negras, y era la única chica negra en un curso de trescientas. Saqué las mejores notas y pude elegir universidad, por eso fui a Princeton.

Cuadrados sabía todo aquello, pero no la interrumpió.

—Al llegar allí me sentí empequeñecida. No te haré un diagnóstico exhaustivo sobre mi falta de autoestima, etcétera, pero el caso es que dejé de comer, perdí peso y me convertí en una anoréxica; tiraba a escondidas toda la comida que podía, me pasaba el día haciendo abdominales hasta me quedé en cuarenta y cinco kilos y, cuando me miraba en el espejo, todavía sentía horror al ver aquella gorda que me escrutaba.

Cuadrados se acercó a ella con intención de cogerle la mano, pero el imbécil no lo hizo.

—Adelgacé de tal manera que tuvieron que hospitalizarme, pero el mal en el organismo ya estaba hecho y tenía afectados el hígado, el corazón y no sé cuántas cosas más según los médicos. No tuve un paro cardíaco pero poco me faltó. Finalmente me recuperé; bueno, para abreviar: los médicos me dijeron que seguramente no podría quedarme embarazada y que, si fuera el caso, era poco probable que llegara a término.

Cuadrados se puso de pie delante de ella.

—¿Y qué dice tu médico ahora?

—No me ha dado ninguna garantía —respondió ella mirándolo—. En mi vida he tenido más miedo.

A Cuadrados se le cayó el alma a los pies. Quería sentarse a su lado y abrazarla, pero algo lo retenía y se odiaba por eso.

—Si va a ser un riesgo para tu salud... —comenzó a decir.

—El riesgo es mío.

Cuadrados intentó sonreír.

—Ya vuelve la feminista radical.

—Cuando he dicho que tenía miedo, no me refería estrictamente a mi salud.

Cuadrados lo sabía.

—Cuadrados.

—¿Qué?

—No te cierres a mí —añadió casi en tono suplicante.

Él no sabía qué decir y recurrió a lo obvio.

—Es una decisión importante.

—Lo sé.

—Creo que no estoy preparado para afrontarlo —añadió él despacio.

—Te quiero.

—Yo también.

—Eres el hombre más fuerte que he conocido.

Cuadrados meneó la cabeza. En la calle se oyó un borracho cantar a gritos que el amor florecía donde iba su Rosemary y que sólo él lo sabía. Wanda descruzó los brazos y aguardó.

—Quizá —comenzó a decir Cuadrados— sería mejor no seguir adelante, aunque sólo sea por tu salud.

Wanda lo vio retroceder y antes de que pudiera replicar se había marchado.

Alquilé un coche en una agencia de la Calle 37 y fui a la comisaría de Livingston. No había estado en aquellas benditas dependencias desde el viaje de fin de curso de primer grado de la escuela elemental Burnett Hill, una mañana soleada en que no nos permitieron ver la celda donde en esta ocasión estaba Katy porque también aquel día estaba ocupada. Lo menos que podía plantearse un alumno de primer grado era pensar que tal vez hubiera encerrado a pocos pasos de nosotros a un temible criminal.

El policía Tim Daniels me saludó con un buen apretón de mano. Advertí que se alzaba constantemente el cinturón y que al menor movimiento le tintineaban unas llaves o unas esposas que colgaban de él; no recuerdo bien. Estaba más grueso que cuando era joven, pero conservaba un rostro barbilampiño impecable.

Rellenó un formulario y dejó en libertad a Katy bajo mi responsabilidad. En la hora transcurrida hasta mi llegada se le había pasado la borrachera y ya no reía; ahora estaba cabizbaja y había adoptado la clásica actitud hosca de quinceañera.

Volví a dar las gracias a Tim sin que Katy esbozara la menor sonrisa ni un gesto de despedida y fuimos hacia el coche, pero nada más salir al aire de la noche ella me cogió del brazo.

—Vamos a dar un paseo —dijo.

—Son las cuatro de la mañana y estoy cansado.

—Si me meto en el coche, vomito.

—¿Por qué berreabas Idaho por teléfono? —pregunté parándome.

Pero ella cruzaba ya Livingston Avenue tuve que seguirla; le di alcance en la rotonda a pesar de que aceleró el paso.

—Tus padres estarán preocupados —dije.

—Les conté que me quedaba en casa de una amiga; no pasa nada.

—¿Quieres decirme qué hacías emborrachándote sola?

—Tenía sed —contestó sin dejar de caminar respirando hondo.

—Ya. ¿Y por qué mencionabas el nombre de Idaho?

—Pensé que lo sabías —respondió sin aminorar el paso.

— ¿Qué juego te traes entre manos? —dije agarrándola del brazo.

—No es ningún juego, Will.

—¿De qué hablas?

—Idaho, Will. Tu Sheila Rogers era de Idaho, ¿no es cierto?

Volví a sentir un mazazo.

—¿Tú cómo lo sabías?

—Lo leí.

—¿En los periódicos?

—¿En serio que no lo sabes? —replicó conteniendo la risa.

—Pero ¿qué es todo esto que dices? —inquirí agarrándola por los hombros.

—¿A qué universidad fue Sheila? —añadió ella.

—No lo sé.

—Yo pensaba que estabais locamente enamorados.

—Es difícil de explicar.

—Ya lo creo.

—Sigo sin entender, Katy.

—Sheila Rogers fue a Haverton, Will. Con Julie. Estaban en la misma residencia.

Me quedé de piedra.

—No es posible —dije.

—No puedo creerme que tú no lo supieras. ¿Sheila no te dijo nada?

Negué con la cabeza.

—¿Estás segura de lo que dices? —insistí.

—Sheila Rogers, de Mason, Idaho, estudió Comunicaciones. Lo pone en el boletín de la residencia que encontré en un baúl del sótano.

—No lo entiendo. ¿Recuerdas su nombre al cabo de tantos años?

—Sí.

—¿Cómo es posible? Quiero decir que, ¿recuerdas los nombres de todas las chicas que vivían en la residencia de Julie?

—No.

—¿Y por qué recuerdas el de Sheila Rogers?

—Porque Sheila y Julie compartían habitación —dijo Katy.

32

Cuadrados llegó a mi apartamento con panecillos y mermelada de una tienda, en la esquina de la Calle 15 y la Primera Avenida, inteligentemente llamada La Bagel. Eran las diez de la mañana y Katy dormía en el sofá. Cuadrados encendió un cigarrillo y advertí que vestía la misma ropa de la noche anterior. No sabía exactamente a qué atribuirlo pues, aunque fuera precisamente un árbitro de la elegancia, aquella mañana estaba francamente desaseado. Nos sentamos en los taburetes de la barra de la cocina.

—Oye —dije—, ya sé que te gusta mezclarte con la gente de la calle...

Él sacó un plato de un armarito.

—¿Vas a dedicarte a tomarme el pelo o piensas contármelo? —replicó.

—¿No puedo hacer las dos cosas?

Agachó un poco la cabeza y me miró por encima de las gafas de sol.

—¿Tan malo es?

—Peor —contesté.

Katy se rebulló en el sofá y oí que exclamaba: «¡Ay!». Yo tenía listo el Tylenol extrafuerte y se lo tendí con un vaso de agua. Ella se lo tomó de un trago y se levantó tambaleante camino de la ducha. Yo volví al taburete.

—¿Qué tal tienes la nariz? —preguntó Cuadrados.

—Como si fuera a salírseme el corazón por ella.

Asintió con la cabeza y dio un mordisco a un panecillo untado de mermelada que masticó despacio. Lo noté derrengado. Comprendí que no había dormido en su casa aquella noche. Sabía que algo había sucedido entre él y Wanda. Sobre todo, sabía que él no quería que le preguntase qué.

—¿Qué decías de peor? —inquirió.

—Sheila me mintió —dije.

—Eso ya lo sabíamos.

—Pero no hasta qué extremo.

Él siguió masticando.

—Conocía a Julie Miller: vivieron en la misma residencia femenina. Eran compañeras de habitación.

—A ver, explícame —dijo Cuadrados dejando de masticar.

Le conté lo que me había explicado Katy con el ruido de fondo de la ducha a todo meter. Pensé que Katy aún padecería las consecuencias de la borrachera; pero también es cierto que los jóvenes se recuperan antes.

Cuando terminé de explicarle todo, Cuadrados se recostó en el asiento, cruzó los brazos y sonrió.

—Muy rebuscado —comentó.

—Sí, eso mismo pensé yo.

—No lo entiendo, tío —añadió untando otro panecillo—. Tu ex novia, asesinada hace once años, era compañera de habitación en la universidad de tu última novia, que también ha sido asesinada.

—Eso es.

—Y a tu hermano le echaron la culpa del primer asesinato.

—Exacto.

—Sí, muy bien —dijo Cuadrados asintiendo con la cabeza—, pero no lo entiendo —espetó.

—Ha tenido que ser algún tipo de montaje —añadí.

—Un montaje, ¿el qué?

—Lo de Sheila y yo —contesté tratando de mostrar indiferencia—. Ha tenido que ser todo un montaje. Una mentira.

Hizo con la cabeza un gesto entre sí y no y el pelo le cayó sobre la frente. Se lo echó hacia atrás.

—¿Con qué propósito?

—No lo sé.

—Piensa.

—No he hecho otra cosa en toda la noche —dije.

—De acuerdo, sí, supongo que tienes razón. Pongamos que Sheila te mintió y que se trataba de un montaje. ¿Me escuchas?

—Sí.

—¿Con qué propósito?

—Te digo que no lo sé.

—Pues examinemos las posibilidades —dijo él alzando un dedo—. Una, que puede ser una coincidencia asombrosa.

Yo lo miré.

—Espera. Tú salías con Julie Miller, ¿hace cuánto, doce años?

—Sí.

—Puede que Sheila no lo recordase. Vamos a ver, ¿tú te acuerdas del nombre de las ex de todos tus amigos? Quizá Julie nunca le habló de ti. O tal vez Sheila olvidó tu nombre. Luego, diez años después os conocéis...

Volví a mirarlo sin decir nada.

—Sí, de acuerdo, es muy raro —dijo—. Olvidémoslo. Posibilidad dos —añadió levantando otro dedo, haciendo una pausa y mirando al vacío—. Mierda, me he perdido...

—Exacto.

Seguimos comiendo y él siguió pensando.

—Bien, supongamos que Sheila sabía exactamente quién eras desde el principio.

—Vale.

—Sigo sin entenderlo, tío. ¿Qué tenemos entre manos?

—Un montaje —respondí.

Cesó el ruido de la ducha y, cuando cogí un panecillo con semillas de amapola, se me quedaron pegadas a la mano.

—Toda la noche he estado pensando en eso —dije.

—¿Y?

—Y siempre llego a la conclusión de Nuevo México.

—¿Por qué?

—Porque el FBI quería interrogar a Sheila por un doble crimen en Alburquerque no resuelto.

—¿Y qué?

—Hace años asesinaron también a Julie Miller.

—Un crimen tampoco resuelto —dijo Cuadrados—, aunque se sospecha de tu hermano.

—Sí.

—Tú crees que existe relación entre los dos crímenes —añadió Cuadrados.

—Tiene que haberla.

Cuadrados asintió.

—De acuerdo, veo el punto A y el punto B, pero no entiendo cómo se va de uno a otro.

—Ni yo —dije.

Nos quedamos en silencio. Katy asomó la cabeza por la puerta. Su rostro tenía la palidez de la resaca.

—He vuelto a vomitar —dijo con un gruñido.

—Gracias por tenerme al corriente —contesté.

—¿Y mi ropa?

—En el armario del dormitorio —respondí.

Me dio las gracias con un gesto dolorido y cerró la puerta.

Miré al lado derecho del sofá, el lugar en que Sheila se sentaba a leer. ¿Cómo era posible que hubiera sucedido aquello? Recordé el dicho de «Más vale haber perdido un amor que no haber amado nunca» y reflexioné al respecto. Pero sobre todo me pregunté si no sería peor perder el amor de tu vida o darte cuenta de que quizás ella no te había amado.

Buena decisión.

Sonó el teléfono, y esta vez lo cogí y respondí sin aguardar al contestador.

—¿Will?

—Sí.

—Soy Yvonne Sterno. Respuesta de Alburquerque a Jimmy Olsen.

—¿Qué ha averiguado?

—He estado toda la noche trabajando.

—¿Y qué?

—El asunto es cada vez más raro.

—La escucho.

—Bien. Hice que mi contacto repasase actas notariales y listas de impuestos. Tenga en cuenta que mi contacto es funcionaria y le pedí que lo comprobara durante sus horas libres, y es más fácil convertir el agua en vino que conseguir que un funcionario...

—Yvonne —interrumpí.

—¿Qué?

—Dé por descontado que admiro sus recursos. Dígame lo que ha averiguado.

— Sí, vale, tiene razón —replicó, y oí sonido de revolver papeles—. La casa del crimen la arrendaba una compañía llamada Cripco.

—¿Quiénes son?

—Ilocalizables. Una coraza. Parece que no tienen actividad.

Reflexioné al respecto.

—Por otra parte, Owen Enfield tenía un coche, un Honda Accord gris, alquilado igualmente por Cripco.

—Quizás era la empresa para la que trabajaba.

—Quizás. Eso es lo que estoy tratando de comprobar.

—¿Dónde está el coche ahora?

—Eso es otro detalle interesante —dijo Yvonne—. Lo encontró la policía abandonado junto a un centro comercial de Lacida, a unos trescientos veinte kilómetros de aquí.

—¿Y dónde está Owen Enfield?

—¿Quiere saber lo que creo? Que ha muerto. Por lo que sabemos debió de ser una de las víctimas.

—¿Y la mujer y la niña dónde están?

—Ni tengo la menor pista ni sé quiénes demonios eran.

—¿Ha hablado con los vecinos?

—Sí. Ya le dije que nadie sabe gran cosa de ellas.

—¿Y qué descripción física le han dado?

—Ah.

—Ah, ¿qué?

—De eso quería hablarle.

Cuadrados seguía comiendo, pero advertí que escuchaba. Katy no estaba en el cuarto: seguiría en mi habitación vistiéndose o estaría haciendo otra ofrenda a los dioses de porcelana.

—Las descripciones físicas son muy vagas —prosiguió Yvonne—. La mujer tendría unos treinta y tantos años, era morena y guapa. Eso es lo único que me han dicho los vecinos; de la niña, aunque no sabían el nombre, me han señalado que tendría unos once o doce años y pelo castaño claro. Un vecino me la describió como una pequeña preciosa, pero a esa edad ¿qué niña no lo es? La descripción del señor Enfield es la de un hombre alto de unos cuarenta años con pelo gris cortado a cepillo y perilla.

—Entonces no era una de las víctimas —dije.

—¿Cómo lo sabe?

—Porque he visto una foto del escenario del crimen.

—¿Cuándo?

—Cuando me interrogó el FBI sobre el paradero de mi novia.

—¿Vio a las víctimas?

—No muy bien, pero lo suficiente para saber que ninguna de ellas tenía el pelo cortado a cepillo.

—Mmm. Entonces ha desaparecido la familia completa.

—Sí.

—Hay otra cosa, Will.

—¿Qué?

—Stonepointe es una comunidad nueva y todos se conocen.

—¿Por qué lo dice?

—¿Conoce la cadena de supermercados de comida precocinada QuickGo?

—Sí, claro, aquí también hay —contesté.

Cuadrados se quitó las gafas y me miró intrigado. Me encogí de hombros y él se acercó.

—Pues bien, en la urbanización hay uno de esos QuickGo en el que compran casi todos los residentes —añadió Yvonne.

—¿Y qué?

—Que un vecino jura que el día del crimen vio a Owen Enfield allí a las tres.

—No acabo de entenderla, Yvonne.

—Bueno, se lo digo porque los QuickGo tienen circuito de cámaras de vigilancia —añadió con una pausa—. ¿Me entiende a hora?

—Sí, creo que sí.

—He preguntado —prosiguió—. Conservan las cintas un mes antes de regrabarlas.

—Entonces, si conseguimos la cinta —añadí—, podremos ver qué aspecto tiene ese señor Enfield.

—Sí, exacto, pero el director se cerró en banda y no hubo manera de que me la dejara ver.

—Tiene que haberla —dije.

—Estoy abierta a cualquier sugerencia, Will.

Cuadrados puso su mano en mi hombro.

—¿De qué se trata? —inquirió.

Tapé el receptor con la mano y dije:

—¿Tú conoces a alguien relacionado con QuickGo?

—Por increíble que te parezca, la respuesta es no.

Maldita sea. Estuvimos pensando un rato mientras Yvonne tarareaba la musiquilla del anuncio de QuickGo, una de esas melodías perversamente pegadizas que tu cerebro repite sin cesar, y recordé la nueva campaña publicitaria en la que la musiquilla contaba con el añadido de una guitarra eléctrica, un sintetizador y un bajo, y al frente de la banda una famosa cantante pop llamada Sonay.

—No cuelgues, Sonay.

Cuadrados me miró.

—¿Qué?

—Después de todo, creo que vas a poder ayudar —dije.

33

Sheila y Julie habían sido miembros de la hermandad femenina Ji Gamma. Como conservaba el coche alquilado la noche anterior para ir a Livingston, Katy y yo decidimos emprender un viaje de dos h oras rumbo a la Universidad de Haverton en Connecticut a ver qué averiguábamos.

A primera hora de la mañana llamé a la secretaría para verificar unos datos y me dijeron que la directora de la hermandad en aquel entonces era Rose Baker, quien hacía tres años que estaba retirada y vivía en una casa del campus enfrente de la residencia. Ella sería el objetivo principal de nuestra investigación.

Aparcamos delante del edificio de Ji Gamma, que yo recordaba de mis poco frecuentes visitas durante mis años de estudiante en Amherst. Se notaba de inmediato que era una residencia femenina por el falso atrio de columnata grecorromana blanco y con cornisas de un suave fruncido que le confería un toque femenino. A mí me recordaba una tarta de bodas.

El domicilio de Rose Baker era, por decirlo de algún modo, más modesto. Vivía en una casa iniciada en estilo Cape Cod, cuyas líneas habían perdido la elegancia original. El rojo de antaño había sido reemplazado por una anodina capa de pintura color barro; las celosías de las ventanas parecían arañadas por los gatos, y la ausencia de parte del entablillado le confería el aspecto de haber padecido una seborrea aguda.

En circunstancias normales, yo habría acordado una cita. Es algo que en la televisión nunca se tiene en cuenta, pues cuando se presenta la policía buscando a una persona la encuentra siempre en su casa. Siempre me había parecido poco realista y forzado, aunque en ese momento lo entendía mejor. En primer lugar, la locuaz secretaria me había informado que Rose Baker rara vez salía de casa y que en caso de hacerlo nunca iba muy lejos. En segundo lugar, y sobre todo, porque si llamaba previamente a Rose Baker y ella me preguntaba para qué quería verla, ¿qué iba a decirle? No, era mejor presentarse por las buenas con Katy y ver qué podíamos averiguar. Si no estaba en casa, indagaríamos en el archivo de la biblioteca o iríamos a la residencia femenina. Ignoraba en qué grado estas gestiones podían dar resultado pues avanzábamos a ciegas.

Camino de la casa de Rose Baker no pude evitar un sentimiento de envidia por los estudiantes con mochila que veíamos de paseo. A mí me había encantado la universidad y cuanto representa; me encantaba pasar el rato holgazaneando con los amigos, vivir solo y lavar la ropa pocas veces, comer una pizza a medianoche; me encantaba charlar con los profesores más bohemios y abiertos y me encantaba debatir sobre temas trascendentes y crudas realidades que jamás traspasaban los límites del campus.

Al pisar la esterilla con su alegre saludo de bienvenida oí a través de la puerta el sonido de una canción conocida. Hice una mueca de sorpresa y escuché con atención; el sonido llegaba amortiguado pero parecía Elton John, y concretamente la canción *Candle in the Wind,* del conocido LP doble «Goodbye Yellow Brick Road». Llamé a la puerta.

—Un momento —dijo una voz cantarina de mujer.

Segundos después se abría la puerta. Rose Baker tendría más

de setenta años y me sorprendió verla vestida para ir a un funeral. Todo su atuendo, desde el sombrero de ala ancha con velo hasta los discretos zapatos, era de color negro. Parecía haberse pintado los labios con un espray. Su boca formaba una «O» perfecta; sus ojos eran dos platillos rojos, como si su rostro se hubiera quedado congelado después de un susto.

—¿La señora Baker? —pregunté.

Ella levantó el velo.

—Sí.

—Me llamo Will Klein; le presento a Katy Miller.

Los ojos platillo se volvieron hacia Katy escrutándola.

—¿Llegamos en mal momento? —inquirí.

—En absoluto —contestó ella, sorprendida por la pregunta.

—Quisiéramos hablar con usted, si no tiene inconveniente —añadí.

—Katy Miller —repitió ella sin dejar de mirarla.

—Sí, señora —dije yo.

—La hermana de Julie.

Katy lo reafirmó asintiendo con la cabeza. Rose Baker abrió del todo la puerta.

—Pasen, por favor.

La seguimos al cuarto de estar, donde los dos nos quedamos de una pieza al ver la decoración.

Era la princesa Diana.

Estaba por todas partes. El cuarto estaba forrado, cubierto de cachivaches de lady Di. Había fotografías, naturalmente, pero además juegos de té, placas conmemorativas, cojines bordados, lámparas, estatuillas, libros, dedales, vasos de chupito (¡vaya respeto!), un cepillo de dientes (¡nada menos!), una lamparilla de noche, gafas de sol, juegos de sal y pimienta, y qué sé yo. En ese momento me di cuenta de que la canción que sonaba no era la original de Elton John y Bernie Taupin, sino una versión más reciente en memoria de la difunta princesa cuya letra daba el adiós a nuestra «Rosa de Inglaterra» y que, según yo había leído no sé dónde, era el disco más vendido en todo el mundo, y por algo debía ser aunque a mí me traía sin cuidado.

—¿Recuerdan cómo murió la princesa Diana? —dijo Rose Baker.

Katy y yo nos miramos y asentimos con la cabeza.

—¿Recuerdan la aflicción popular?

Nos miró y volvimos a asentir con la cabeza.

—Para la mayoría de la gente, el dolor y la aflicción no fueron más que una moda pasajera, un par de días o quizás un par de semanas, pero luego —chasqueó los dedos como un prestidigitador, abriendo sus enormes ojos más que nunca— nada. Como si no hubiera existido.

Nos miró como quien espera un asentimiento incondicional y yo hice cuanto pude por no dejar escapar una mueca.

—Pero hay muchos que pensamos que Diana, princesa de Gales, fue un verdadero ángel que este mundo quizá no merecía, y nosotros no la olvidaremos. Conservamos su recuerdo imperecedero.

Se enjugó una lágrima mientras yo reprimía una réplica sarcástica.

—Siéntense, por favor —dijo—. ¿Les apetece un té?

Los dos lo rehusamos cortésmente.

—¿Unas galletas?

Sacó una bandeja con galletas con el perfil de... lady Di. La corona resaltada con azúcar glas. También rehusamos, pues no nos veíamos con ánimo de mordisquear a la difunta y, sin más, fui al grano.

—Señora Baker, ¿recuerda a Julie, la hermana de Katy? —pregunté.

—Sí, claro —respondió dejando la bandeja de galletas en la mesita—. Recuerdo a todas las chicas. Mi esposo Frank, que daba clases de literatura inglesa, murió en 1969 . No tuvimos hijos y todos mis familiares han muerto. Así que la residencia y las alumnas fueron mi vida durante veintiséis años.

—Comprendo —dije.

—Y Julie... Cuando estoy en la cama a oscuras por la noche, su cara es la que más me viene a la memoria. No porque fuese distinta, que lo era, sino por lo que le sucedió, claro.

—¿Porque murió asesinada, quiere decir?

Era una pregunta tonta pero yo no tenía experiencia y deseaba que ella continuara hablando.

—Sí —contestó Rose Baker cogiendo la mano de Katy—. Fue una tragedia. No sabe cuánto lo siento por usted.

—Gracias —dijo Katy.

Por cruel que parezca, mi mente no dejaba de pensar: tragedia; sí, bueno, pero ¿qué imagen podía tener de Julie —o incluso de su propio marido o de su familia— en aquella grotesca feria de duelo real?

—Señora Baker, ¿recuerda a otra chica de la residencia llamada Sheila Rogers? —pregunté.

Hizo una mueca y respondió escuetamente:

—La recuerdo.

A juzgar por su reacción era evidente que ignoraba que la habían asesinado, y opté por no decirlo de momento; estaba claro que tenía algún problema con Sheila y yo quería saber cuál. Necesitábamos que hablara constantemente y si le decía ahora que Sheila había muerto, a lo mejor edulcoraba su opinión con otra respuesta. Antes de que le preguntase, ella alzó una mano.

—¿Puedo preguntarle una cosa? —dijo.

—Naturalmente.

—¿Por qué me hacen tantas preguntas sobre algo que sucedió hace tanto tiempo? —dijo mirando a Katy.

—Porque quiero saber la verdad —replicó Katy.

—¿La verdad sobre qué?

—Mi hermana cambió durante su estancia aquí.

Rose Baker cerró los ojos.

—Mejor sería que no lo supiera.

—Quiero saberlo —insistió Katy con voz casi de desesperación—. Por favor; tenemos que saberlo.

Rose Baker permaneció otro instante con los ojos cerrados y asintió con la cabeza antes de abrirlos y juntar las manos en el regazo dispuesta a hablar.

—¿Qué edad tiene? —preguntó.

—Dieciocho años.

—Más o menos la edad de Julie cuando vino aquí —comentó Rose Baker— y se parece a ella.

—Eso me dicen.

—Tómelo como un cumplido porque Julie era muy guapa. En muchos aspectos me recuerda a la princesa Diana. Las dos eran preciosas y con algo especial..., casi divino —dijo sonriendo, y añadió levantando un dedo—: Ah, y las dos tenían un defecto porque eran muy tozudas. Julie era buena persona, amable y lista como el hambre, y muy buena estudiante.

—Sin embargo —dije—, abandonó los estudios.

—Sí.

—¿Por qué?

Ella se volvió hacia mí.

—Lady Di procuró ser firme, pero nadie puede nada contra el destino. Es imprevisible.

—No la entiendo —dijo Katy.

Un reloj lady Di dio la hora en un tono hueco reminiscente del Big Ben y Rose Baker permaneció en silencio hasta que cesaron las campanadas.

—La gente cambia con la universidad. Uno está por primera vez lejos de casa y vive por su cuenta... —Cayó como en una ensoñación y pensé que tendría que darle un codazo para hacerla seguir—. No, no me explico bien: el comportamiento de

Julie al principio era modélico pero después comenzó a retraerse de todo el mundo. Dejó de acudir a algunas clases, rompió con el novio de su ciudad. No es nada raro, porque casi todas las chicas lo hacen el primer año; pero en su caso sucedió más tarde, en el penúltimo curso, creo, y yo pensaba que lo quería de verdad.

Yo tragué saliva, pero no dije nada.

—Me preguntaron antes por Sheila Rogers —añadió.

—Sí —dijo Katy.

—Ella fue una mala influencia para Julie.

—¿Por qué?

—Aquel año, cuando llegó Sheila... —dijo Rose Baker llevándose un dedo a la mejilla y ladeando la cabeza como si se le hubiera ocurrido otra idea—. Bueno, quizá fuese el destino, como en el caso de la circunstancia de los paparazzi que obligaron a acelerar a la limusina de Diana; o ese horrendo chofer, Henri Paul. ¿Saben que el nivel de alcohol en su sangre era el triple del nivel legal?

—¿Sheila y Julie se hicieron amigas? —pregunté.

—Sí.

—Compartían habitación, ¿verdad?

—Durante un tiempo —contestó con los ojos húmedos—. No piensen que soy melodramática, pero Sheila Rogers aportó algo malvado a la residencia. Tendría que haberla expulsado, ahora me doy cuenta, pero entonces no tenía pruebas de su maldad.

—¿Qué es lo que hizo?

La mujer volvió a negar con la cabeza.

Yo pensé un instante en aquel penúltimo curso en que Julie fue a verme a Amherst cuando, por otra parte, se había negado a que yo fuese a verla a Haverton y comprendí que resultaba extraño. Reviví la última vez que estuvimos juntos, cuando ella insistió en ir a una pensión tranquila de Mystic en vez de quedarnos en la universidad, lo que en aquel entonces me pareció romántico. Ahora lo veía muy distinto.

Tres semanas después me llamó y rompió conmigo. Al mirar atrás, recordé que durante nuestro último encuentro había estado amodorrada y extraña. Pasamos una sola noche en Mystic y mientras hacíamos el amor la noté ausente; ella lo achacó a los estudios, que había estado empollando; yo me lo creí porque, ahora que lo pienso, quería creérmelo.

Sí, atando cabos lo veo claramente: Sheila había llegado a la universidad recién liberada de Louis Castman, de las drogas y de la calle, una vida que cuesta mucho dejar atrás, y seguramente vendría irremisiblemente contagiada de la maldad que todo lo corrompe cuando Julie iba a empezar el penúltimo curso, la época en que comenzó a actuar de un modo extraño.

Tenía lógica.

—¿Sheila Rogers se graduó? —pregunté cambiando de rumbo.

—No, también ella dejó los estudios.

—¿El mismo año que Julie?

—No estoy segura de que llegaran a darse oficialmente de baja. Julie dejó de asistir a clase hacia final de curso. Se pasaba las mañanas en la cama y cuando yo la reprendí se marchó —añadió con voz trémula.

—¿Adónde se marchó?

—A un apartamento fuera de la universidad. Con Sheila.

—¿Y cuándo abandonó exactamente Sheila Rogers los estudios?

Rose Baker fingió reflexionar al respecto, y digo «fingió» porque era evidente que lo sabía de sobra y que todo era puro teatro.

—Creo que Sheila se fue después de la muerte de Julie.

—¿Mucho después? —pregunté.

—Yo no recuerdo haberla visto después del asesinato —respondió con la vista baja.

Miré a Katy. También ella miraba al suelo. Rose Baker se llevó la mano temblorosa a la boca.

—¿Sabe adónde fue Sheila? —pregunté.

—No. Se marchó, y era lo único que a mí me importaba.

Ya no nos miraba y me pareció inquietante.

—Señora Baker.

Ella siguió sin alzar la vista.

—Señora Baker, ¿qué más sucedió?

—¿A qué han venido? —preguntó.

—Ya se lo hemos dicho; queremos saber...

—Sí, pero ¿por qué ahora precisamente?

Katy y yo nos miramos y ella asintió con la cabeza. Me volví hacia la mujer y contesté:

—Ayer encontraron muerta a Sheila Rogers. Asesinada.

Pensé que no me había oído porque no apartaba los ojos de un retrato de lady Di entronizado sobre un cojín de terciopelo, una reproducción grotesca y horripilante de la princesa con dientes azules y cutis de un extraño color bronce. Viendo a la mujer mirar aquella imagen se me ocurrió pensar que allí no había ningún retrato de su esposo, de su familia o de las chicas de la residencia, y me dije si, del mismo modo que yo trataba de indagar sobre aquellas muertes persiguiendo sombras por ahuyentar mi dolor, no le sucedía a Rose Baker algo por el estilo.

—Señora Baker.

—¿La estrangularon como a las otras?

—No —respondí, y de pronto me volví hacia Katy. Ella también lo había oído—. ¿Las otras, ha dicho usted?

—Sí.

—¿Quiénes?

—A Julie la estrangularon —dijo.

—Así es.

Hundió los hombros y las arrugas de su rostro se acentuaron. Nuestra presencia había desatado los demonios que ella guardaba en cajas o que quizá mantenía enterrados bajo aquella parafernalia de lady Di.

—No saben lo de Laura Emerson, ¿verdad?

Katy y yo nos miramos de nuevo.

—No —dije.

Rose Baker volvió a divagar con la mirada por las paredes del cuarto.

—¿De verdad que no quieren un té?

—Por favor, señora Baker, ¿quién es Laura Emerson?

Se puso en pie, se acercó a la repisa de la chimenea y acarició delicadamente un busto de lady Di.

—Otra alumna de la residencia, estudiante del curso anterior a Julie.

—¿Qué le sucedió? —pregunté.

Rose Baker descubrió una mota en el busto de cerámica y la eliminó con la uña.

—Ocho meses antes que a Julie encontraron muerta a Laura cerca de su casa en Dakota del Norte. Estrangulada también.

Sentí como si unas manos heladas me tirasen de los pies hacia abajo. Katy, pálida como la cera, me miró encogiéndose de hombros para indicarme que ella no sabía nada.

—¿Descubrieron al asesino? —pregunté.

—No —contestó la mujer—. Nunca.

Traté de filtrar aquel nuevo dato en la historia para ver si aclaraba algo.

—Señora Baker, ¿no la interrogó la policía después del asesinato de Julie?

—La policía no —contestó.

—¿Quién?

—Dos agentes del FBI.

—¿Recuerda sus nombres?

—No.

—¿Le hicieron preguntas sobre Laura Emerson?

—No, pero yo les di datos.

—¿De qué?

—Les recordé que habían estrangulado a otra chica de la misma residencia.

—¿Y cómo reaccionaron?

—Me dijeron que no hablara de eso con nadie porque podía comprometer la investigación.

«Demasiado deprisa», pensé. Todo se me venía encima de un modo tan vertiginoso que no lograba atar cabos. Tres mujeres jóvenes muertas, las tres de la misma residencia universitaria. Aquello era un patrón, en mi modesta experiencia. Por consiguiente, el asesinato de Julie no era un acto aislado de violencia casual como nos había hecho creer a todos el FBI.

Y lo peor era que el FBI lo sabía y nos había mentido todos aquellos años.

La pregunta era por qué.

34

Estaba que echaba chispas y con deseos de irrumpir en el despacho de Pistillo, agarrarlo de las solapas y exigir que me diera explicaciones. Pero las cosas no salen como uno piensa. La Autopista 95 estaba llena de obras y se sucedían los atascos, después nos incorporamos al penoso tráfico de la autopista del Bronx, y luego, en la autovía del río Harlem, avanzábamos metro a metro. Me harté de tocar el claxon y de cambiar de carril, pero en Nueva York es lo que hace todo el mundo.

Katy llamó por el móvil a su amigo Ronnie, que manejaba muy bien el ordenador, para que localizase el nombre de Laura Emerson en Internet y Ronnie nos confirmó más o menos lo que ya sabíamos: que había muerto estrangulada ocho meses antes que Julie y que su cadáver fue hallado en el motel Court Manor de Fessenden, en Dakota del Norte. Varios periódicos locales publicaron en primera página la noticia del crimen durante dos semanas hasta que desapareció del todo, sin que en ningún momento se hiciera referencia alguna a una agresión sexual.

En la salida hice una brusca maniobra, me salté un semáforo en rojo y encontré sitio en el aparcamiento Kinney, cerca de Federal Plaza. Echamos a correr hacia el edificio. Yo mantenía la cabeza erguida y el paso apresurado, pero por desgracia topamos con el control de seguridad y tuvimos que someternos al detector de metales. Mis llaves hicieron saltar la alarma. Vacié los bolsillos. Luego fue el cinturón. El vigilante me pasó por el cuerpo un bastón parecido a un vibrador. De acuerdo, estábamos limpios.

En cuanto llegamos al despacho de Pistillo exigí en tono airado que nos recibiera, e inmediatamente su secretaria salió del despacho sonriente como la consorte de un político para decirnos con voz melosa que nos sentásemos. Katy me miró resignada. Yo no me senté. Continué paseando de arriba abajo como un león enjaulado mientras mi indignación iba cediendo.

Quince minutos después, la secretaria nos dijo que el director adjunto responsable Joseph Pistillo —lo dijo así, con el título completo— nos recibiría, y apenas abrió la puerta yo irrumpí en el despacho.

Pistillo aguardaba de pie preparado y torció el gesto al ver a Katy.

—¿Quién es ésta? —preguntó.

—Katy Miller —respondí.

La miró sorprendido y añadió:

—¿Qué hace usted con él?

Pero no consentí que cambiara de tema.

—¿Por qué no nos dijo nada de Laura Emerson? —inquirí.

—¿De quién? —replicó mirándome.

—No me tome por tonto, Pistillo.

Guardó silencio un instante, y dijo:

—¿Por qué no nos sentamos?

—Conteste a mi pregunta.

Él se sentó despacio sin apartar los ojos de mí. Su escritorio, recién abrillantado y pegajoso, apestaba a ambientador limón.

—Usted no está en situación de exigir nada.

—A Laura Emerson la estrangularon ocho meses antes que a Julie.

—¿Y qué?

—Las dos vivían en la misma residencia universitaria.

Pistillo juntó la punta de los dedos haciendo una pausa para ganar tiempo.

—No irá a decirme que no lo sabía —añadí.

—Ah, claro que lo sabía.

—¿Y no ve ninguna relación?

—Eso es.

Vi que me miraba impasible, pero eso era algo a lo que él estaba acostumbrado.

—No lo dirá en serio —repliqué.

Posó su mirada en las paredes, donde poco había que mirar: una foto del presidente Bush, una bandera americana y algunos diplomas.

—Lo investigamos en su momento, desde luego, y creo que los medios locales lo publicaron, incluso siguieron el caso, aunque no recuerdo, pero al final no llegamos a establecer una conexión real.

—No me tome el pelo.

—A Laura Emerson la estrangularon en otro estado y en otro momento. No había señal de estupro ni de violencia sexual. Y la encontraron en un motel, mientras que a Julie —añadió volviéndose hacia Katy—, a su hermana, la encontraron en casa.

—¿Y el hecho de que las dos vivieran en la misma residencia?

—Una coincidencia.

—Mentira —repliqué.

No le gustó mi observación y enrojeció ligeramente.

—Tenga cuidado —dijo apuntándome con su dedazo—. Usted no es nadie aquí.

—¿Pretende que nos creamos que no encontraron relación entre los dos asesinatos?

—Exacto.

—¿Y ahora, Pistillo?

—¿Ahora, qué?

Sentí que mi indignación aumentaba de nuevo.

—Sheila Rogers pertenecía a la misma hermandad universitaria. ¿Simple coincidencia también?

Mi pregunta lo cogió por sorpresa y se reclinó en el asiento distanciándose. ¿Era porque no lo sabía o porque no creía que yo lo hubiera averiguado?

—No voy a revelarle ningún dato sobre una investigación en curso.

—Usted lo sabía —añadí despacio—. Y sabía que mi hermano era inocente.

Negó con la cabeza pero no dijo nada.

—No me constaba, mejor dicho, no me consta tal cosa.

Pero no le creí porque desde un principio no había hecho más que contar mentiras; de eso estaba seguro. Se puso tenso, como aguardando otro reproche por mi parte, y yo mismo me sorprendí al decir con voz tranquila:

—¿Se da cuenta de lo que ha hecho? —musité apenas—. El daño que ha causado a mi familia, a mi padre, a mi madre...

—Este asunto a usted no le concierne, Will.

—Ya lo creo que me concierne.

—Por favor —añadió—. No se mezclen en esto.

Lo miré fijamente.

—No.

—Se lo digo por su propio bien; aunque no se lo crean, sólo intento protegerlos.

—¿De quién?

No contestó.

—¿De quién? —repetí.

—Se ha terminado la conversación —replicó dando una palmada en los brazos del sillón y levantándose.

—¿Qué es lo que quiere exactamente de mi hermano, Pistillo?

—No pienso comentar nada más sobre una investigación pendiente —contestó yendo hacia la puerta; yo intenté cortarle el paso, pero él me fulminó con la mirada al tiempo que me esquivaba—. No se mezcle en la investigación o lo detendré por obstrucción a la justicia.

—¿Por qué quieren imputarle un crimen?

Pistillo se detuvo, dio media vuelta y pude ver que algo había cambiado en su actitud; me miraba de otro modo, ligeramente erguido.

—¿Quiere saber la verdad, Will?

No me gustó el cambio de tono y de repente no estaba seguro de qué contestar.

—Sí.

—Bien, empecemos por usted —dijo.

—¿Yo qué tengo que ver?

—Siempre ha estado plenamente convencido de que su hermano era inocente —prosiguió en tono más agresivo—. ¿Por qué?

—Porque lo conozco.

—¿Ah, sí? ¿Tan unido estaba a su hermano Ken por aquel entonces?

—Siempre estuvimos unidos.

—Lo veía muy a menudo, ¿no es eso?

—No hace falta ver a alguien mucho para estar unido —repliqué cambiando el peso de un pie a otro.

—¿Ah, sí? Bien, díganos, entonces, quién cree que mató a Julie Miller.

—No lo sé.

—Pues, en ese caso, díganos qué es lo que cree que sucedió, si le parece —añadió Pistillo dando unos pasos hacia mí.

En aquel breve diálogo, yo había perdido de algún modo la iniciativa y él arremetía furioso sin que yo entendiera el motivo. Se detuvo a la distancia justa para no avasallarme.

—Su querido hermano, con quien tan unido estaba, tuvo relaciones sexuales la noche del crimen con la que había sido su novia. ¿No es eso lo que usted cree, Will?

—Sí —respondí casi avergonzado.

—Su antigua novia y su hermano haciéndolo —chasqueó la lengua—. Tuvo que enfurecerlo.

—Pero ¿qué diablos dice?

—La verdad, Will. ¿No buscábamos la verdad? Pues pongamos las cartas sobre la mesa —añadió clavando en mí sus ojos fríos—. Su hermano vuelve a casa al cabo de unos dos años y ¿qué es lo que hace? Se va a la casa de los vecinos a fornicar con la chica que usted quería.

—Habíamos roto —alegué, aunque yo mismo advertí que lo había expresado casi en un susurro.

—Claro —replicó él con una sonrisita—, todo acaba alguna vez, ¿no? Y a partir de ese momento se levanta la veda, y más tratándose del hermano querido —añadió mirándome a la cara—. Usted dijo que vio a alguien aquella noche, alguien misterioso rondando por la casa de los Miller.

—Exacto.

—¿Y lo vio muy bien?

—¿Qué quiere decir? —repliqué, aunque sabía a qué se refería.

—Dijo que vio a alguien cerca de la casa de los Miller, ¿no es eso?

—Sí.

Pistillo sonrió y abrió las manos.

—Pero resulta que usted no nos dijo qué es lo que hacía allí aquella noche, Will —añadió como quien no quiere la cosa—. Usted, Will, a solas, junto a la casa de los Miller a altas horas de la noche mientras su hermano y su amada estaban dentro...

Katy se volvió a mirarme.

—Yo daba un paseo —respondí sin pensármelo dos veces.

Pistillo dio unas zancadas subrayando su ventaja.

—Ajá, claro, vamos a ver si lo aclaramos. Su hermano se va a follar con la chica a la que usted aún quiere y usted sale a dar un paseo cerca de la casa. Y la matan. Encontramos sangre de su hermano en el escenario del crimen y usted, Will, sabe que no ha sido su hermano.

Se detuvo y me miró otra vez con aquella sonrisita.

—Dígame, si fuera usted el investigador, ¿de quién sospecharía?

Notaba una fuerte opresión de pecho y no me salían las palabras.

—Si insinúa que...

—Insinúo que se vaya a casa —replicó Pistillo—. Eso es todo. Váyanse a casa y no se entrometan en esto.

35

Pistillo se ofreció a llevar a Katy a casa. Ella rehusó y dijo que volvía conmigo, lo que al federal no le gustó, pero ¿qué iba a hacer?

Volvimos al apartamento callados todo el camino y una vez dentro saqué mi impresionante colección de menús de servicio a domicilio; Katy encargó comida china y yo bajé al portal a recoger las cajas blancas que pusimos en la mesa. Yo me senté en mi silla habitual y ella en la de Sheila. Me vinieron al recuerdo las cenas a base de menús chinos con Sheila: ella con el pelo recogido, recién salida de la ducha y oliendo bien, en aquel albornoz de rizo, enseñando las pecas del pecho...

Son los detalles chocantes los que más se recuerdan.

Volví a sentir que la pena me invadía otra vez como un oleaje y advertí que me hacía más daño si me quedaba inmóvil, un daño profundo. La pena agota y si no estás prevenido llegas a despreocuparte.

Me serví arroz frito que regué con un chorro de salsa de langosta.

—¿Seguro que quieres quedarte esta noche?

Katy asintió con la cabeza.

—Te dejaré mi cama —dije.

—Prefiero dormir en el sofá.

—¿Seguro?

—Seguro.

Continuamos haciendo como que comíamos.

—Yo no maté a Julie —dije.

—Lo sé.

Continuamos simulando dar algún bocado.

—¿Por qué estabas allí aquella noche? —preguntó ella al fin.

—¿No te has creído que daba un paseo? —repliqué sonriendo.

—No.

Dejé los palillos con prevención, como si fueran a romperse, pensando en cómo explicarlo, allí en mi apartamento, cara a cara con la hermana de la mujer a quien había querido, que ocupaba la silla de la mujer con quien quería casarme. Las dos asesinadas, las dos relacionadas conmigo. Levanté la vista y dije:

—Creo que quizá fue porque no se me había pasado el enamoramiento de Julie.

—¿Querías verla?

—Sí.

—¿Y?

—Toqué el timbre pero no abrió nadie —dije.

Katy se quedó pensativa mirando su plato.

—Lo raro es la hora en que fuiste —comentó despreocupadamente.

Cogí los palillos.

—Will.

Seguí cabizbajo.

—¿Sabías que tu hermano estaba allí?

Removí la comida del plato y ella alzó la cabeza para mirarme. Oí cómo el vecino abría y cerraba la puerta, sonó un claxon en la calle y alguien dio voces en un idioma que me pareció ruso.

—Lo sabías —añadió ella—. Sabías que Ken estaba en casa con mi hermana.

—Yo no la maté.

—¿Qué sucedió, Will?

Crucé los brazos y me recliné en la silla con los ojos cerrados y la cabeza hacia atrás. No quería recordar aquello, pero ¿qué podía hacer? Katy exigía saberlo y tenía derecho a ello.

—Fue un fin de semana muy extraño —dije—. Hacía ya un año que había roto con Julie y no habíamos vuelto a vernos desde entonces. Yo hice varios intentos y me acerqué varias veces durante las vacaciones escolares, pero nunca la encontraba.

—Llevaba mucho tiempo sin venir a casa —dijo Katy.

Asentí.

—Igual que Ken. Por eso digo que fue tan extraño. De repente coincidíamos los tres en Livingston; no sé cuánto tiempo hacía que no sucedía. Además, Ken actuaba de un modo raro; no dejaba de mirar por la ventana y no salía de casa. Estaba implicado en algo; no sé en qué. Bien, él me preguntó si seguía enamorado de Julie y yo le dije que no, que era cosa del pasado.

—Le mentiste.

— Fue como si... —intenté buscar una manera de explicárselo—. Mi hermano era como un dios para mí. Era fuerte y valiente y... —Meneé la cabeza. No lo estaba explicando bien y volví a intentarlo—. Cuando yo tenía dieciséis años, mis padres nos llevaron a España, a la Costa del Sol. Aquello era una fiesta; para los veraneantes europeos era como la fiesta de primavera en Florida. Ken y yo íbamos a una discoteca cerca del hotel y una noche, a los cuatro días de estar allí, un tipo me dio un empujón en la pista; yo me lo quedé mirando, él se echó a reír y seguí bailando. Pero luego se acercó otro y me empujó otra vez y, como yo tampoco hice caso, vino el primero y me tiró al suelo. —Callé de pronto, parpadeando, como tratando de recordarlo claramente—. ¿Sabes lo que hice?

Katy negó con la cabeza.

—Llamar a gritos a Ken. No me levanté de un salto para darle un empujón al tío, sino que llamé a gritos a mi hermano mayor y salí corriendo.

—Tuviste miedo.

—Yo siempre tenía miedo —dije.

—Es lo normal.

Yo no lo creía así.

—¿Y Ken acudió? —preguntó Katy.

—Claro.

—¿Y qué?

—Empezaron a pelearse, pero eran una pandilla de escandinavos y a Ken lo zurraron de lo lindo.

—¿Y tú?

—Yo no di un solo puñetazo. Me aparté a un lado intentando razonar con ellos para que no le pegaran. —Volví a enrojecer de vergüenza. Cuánta razón tenía mi hermano, tan acostumbrado a las peleas: si te pegan, el dolor dura lo que dura, pero la vergüenza del cobarde no desaparece jamás—. Ken salió de aquella refriega con un brazo roto, el brazo derecho, y él, que era un jugador de tenis de categoría nacional —en Stanford se habían interesado por él—, a partir de entonces ya no jugó igual y al final no pudo ir a la universidad.

—Tú no tienes la culpa.

Qué equivocada estaba.

—Lo que quiero decirte es que Ken siempre me defendía. Bueno, entre nosotros nos peleábamos, como todos los hermanos, porque él siempre se burlaba de mí; pero fuera de esas ocasiones estaba dispuesto a partirse el pecho por mí si hacía falta. Y yo nunca tuve valor para hacer lo mismo.

Katy se llevó la mano a la barbilla.

—¿Qué sucede? —pregunté.

—Nada; que es extraño.

—¿El qué?

— Que tu hermano fuese tan poco sensible y se acostara con Julie.

—No lo hizo a propósito. Él me preguntó si habíamos terminado y yo le dije que sí.

—Le diste luz verde —comentó ella.

—Sí.

—Y al final fuiste detrás de él.

—Tú no lo entiendes —dije.

—Sí lo entiendo —replicó ella—. Todos hacemos cosas así.

36

Me quedé tan profundamente dormido que no lo oí llegar a hurtadillas.

Había sacado sábanas y mantas limpias para Katy para que estuviera a gusto en el sofá y después de darme una ducha me puse a leer un rato, pero las palabras me bailaban y volvía a leer el mismo párrafo una y otra vez; luego me senté a navegar por Internet y después hice unas flexiones y unos estiramientos de yoga que me había enseñado Cuadrados porque no quería dormirme y dejarme arrastrar por la pena.

Aguanté bastante pero al final el sueño me venció, y había caído en un pozo profundo sin soñar nada, cuando de pronto sentí que me tiraban de la mano y sonaba un *clic*. Aún medio dormido, quise arrimar de nuevo la mano al costado pero la tenía sujeta por algo metálico que se me clavaba en la muñeca.

Mis párpados se abrieron por completo cuando saltó encima de mí. Cayó con todo su peso, cortándome la respiración. Tragué saliva, pero él me apretó los hombros con las rodillas. Antes de que pudiera reaccionar e intentar pelear, me cogió la otra mano y me obligó a arrimarla a la cabecera de la cama: esta vez no oí el *clic* pero sentí el metal frío en la muñeca.

Tenía las dos manos esposadas a la cama.

Se me heló la sangre en las venas y por un instante cerré los ojos como siempre hacía en los altercados físicos. Abrí la boca para gritar o decir algo pero él, agarrándome por la nuca, me obligó a moverme hacia delante. Me tapó la boca con un trozo de cinta adhesiva y a continuación, para mayor seguridad, dio una infinidad de vueltas con la cinta alrededor de la cabeza y la boca, como si me empaquetara al vacío.

No podía hablar ni gritar y apenas respirar porque tenía que inhalar el aire por la nariz rota y me dolía una barbaridad. Me dolían también los hombros por las esposas y el peso de su cuerpo, luché, pero fue fútil. Me revolví inútilmente y traté de quitármelo de encima. Aún más fútil. Quise preguntar qué quería, qué es lo que iba a hacerme ahora que estaba indefenso.

En aquel momento pensé en Katy, que estaba sola en el salón.

La habitación estaba a oscuras. Mi agresor era sólo una sombra. Llevaba una especie de máscara, algo negro que me impedía distinguirlo bien. Respirar se había vuelto casi imposible. Forcé un doloroso resoplido. El desconocido me acabó de sellar la boca. Dudó sólo un segundo antes de quitarse de encima. Entonces vi con horror que abría la puerta, entraba en el cuarto donde dormía Katy y volvía a cerrar.

Los ojos se me salían de las órbitas. Intentaba gritar, pero la cinta no permitía que escapara ningún sonido; me sacudí como un potro salvaje, retorciéndome y pataleando, pero no había nada que hacer.

En ese momento paré para escuchar, pero el silencio era absoluto.

De pronto oí que Katy lanzaba un grito.

Dios mío. Me revolví de nuevo. Había sido un grito breve, como si alguien lo hubiera interrumpido cerrando una válvula. Lo que sentí en aquel momento fue pánico, un pánico irrefrenable; tiré con todas mis fuerzas de las esposas y sacudí la cabeza hacia atrás y hacia delante. Nada.

Katy volvió a gritar.

El grito fue más débil esta vez, apenas audible, como el quejido de un animal herido; pero aunque se oyera, a esa hora de la noche nadie haría nada. En Nueva York no. Pero aunque lo hiciera y llama se a la policía, o alguien acudiera a prestar ayuda, sería demasiado tarde.

Sentí un miedo atroz.

Me falló el sentido, como si me hubiera escindido en dos; era presa de la locura. Me revolví como un epiléptico. Me dolía horriblemente la nariz y, con mis inútiles convulsiones, tragué algunas fibras de la cinta adhesiva.

No conseguía nada.

«Dios mío. Bien: cálmate. Tranquilo. Piensa un momento.»

Volví la cabeza hacia la esposa de la mano derecha; no me apretaba mucho y había cierta holgura. Tal vez con un movimiento suave lograría sacar la mano. La cuestión era calmarse y procurar encoger la mano lo más posible para que saliera de la anilla.

Lo intenté. Deseando con toda mi alma que la mano se encogiera, estreché la palma juntando cuanto pude el pulgar y el meñique; probé a tirar, primero despacio y luego con ímpetu. Nada. La piel se apelmazó alrededor de la anilla y se me estaba desgarrando. No me importaba. Seguí tirando.

Era inútil.

En la otra habitación había cesado el ruido.

Agucé los oídos y escuché. No se oía nada. Nada. Intenté doblar el cuerpo, intenté levantarme con tanta intensidad que, no sé, quizá levantaría la cama conmigo. Sólo dos o tres centímetros y podría zafarme. La sacudí un poco más. Efectivamente, la cama se desplazó unos centímetros. Pero no sirvió de nada.

Seguía atrapado.

Oí que Katy gritaba otra vez y exclamaba presa del pánico: «John...».

Le cortaron de nuevo la voz.

«John», pensé. «Ha dicho John.»

¿Asselta?

El Espectro...

«Oh, no, Dios mío, por favor, no.» En ese momento se oían sonidos sofocados. Un gruñido, quizá como si ahogasen con una almohada a alguien. Sentí el corazón latirme con fuerza atenazado por el terror y volví la cabeza hacia un lado buscando algo.

El teléfono.

¿Podría...? Tenía las piernas libres y quizá con un movimiento de balanceo lograría llegar a él con los pies y dejarlo caer en la mano. Después quizá marcar el 911 o el cero. Levanté los pies contrayendo los músculos abdominales y los estiré hacia la derecha pero, dominado por la histeria, desnivelé el peso, me deslicé de costado y perdí el control de la dirección de las piernas. Volví a la posición anterior con cuidado de no perder el equilibrio y conseguí alcanzar el teléfono con el pie.

El auricular cayó al suelo.

«Maldita sea.»

¿Qué podía hacer? Me quedé en blanco incapaz de razonar y enloquecido, pensando en esos animales que al verse atrapados en un cepo se devoran una pata para liberarse, y empecé a dar tirones con auténtica desesperación hasta agotar mis fuerzas, y estaba a punto de claudicar cuando recordé algo que me había enseñado Cuadrados.

La postura del arado.

Halasana, en hindú. Se lleva a cabo tumbado boca arriba, haciendo apoyo en los hombros para alzar las caderas e impulsar con fuerza las piernas hacia arriba y hacia atrás hasta alcanzar el suelo con los pies por detrás de la cabeza. No sabía si podría llegar tan atrás, pero me daba igual. Contraje el estómago, di un fuerte impulso a las piernas hacia atrás y conseguí rebasar la cabeza y dar con los talones en la pared, pero tenía el pecho contra la barbilla, lo que aún impedía más la respiración.

Apoyé con fuerza los pies contra la pared empujando furioso con la adrenalina al máximo, y la cama se separó de la pared; seguí empujando y pude apartarla un buen trecho. Estupendo. Faltaba lo más difícil. Si no lograba girar mis muñecas en las esposas, no conseguiría nada o me dislocaría las clavículas. Me daba igual.

En el cuarto de estar reinaba el más impresionante silencio.

Completando la voltereta sobre la cama, dejé caer las piernas por inercia al suelo y por suerte las muñecas giraron en las esposas; mis pies aterrizaron al primer impulso pero me raspé los muslos y el abdomen en el larguero de la cama.

Ya estaba de pie detrás de la cabecera.

Seguía esposado y amordazado, pero al menos estaba de pie; sentí otro bombeo de adrenalina.

Bien, ¿ahora qué?

No había tiempo que perder. Agachándome y apoyando el hombro en la cabecera, empujé la cama hacia la puerta como si se tratara de un ataque con trineo. Mis piernas se movían como pistones. No dudé. No cejé.

La cama se estrelló contra la puerta.

El choque fue estrepitoso. Sentí un fuerte dolor en el hombro, en los brazos y en la columna vertebral, y fue como si se me desgarraran las articulaciones, pero no hice caso; retrocedí tirando de la cama y volví a golpear otras dos veces la puerta como con un ariete, mientras dentro de mí resonaban los gritos que la mordaza impedía salir. En el último intento tiré simultáneamente de las esposas al embestir la puerta y la cama chocó contra la pared.

La cabecera se desprendió.

Estaba libre.

Aparté la cama de la puerta y comencé a arrancarme la cinta de la boca pero, como tardaba, giré el picaporte, abrí la puerta y me zambullí en la oscuridad.

Katy estaba en el suelo con los ojos cerrados; parecía desmayada, y el hombre, a horcajadas sobre ella. La agarraba por la garganta.

La estaba estrangulando.

Sin pensarlo dos veces me lancé sobre él como un cohete y me pareció que tardaba una eternidad en alcanzarlo, como si mi movimiento discurriera a través de un líquido oleaginoso. Él me vio llegar y, aunque con tiempo para hacerme frente, no tuvo más remedio que apartar las manos de la garganta de Katy. El bulto oscuro se revolvió contra mí y apoyando las manos en mis hombros como en un bloqueo, y con el pie contra mi estómago, aprovechó el impulso para rodar hacia atrás.

Salí despedido hacia el fondo del cuarto haciendo molinetes con los brazos, pero la suerte volvió a acompañarme —al menos eso pensé— y aterricé sobre el sillón de lectura, en el que me tambaleé un instante hasta derribarlo y golpearme la cabeza con la mesita al caer al suelo.

Saqué fuerzas de flaqueza para no perder el conocimiento y ponerme de rodillas y, cuando iba a lanzarme de nuevo sobre él, lo que vi me puso los pelos de punta:

El enmascarado se había incorporado y, con un puñal en la mano, se acercaba a Katy.

Lo vi a cámara lenta en dos segundos escasos, pero mentalmente fue como si el tiempo se detuviera. Efectivamente, el tiempo es relativo, y a veces se produce ese fenómeno de instantes fugaces o de otros que no terminan nunca.

Estaba demasiado lejos de él para alcanzarlo. Lo sabía. Incluso a pesar del embotamiento, del golpe tras haber chocado con la mesa...

La mesa.

Donde guardaba la pistola de Cuadrados.

«¿Tendría tiempo de cogerla y disparar?», pensé sin dejar de mirar a Katy y al agresor. No; no me daba tiempo; era evidente.

Vi al hombre agacharse y agarrar del pelo a Katy.

Mientras buscaba la pistola logré arrancarme parte de la cinta de la boca y gritar:

—¡Suéltala o disparo!

Él volvió la cabeza en la oscuridad cuando me arrastraba sobre el vientre estilo comando y, al ver que no estaba armado, se dispuso a rematar la faena. Encontré la pistola. No había tiempo que perder. Apreté el gatillo.

El hombre quedó desorientado por el sonido.

Eso me hizo ganar tiempo; rodé para cambiar de posición y volví a disparar. Él también rodó hacia atrás con la facilidad de un gimnasta pero, como la oscuridad me impedía ver bien su figura, dirigí el arma hacia aquel bulto impreciso y disparé. ¿Cuántas balas tenía el cargador? ¿Cuántos disparos hice?

El bulto retrocedió de un salto sin dejar de moverse. ¿Lo había alcanzado?

Dio un nuevo brinco hacia la puerta y le grité que se detuviera. Él no lo hizo. Pensé en dispararle por la espalda, pero no sé si un rapto de humanidad me lo impidió. Ya había llegado a la puerta y tenía otras preocupaciones.

Miré a Katy y vi que estaba inánime.

37

Otro policía —el quinto según mi cuenta— entró para que le explicase los hechos.

—Primero quiero saber cómo está ella —dije.

El médico ya me había atendido. En las películas, el médico está de parte del paciente y le dice al policía que no puede interrogarlo hasta que no se recupere del todo, pero al que me atendió a mí, un estudiante en período de prácticas en urgencias, un paquistaní, creo, no le movía tal preocupación. Me colocó la clavícula mientras me interrogaban, me puso mercromina en las heridas de las muñecas y me toqueteó la nariz. A continuación, cogió una sierra para metal —a saber qué haría esa herramienta en un hospital— y cortó las esposas mientras acababan de interrogarme. Yo había llegado allí en pijama: chaquetilla y pantalones cortos, y en el hospital me dieron unas chanclas de papel.

—Conteste a la pregunta —dijo el policía.

Ya hacía dos horas que duraba aquello; me había bajado la adrenalina y empezaba a notar los huesos doloridos. Estaba harto.

—Vale, he sido yo —dije—. Primero me esposé, luego destrocé por completo algunos muebles, más tarde disparé contra las paredes, faltó muy poco para que la estrangulara en mi propio apartamento, instantes después llamé a la policía. He sido yo.

—Podría haber sucedido así —comentó el policía.

Era un hombre alto con un bigote ceroso que me recordaba la imagen de un cuarteto vocal melódico de los años veinte y treinta. Me había dicho su nombre, pero a partir del segundo policía yo no prestaba atención.

—¡Pero qué dice!

—Tal vez es una patraña.

—¿Me he dislocado el hombro, me he cortado las muñecas y he roto una cama para no despertar sospechas?

Se encogió de hombros con ese escepticismo tan propio de los policías.

—Mire, en cierta ocasión intervine en el caso de un tipo que se cortó el pene para hacernos creer que no había matado a su novia. Dijo que habían sido unos negros. La cosa es que, aunque él sólo pretendía darse un corte, se le fue la mano y se lo cortó del todo.

—Qué gran historia —comenté.

—Con usted podría haber sucedido lo mismo.

—Mi pene está perfectamente; muchas gracias por preocuparse.

—Ha dicho que entró alguien en el apartamento, y los vecinos oyeron los disparos.

—Sí.

—¿Y cómo es que ningún vecino lo vio huir? —replicó mirándome escéptico.

—¿Porque —y eso era una puñalada en la espalda— eran las dos de la mañana?

Estaba sentado en la camilla con las piernas colgando y comenzaban a dormírseme. Me bajé de un salto.

—¿Adónde cree que va? —inquirió el policía.

—Quiero ver a Katy Miller.

—No puede —replicó él tirándose del bigote—. Ahora está con sus padres.

Me miró para observar mi reacción y yo procuré poner cara de palo.

—Su padre no tiene muy buena opinión de usted —añadió con otro tirón del bigote.

—Me lo imagino.

—Él cree que esto es obra suya.

—¿Con qué objeto?

—¿Se refiere al móvil?

—No, al propósito, la intención. ¿Cree que he querido matarla?

Cruzó los brazos y se encogió de hombros.

—No me parece descabellado.

—¿Y por qué llamé a la policía si no la había matado? —pregunté—. Si monté semejante artimaña, ¿por qué no la maté?

—No es tan fácil estrangular a una persona —replicó—. A lo mejor creyó que estaba muerta.

—¿No se da cuenta de lo estúpido que suena eso?

Se abrió la puerta a su espalda y entró Pistillo, que me lanzó una mirada penetrante y profunda. Cerré los ojos y me masajeé el puente de la nariz. Le acompañaba uno de los policías que me habían interrogado antes. El policía hizo una seña a su bigotudo compañero. Éste no pareció muy contento por la interrupción, pero obedeció y salió con el otro de la sala. Estaba solo con Pistillo.

Él estuvo un rato callado dando vueltas por el dispensario, mirando los tarros de vidrio con trozos de algodón, los depresores y el cubo de desperdicios. Los dispensarios suelen oler a antiséptico, pero lo que allí reinaba era una peste a colonia de auxiliar de vuelo. No sabía si era de un médico o de un policía, pero advertí que Pistillo arrugaba la nariz, molesto. Yo ya me había acostumbrado.

—Cuénteme qué ha sucedido —dijo.

—¿No se lo han explicado sus amigos de la policía?

—Les he dicho que quería que me lo contara usted antes de que lo encierren —replicó Pistillo.

—Quiero saber cómo está Katy.

Reflexionó un instante antes de contestar.

—Le duelen el cuello y las cuerdas vocales, pero se repondrá.

Cerré los ojos con un suspiro de alivio.

—Empiece a hablar —ordenó Pistillo.

Le expliqué lo sucedido y él no dijo nada hasta que llegué a la parte en la que Katy gritaba el nombre de John.

—¿Tiene idea de quién es ese John? —preguntó.

—Quizá.

—Lo escucho.

—Uno que conocí cuando era niño. Se llama John Asselta.

Pistillo torció el gesto.

—¿Lo conoce? —inquirí.

Hizo caso omiso de mi pregunta.

—¿Qué le hace pensar que ella interpelaba a Asselta?

—Fue él quien me rompió la nariz.

Le expliqué la irrupción y la agresión de El Espectro en mi apartamento. Pistillo no parecía contento.

—¿Asselta estaba buscando a su hermano?

—Eso me dijo.

Pistillo se sonrojó.

—¿Por qué diablos no me lo has contado antes?

—Sí que es raro, ¿no? —repliqué—. Usted, la persona a quien siempre he podido recurrir, el amigo en quien podía confiar...

—¿Sabe quién es John Asselta? —insistió enfadado.

—Nos criamos juntos. Lo llamábamos El Espectro.

—Es uno de los locos más peligrosos que andan sueltos por

ahí —dijo Pistillo—. No puede haber sido él —añadió negando con la cabeza.

—¿Por qué está tan seguro?

—Porque ustedes dos siguen con vida.

Se hizo un silencio.

—Asselta es un asesino frío como el hielo —dijo Pistillo.

—¿Y por qué no está en la cárcel? —repliqué.

—No sea ingenuo. Es muy bueno en lo suyo.

—¿En matar gente?

—Sí. Vive fuera del país, aunque no sabemos dónde. Formó parte de los escuadrones de la muerte de gobiernos de América Central y ha colaborado con déspotas africanos —añadió Pistillo meneando la cabeza—. No; si Asselta pretendía matarla, ella estaría ahora con una etiqueta de identificación colgada del dedo del pie.

—A lo mejor era a otro John a quien nombraba —dije—. O quizá yo oí mal.

—Tal vez —añadió él pensativo—. Tampoco entiendo que si El Espectro o quien fuese pretendía matar a Katy Miller, ¿por qué no lo hizo? ¿Por qué molestarse en esposarlo a usted?

Era algo que yo me había preguntado también, y sólo se me había ocurrido una respuesta.

—¿Quizá fuera una trampa? —dije.

—¿Qué clase de trampa? —replicó frunciendo el ceño.

—El asesino me espera. Estrangula a Katy hasta matarla. Después —sentí un escalofrío en la nuca— quizá lo preparara para que pareciera que había sido yo —añadí mirándolo.

Pistillo frunció el ceño.

—No irá a decir «lo mismo que sucedió con mi hermano», ¿verdad?

—Sí, eso es. Lo digo.

—Es una gilipollez.

—Piénselo, Pistillo. Hay algo que nunca pudieron explicar: ¿por qué había sangre de mi hermano en el escenario del crimen?

—Porque Julie Miller se defendió.

—Sabe que no. Había demasiada sangre —repliqué acercándome a él—. A Ken le prepararon una encerrona hace ahora once años y quizás hoy alguien ha querido repetir la historia.

—No sea melodramático —dijo con desdén—. Y le voy a decir una cosa: la policía no se cree esa historia suya de escaparse de las esposas al estilo Houdini. Creen que intentó matarla.

—¿Y usted que cree? —pregunté.

—Ha venido el padre de Katy y está hecho una furia.

—No es de extrañar.

—Pero da qué pensar.

—Pistillo, usted sabe que yo no he sido, y a pesar del número que me montó ayer, sabe que yo no maté a Julie.

—Le advertí que no se mezclara en esto.

—Y yo opté por no hacer caso de su consejo.

Pistillo lanzó un profundo suspiro y asintió.

—Exacto, tío duro, así ahora verá lo que le espera. —Se acercó e intentó fulminarme con la mirada. Yo no pestañeé—. Va a ir a la cárcel.

Lancé un suspiro.

—Creo que por hoy ya han agotado la cuota mínima de amenazas —dije.

—No son amenazas, Will. Esta misma noche irá a parar al calabozo.

—Muy bien; quiero un abogado.

Miró el reloj.

—Es demasiado tarde. Pasará la noche en la cárcel y mañana comparecerá ante el juez. Los cargos serán intento de homicidio y agresión. El fiscal alegará que existe riesgo de fuga, como sucedió con su hermano, y solicitará al juez que no le conceda la libertad bajo fianza, y yo creo que es lo que el juez dictaminará.

Comencé a replicar pero él alzó una mano.

—No se moleste, y ahorre aliento porque, esto no le va a gustar, a mí me tiene sin cuidado que sea culpable o no. Voy a buscar pruebas para que lo declaren culpable y, si no las encuentro, las inventaré. Adelante, cuéntele a su abogado lo que le estoy diciendo, pero lo negaré. A los ojos del juez, usted no será más que un sospechoso de homicidio que durante once años ha ayudado a esconderse a un hermano asesino y yo, uno de los agentes de la ley de mayor prestigio en este país. ¿A quién cree que darán crédito?

Me quedé mirándolo.

—¿Por qué hace esto?

—Ya le dije que no se mezclase.

—¿Qué habría hecho usted en mi lugar si se hubiera tratado de su hermano?

—No se trata de eso. Usted no me hizo caso y ahora su novia ha muerto y Katy Miller está viva de milagro.

—Yo nunca he hecho daño a ninguna de las dos.

—Claro que se lo ha hecho. Ha sido el causante. Si me hubiera hecho caso, ¿cree que habría sucedido lo mismo?

Sus palabras me hirieron, pero insistí:

—¿Y usted, Pistillo? ¿Por qué ocultaba la relación con Laura Emerson?

—Escuche; no estoy aquí para jugar a esgrima con usted. Esta noche va a ir a la cárcel. Y no se engañe: me encargaré de que lo encierren.

Se dirigió a la puerta.

—Pistillo. —Volvió la cabeza y dije—: ¿Qué es lo que pretende en realidad?

Se detuvo e, inclinándose de modo que sus labios estuvieran a unos centímetros de mi oído, musitó:

—Pregúntele a su hermano.

Y se fue.

38

Pasé la noche en un calabozo de Midtown Sur en la Calle 35 Oeste que apestaba a orina y a ese hedor a vodka rancio que desprende el sudor de los borrachos: un grado por encima del aroma a colonia de auxiliar de vuelo. Tenía dos compañeros de celda: una prostituta travestida que no dejaba de gritar y que dudaba entre orinar de pie o sentada, y un negro que simplemente dormía. No tengo ninguna anécdota de agresiones, robo o violación. Fue una noche sin incidentes.

Quienquiera que estuviese de guardia se pasó el turno poniendo el CD de Bruce Springsteen «Born to Run», y sentí añoranza. Como todo buen chico de Jersey, yo me sabía la letra de memoria y, aunque parezca extraño, cuando oía una de las poderosas baladas del Jefe siempre recordaba a Ken. Nosotros no éramos campesinos que sufrieran penurias, ni habíamos tenido coches rápidos o vagado por la costa (en Jersey se dice «la costa», no «la playa») —aunque a juzgar por lo que yo había visto en los últimos conciertos de la E Street Band, esas características eran aplicables a la mayor parte de su público—, pero había algo en esas historias de lucha por la vida, anhelo de romper las ataduras, de aspirar a otra cosa y tener el valor de escapar, que no sólo hallaba eco en mí, sino que me hacía pensar en mi hermano, incluso antes del asesinato.

Aquella noche, cuando oí a Bruce cantar que se quedaba embobado ante las estrellas pensando en lo preciosa que era su chica, pensé en Sheila y revivió en mí el dolor.

Sólo llamé a Cuadrados. Lo desperté. Cuando le conté lo que había sucedido exclamó: «¡Qué desastre!». Acto seguido, prometió buscar me un buen abogado y averiguar cómo estaba Katy.

—Ah, oye, las cintas de vigilancia de ese QuickGo —añadió.

—¿Qué?

—Tu idea dio resultado. Mañana podremos verlas.

—Si me sueltan.

—Sí, claro —dijo Cuadrados—. Si te niegan la libertad bajo fianza, menuda putada —añadió.

Por la mañana, la policía me trasladó al registro central del número 100 de Centre Street. A partir de ese momento se hicieron cargo de mí los funcionarios de prisiones. Me encerraron en una celda común del sótano. Si alguien no cree que Estados Unidos sea un crisol de culturas, debería vivir aquel popurrí de (in)humanidad hormigueante que puebla esa especie de Naciones Unidas. Oí al menos diez idiomas distintos. Había matices de color de piel e indumentarias para todos los gustos: gorras de béisbol, turbantes, pelucas y hasta un fez. Hablaban todos a la vez y, los entendiera o no, todos alegaban inocencia.

Cuadrados me acompañó en la comparecencia ante el juez. También mi abogado, una mujer llamada Hester Crimstein. La conocía de un caso famoso aunque no recordaba cuál. Ella misma se presentó y no volvió a mirarme a la cara; se volvió hacia el joven fiscal como si se tratara de un jabalí malherido y ella fuese una pantera con un ataque agudo de hemorroides.

—Solicitamos que el señor Klein sea encarcelado incondicionalmente —dijo el fiscal—. Consideramos que existe riesgo grave de huida.

—¿Por qué? —inquirió el juez, que exudaba aburrimiento por todos sus poros.

—Tiene un hermano sospechoso de homicidio que hace once años es prófugo de la justicia, señoría. Pero además la víctima de su hermano era hermana de la víctima.

—Repita eso —dijo el juez un poco desorientado.

—Al demandado, el señor Klein, se le acusa de intentar asesinar a Katherine Miller. El hermano del señor Klein, Kenneth, es sospechoso del homicidio hace once años de Julie Miller, hermana de la víctima.

El juez dejó de pronto de frotarse la cara.

—Ah, sí, recuerdo el caso.

El joven fiscal sonrió como si le hubieran dado un premio.

El juez se volvió hacia mi abogada.

—Señora Crimstein.

—Señoría, solicitamos que se retiren de inmediato todos los cargos contra el señor Klein —dijo ella.

El juez volvió a restregarse el rostro.

—Me sorprende usted, señorita Crimstein.

—No sólo eso, sino que consideramos que el señor Klein debe ser puesto en libertad condicional. El señor Klein carece de antecedentes penales. Trabaja en esta ciudad en una entidad benéfica de ayuda a los pobres y tiene raíces en la sociedad. En cuanto a la ridícula comparación con su hermano, lo consideramos culpabilidad comparada de la peor estofa.

—¿No considera válida la preocupación de la fiscalía pública, señorita Crimstein?

—No, señoría. Tengo entendido que la hermana del señor Klein se hizo hace poco la permanente. ¿Quiere decir eso que él vaya a hacer lo mismo?

Se oyeron risas.

Al joven fiscal se le iban y se le venían los colores.

—Señoría, con el debido respeto por la absurda analogía de mi colega...

—¿Qué tiene de absurdo? —replicó Crimstein.

—Consideramos que el señor Klein dispone de medios para huir.

—Eso es ridículo. No tiene más medios que cualquier otra persona. Se hace esa afirmación basada en la creencia de que su hermano huyó, cosa que no está demostrada, porque puede estar muerto. Pero, en cualquier caso, señoría, el ayudante del fiscal prescinde de un factor crucial.

Hester Crimstein se volvió sonriente hacia el joven.

—¿Señor Thompson? —dijo el juez.

Thompson continuó cabizbajo.

Hester Crimstein aguardó un segundo antes de lanzarse.

—Porque la víctima de este delito atroz, Katherine Miller, manifestó hoy mismo que el señor Klein es inocente.

—Señor Thompson —dijo el juez con cara de pocos amigos.

—No es exactamente así, señoría.

—¿No exactamente?

—La señorita Miller afirmó que no vio al agresor porque no había luz y llevaba puesta una máscara.

—Y —Hester Crimstein terminó la frase por él— que no era mi cliente.

—Dijo que no creía que fuese el señor Klein —replicó Thompson—. Pero tenga en cuenta, señoría, que está contusionada y en estado de confusión; no vio al agresor y, por consiguiente, no puede descartarse que...

—Letrado, no estamos juzgando el caso —lo interrumpió el juez—. Queda denegada su solicitud de prisión incondicional y queda fijada la fianza en treinta mil dólares.

El juez hizo sonar el mazo y quedé en libertad.

39

Quería ir al hospital a ver a Katy. Cuadrados negó con la cabeza y me dijo que no era buena idea. Su padre estaba allí y se negaba a apartarse de su lado. Había contratado a un vigilante jurado para que montase guardia ante la puerta. Comprendí. El señor Miller no había sabido proteger a una hija. No volvería a repetir el error.

Llamé al hospital con el móvil de Cuadrados, pero la telefonista me dijo que no se autorizaban llamadas. Llamé a una floristería y le envié un ramo; me pareció simplista y absurdo, pues había estado a punto de morir estrangulada en mi apartamento y yo ahora le enviaba un ramo de flores con un osito de peluche y un globo, pero era la única manera que tenía de darle a entender que pensaba en ella.

Cuadrados había venido con su coche, un Coupe de Ville de 1968 azul Venecia que llamaba tanto la atención como nuestro amigo Raquel/Roscoe en una asamblea de las Hijas de la Revolución Americana. Cruzamos por el túnel Lincoln, donde había tráfico denso, como siempre. Dicen que el tráfico está cada vez peor, pero yo no sé qué opinar, porque de niño cuando viajábamos en el coche familiar —en los tiempos de las «rubias» con carrocería de madera— cruzábamos el túnel los domingos y recuerdo que ya entonces se avanzaba despacio en la oscuridad con aquellas ridículas luces que colgaban del techo como murciélagos, la cabina de cristal con el empleado, el hollín que manchaba los azulejos de un color orín-marfil; no dejábamos de mirar angustiados hacia delante hasta que sabíamos que faltaba poco para el final al llegar a las divisorias de goma de aspecto metálico que se erguían dándonos la bienvenida al mundo de la luz, de los rascacielos, de la otra realidad, como si hubiésemos viajado en una vagoneta. Íbamos al circo de los hermanos Ringling o al Barnum & Bailey y dábamos vueltas enloquecidos a aquellos cordeles con lucecitas, o íbamos a veces al Radio City Music Hall a ver un espectáculo que durante diez minutos nos extasiaba pero que enseguida nos aburría; la época en que hacíamos cola para sacar entradas a mitad de precio en la taquilla o mirábamos libros en la enorme librería Barnes & Noble (creo que entonces sólo había una), o entrábamos en el Museo de Historia Natural, o recorríamos alguna feria callejera, como la preferida de mi madre, la del libro en septiembre en la Quinta Avenida.

Mi padre refunfuñaba por el tráfico, la falta de sitio para aparcar y las «porquerías» de todas clases, pero a mi madre le encantaba Nueva York, el teatro, el arte, el barullo de la ciudad. Sunny se había adaptado al ambiente de coches compartidos y zapatillas de tenis de la periferia urbana, pero en Nueva York sus sueños y sus viejos anhelos le salían a flor de piel. Ni que decir tiene que ella nos quería, pero a veces, yendo sentado a su lado en la ranchera, al observar cómo miraba por la ventanilla, yo pensaba si no habría sido más feliz sin nosotros.

—Muy acertado —dijo Cuadrados.

—¿El qué?

—Que me acordase de que Sonay era una asidua de Cuadrados Yoga Corporation.

—¿Cómo fue?

—Llamé a Sonay y le expliqué el problema. Me dijo que los

dueños de QuickGo eran dos hermanos, Ian y Noah Muller, y ella misma los llamó para decirles qué queríamos —añadió encogiéndose de hombros.

—Eres increíble —comenté meneando la cabeza.

—No cabe duda.

Las oficinas de QuickGo estaban en un almacén sobre la Autopista 3 en el corazón de las marismas de Nueva Jersey. El tráfico que cruza Nueva Jersey es muy intenso, fundamentalmente porque las carreteras secundarias más transitadas discurren por las zonas más horrendas del llamado Estado Jardín. Yo soy defensor acérrimo del estado en que nací y me consta que, en su mayor parte, Nueva Jersey es espléndida, pero el fundamento de las críticas es doble: en primer lugar, las ciudades están en decadencia, ya sea Trenton, Newark o Atlantic City. Dan pena y son penosas. Por ejemplo, Newark. Yo tengo amigos de Quincy, Massachusetts, que dicen que son de Boston, y tengo amigos de Bryn Mawr que afirman que son de Filadelfia, y yo, que me he criado a menos de quince kilómetros de Newark, nunca he oído a nadie decir que era de Newark.

En segundo lugar —y me da igual lo que piensen los demás—, es innegable que las marismas del norte de Jersey huelen mal. Habrá veces que no se note tanto, pero huelen. Es desagradable. No huelen a naturaleza, sino a humo, a productos químicos y a escape de fosa séptica. Ése fue el olor que nos recibió cuando bajamos del coche frente al almacén de QuickGo.

—¿Te has tirado un pedo? —preguntó Cuadrados.

Yo lo miré.

—Eh, era por romper la tensión, hombre —añadió.

Entramos en el almacén. La fortuna de los hermanos Muller era valorable aproximadamente en cien millones de dólares por barba, pero compartían una oficinita en el centro de una nave del tamaño de un hangar con dos mesas que parecían compradas en la liquidación de alguna escuela elemental y que estaban pegadas una a otra. Las sillas eran preergonómicas de madera pintada. No había a la vista ordenadores, fax, máquinas ni fotocopiadora: sólo aquellas dos mesas, u nos archivadores metálicos altos y dos teléfonos. Las paredes eran de cristal. A los hermanos les gustaba ver los contenedores y la carga de las máquinas elevadoras. No les importaba estar a la vista.

Los dos hermanos se parecían y vestían de forma idéntica. Llevaban «pantalones marengo», como decía mi padre, guardapolvos blancos sobre camiseta de pico. La camisa estaba lo suficientemente desabrochada para dejar ver una pelambrera pectoral gris parecida a un estropajo de aluminio. Se levantaron y obsequiaron a Cuadrados con su mejor sonrisa.

—Usted debe de ser el gurú de la señorita Sonay —dijo uno de ellos—. El yogui Cuadrados.

Cuadrados contestó con una solemne inclinación de cabeza propia de un hechicero.

Los dos se acercaron a estrechar su mano. Pensé que iban a arrodillarse.

—Anoche nos trajeron las cintas —dijo solícito el más alto de los dos hermanos, a quien Cuadrados dirigió otra inclinación de cabeza.

Nos condujeron a través del suelo de cemento de la nave, en medio de pitidos de vehículos maniobrando y dando marcha atrás; se abrieron unas puertas de garaje donde cargaban unos camiones y, después de que los hermanos intercambiaran saludos con todos los trabajadores, entramos en un cuarto sin ventanas en el que había una máquina de café sobre un mostrador. Había un televisor con antena de percha y un vídeo encima de un carrito metálico que yo no había visto desde la escuela elemental a la hora de la merienda.

El hermano más alto enchufó el televisor. La pantalla se llenó de parásitos. Introdujo una cinta en el reproductor de vídeos.

—La cinta cubre doce horas —explicó—. ¿Dicen que ese hombre estuvo en la tienda hacia las tres?

—Eso nos dijeron —respondió Cuadrados.

—La he puesto a partir de las dos cuarenta y cinco. Pasa deprisa porque la cámara filma una imagen cada tres segundos. Ah, el avance rápido no funciona ni hay mando a distancia; lo siento. Pónganla en marcha con el botón de «*play*», este de aquí, cuando esté listo. Como suponemos que querrán estar a solas, los dejamos. No tengan prisa.

—Puede que nos haga falta la cinta —dijo Cuadrados.

—No hay problema. Podemos sacar copias.

—Gracias.

Uno de los hermanos volvió a estrechar la mano a Cuadrados y el otro —no exagero— le hizo una reverencia. Una vez a solas, me acerqué al vídeo y lo puse en marcha. Enseguida desaparecieron los parásitos de la pantalla y también el sonido. Giré el botón de volumen pero, claro, no había sonido.

Eran imágenes en blanco y negro. En la parte inferior de la pantalla se veía un reloj. La cámara enfocaba desde arriba hacia la caja registradora atendida por una mujer rubia de pelo largo. Aquel paso de imagen tan brusco cada tres segundos me estaba mareando.

—¿Cómo vamos a saber quién es el tal Owen Enfield? —comentó Cuadrados.

—Nos interesa fijarnos en un tipo de cuarenta años con pelo cortado a cepillo —dije.

Contemplando aquellas imágenes en sucesión, me di cuenta de que iba a ser una tarea más fácil de lo que había imaginado. Todos eran clientes mayores en atuendo de golf, y pensé si la mayor parte de los vecinos de Stonepointe serían jubilados. Tomé nota mental para preguntárselo a Yvonne Sterno.

A las 3:08.15 lo vimos. Por lo menos, la espalda. Llevaba pantalón corto y camiseta de manga corta con cuello y, aunque no se le veía la cara, tenía el pelo cortado a cepillo. Pasó junto a la caja y avanzó por un pasillo. Aguardamos. A las 3:09.24 reapareció por un lateral el presunto Owen Enfield camino de la cajera rubia, llevando en las manos lo que parecía una botella de leche y un paquete de pan de molde. Acerqué el dedo al botón de pausa para congelar la imagen y verlo mejor.

Pero no fue necesario.

La perilla resultaba chocante y el pelo cano tan corto también. De haber visto la cinta distraídamente o si él hubiera pasado a mi lado por una calle con mucha gente ni me habría percatado. Pero en ese momento no estaba distraído. Estaba concentrado. Estaba seguro; pero de todos modos pulsé «pausa» a las 3:09.51.

No cabía duda. Me quedé de una pieza y no sabía si alegrarme o echarme a llorar. Me volví hacia Cuadrados. Había apartado los ojos de la pantalla para mirarme. Asentí con la cabeza confirmando lo que él se imaginaba.

Owen Enfield era mi hermano Ken.

40

Se oyó el zumbido del intercomunicador.

—¿Señor McGuane? —dijo la recepcionista, que formaba parte del contingente de seguridad.

—Sí.

—Están aquí Joshua Ford y Raymond Cromwell.

Joshua Ford era el socio principal de Stanford, Cummings & Ford, un bufete con más de trescientos abogados, y Raymond Cromwell ejercía de pasante pagado por horas para tomar notas. McGuane los vio por el monitor. Ford era un tipo alto, de uno noventa y más de cien kilos. Tenía fama de duro, agresivo y desagradable y, en consonancia con ello, adoptaba el gesto torcido de estar mascando un puro o una pierna humana. Cromwell, por el contrario, era joven, blando, barbilampiño y muy atildado.

McGuane miró a El Espectro. Éste le brindó una sonrisa que le hizo sentir de nuevo una corriente helada. Se preguntó otra vez si habría sido acertado mezclarlo en aquello. Al final había decidido seguir adelante. El Espectro también tenía que ver en el asunto.

Además, El Espectro era un maestro en ese trabajo.

Sin apartar la mirada de aquella sonrisa que ponía carne de gallina, McGuane dijo:

—Por favor, haga pasar al señor Ford solo y que el señor Cromwell aguarde en la sala de espera.

—Sí, señor McGuane.

McGuane había recapacitado sobre el modo de hacerlo. No era partidario de la violencia por la violencia, pero tampoco la rehuía. Era un medio para lograr un fin y estaba de acuerdo con aquella monserga del ateísmo de las trincheras de El Espectro. Era cierto que somos simples animales, organismos, por así decir, apenas más complejos que el más rudimentario de los paramecios. Mueres y se acabó. Pensar que los seres humanos están por encima de la muerte y que, a diferencia de otros seres, tengan el don de trascenderla era pura megalomanía. Mientras vivimos, claro, somos únicos y dominantes por ser los más fuertes y crueles y llevar la batuta, pero creer que ante la muerte somos algo especial a los ojos de Dios, que podemos rastreramente obtener su clemencia haciéndole la pelota, es la clase de argumento que los ricos —y no se me tilde de comunista— han utilizado para mantener a raya a los pobres desde el origen de los tiempos.

El Espectro se colocó a un lado de la puerta.

Cuando las cosas toman mal cariz hay que actuar sobre la marcha. McGuane recurría a veces a métodos que otros consideraban tabú: no matar, por ejemplo, a un agente del FBI, a un fiscal o a un policía, cosa que él había hecho en los tres casos; tampoco era conveniente atacar a gente poderosa que puede causar problemas y llamar la atención. McGuane tampoco se arredraba ante eso.

Cuando Joshua Ford abrió la puerta, El Espectro tenía ya preparada la barra de hierro. Era casi tan larga como un bate de béisbol, provista de un potente muelle que permitía golpear una y otra vez con la energía de una cachiporra y con un simple golpe en la cabeza cascar el cráneo como una cáscara de huevo.

Joshua entró en el despacho con el paso decidido y arrogante de hombre rico. Sonrió a McGuane.

—Señor McGuane —dijo.

—Señor Ford —respondió McGuane sonriente.

Al advertir algo a su derecha, Ford se volvió hacia El Espectro con el habitual gesto de mano tendida, pero El Espectro no estaba para saludos. Le propinó en la espinilla un golpe preciso con la barra. Ford cayó al suelo desmadejado lanzando un grito. El Espectro volvió a golpearlo en el hombro derecho. Ford sintió que su brazo no le respondía. El Espectro lo golpeó de nuevo en la caja torácica y se oyó un crujido de costillas al tiempo que el letrado intentaba hacerse un ovillo.

—¿Dónde está? —preguntó desde la mesa McGuane.

—¿Quién? —replicó Ford con un gruñido tragando saliva.

Grave error porque El Espectro descargó sobre su tobillo otro golpe que le hizo lanzar un alarido. McGuane miró a sus espaldas el monitor de seguridad y vio que Cromwell seguía cómodamente sentado en la sala de espera. No oiría nada. Ni él ni nadie.

El Espectro golpeó otra vez al abogado en el tobillo, en el mismo sitio, con el resultado de un crujido semejante al de una botella de cerveza aplastada por un coche, y Ford alzó la mano pidiendo clemencia.

La experiencia de los años le había enseñado a McGuane que es mejor golpear antes de preguntar. La mayoría de la gente, ante la amenaza de sufrir daño, trata de evitarlo habla que te habla, y más quienes tienen facilidad de hacerlo. Buscan evasivas y largan medias verdades, mentiras creíbles, convencidos de que según esa lógica el enemigo cederá un tanto. Se valen de la palabra para reducir la tensión.

Hay que privarlos de esa ilusión.

El dolor y el miedo que la agresión física causa resultan devastadores para la psique. Anulan el razonamiento cognitivo

—la inteligencia del hombre evolucionado, si se prefiere— y sólo queda el Neandertal, el individuo primitivo cuyo único deseo es evitar el dolor.

El Espectro miró a McGuane y éste asintió con la cabeza. El Espectro se hizo a un lado para permitirle acercarse.

—Se detuvo en Las Vegas —dijo McGuane—. Cometió un gran error. Allí fue a ver a un médico. Hemos comprobado las llamadas interestatales desde teléfonos públicos de las inmediaciones una hora antes y después de su visita. Sólo hay una interesante: la que le hizo a usted, señor Ford. Lo llamó a usted. Y para mayor seguridad puse vigilancia a su despacho y sé que ayer fueron a verlo los federales. Todo coincide. Ken necesitaba un abogado y tenía que ser alguien duro e independiente, no relacionado en absoluto conmigo: usted.

—Pero... —balbució Joshua Ford.

McGuane lo interrumpió alzando una mano. Ford obedeció y guardó silencio. McGuane retrocedió un paso, miró a El Espectro y dijo:

—John.

El Espectro avanzó y sin previo aviso golpeó a Ford en el antebrazo por debajo del codo, descoyuntándoselo. Ford se puso lívido.

—Si niega o finge que no sabe de qué estoy hablando —dijo McGuane—, mi amigo se dejará de caricias y comenzará a hacerle daño. ¿Comprende?

Ford tardó unos segundos en alzar la vista pero, cuando lo hizo, a McGuane le sorprendió la firmeza que vio en sus ojos. Ford los miró sucesivamente a los dos.

—Váyanse a la mierda —exclamó.

El Espectro miró a McGuane, quien, enarcando una ceja, sonrió y dijo:

—Qué valiente. John... —añadió.

Pero El Espectro no lo atendió. Le cruzó la cara a Ford con

la barra. Se oyó un crujido seco como si la cabeza se hubiera desplazado lateralmente y el suelo se salpicó de sangre al tiempo que el abogado se desplomaba inmóvil. El Espectro descargó otro golpe en la rodilla.

—¿Sigue consciente? —preguntó McGuane.

El Espectro hizo una pausa y se agachó.

—Consciente —dijo—, pero respira con dificultad. Otro golpe y buenas noches, señor Ford —añadió levantándose.

McGuane reflexionó.

—¿Señor Ford? —dijo.

Esta vez, el abogado meneó la cabeza.

—¿Dónde está? —insistió McGuane.

Ford negó con la cabeza.

McGuane se acercó al monitor. Lo hizo pivotar para que el letrado viera la pantalla. Cromwell estaba sentado con las piernas cruzadas tomando café.

—Lleva unos bonitos zapatos —comentó El Espectro—. ¿Son Allen-Edmonds?

Ford trató de incorporarse apoyándose en las manos para sentarse, pero se desplomó hacia atrás sin fuerzas.

—¿Qué edad tiene? —preguntó McGuane.

Ford guardó silencio.

—Le ha preguntado... —dijo El Espectro esgrimiendo la barra.

—Veintinueve.

—¿Está casado?

Ford asintió con la cabeza.

—¿Tiene hijos?

—Dos niños.

McGuane siguió mirando la pantalla.

—Es verdad, John, lleva unos zapatos muy bonitos. Dígame dónde está Ken —añadió volviéndose hacia el abogado— o morirá.

El Espectro dejó despacio la barra en el suelo. Sacó del bolsillo un lazo de estrangulación Thuggee con mango de caoba de veinte centímetros de largo y cinco de diámetro. Tenía una forma octogonal con surcos profundos para facilitar el agarre. En un extremo continuaba una cuerda de crin de caballo trenzada.

—Él no tiene nada que ver con esto —dijo Ford.

—Escúcheme bien porque no se lo voy a repetir —replicó McGuane.

Ford aguardó.

—Nosotros no nos echamos faroles —añadió McGuane.

El Espectro sonrió y McGuane aguardó un segundo mirando a Ford antes de pulsar el botón de recepción.

—Diga, señor McGuane —contestó la recepcionista.

—Que pase el señor Cromwell.

—Sí, señor.

Vieron los dos en la pantalla cómo un fornido vigilante de seguridad se acercaba a la puerta y hacía señal a Cromwell para que entrase. El joven dejó el café, se levantó, se alisó la chaqueta y siguió al vigilante. Ford se volvió hacia McGuane y ambos se miraron fijamente a los ojos.

—Es usted un idiota —dijo McGuane.

El Espectro se preparó agarrando con fuerza el mango.

El vigilante abrió la puerta y Raymond Cromwell entró en el despacho con una sonrisa en los labios. Al ver la sangre y a su jefe hecho un ovillo en el suelo se quedó boquiabierto.

—¿Qué demonios...?

El Espectro avanzó un paso a espaldas de Cromwell y le dio un puntapié en las corvas. Cromwell cayó de rodillas lanzando un grito. El Espectro se movía con soltura, sin esfuerzo, con gracia, como en un ballet grotesco.

Pasó la cuerda por la cabeza del joven y, una vez bien ceñido el cuello, tiró violentamente hacia atrás con la rodilla apoyada en la espalda de su víctima. La cuerda se tensó sobre la piel del joven y El Espectro dio hábilmente vueltas al mango para interrumpir el riego sanguíneo del cerebro. Cromwell, con los ojos desorbitados, manoteó intentando asir la cuerda. El Espectro no cedió.

—¡Pare! —gritó Ford—. ¡Hablaré!

Era inútil. El Espectro miraba el rostro de su víctima, que se amorataba horriblemente por momentos.

—He dicho... —balbució Ford volviéndose hacia McGuane, pero éste lo miró tranquilamente con los brazos cruzados.

Los dos hombres se sostuvieron la mirada mientras el espantoso borboteo apagado de Cromwell resonaba en el silencio del despacho.

—Por favor —musitó Ford.

McGuane negó con la cabeza y repitió:

—Nosotros no nos echamos faroles.

El Espectro dio una vuelta más al mango sin soltarlo.

41

Tenía que contarle a mi padre lo de la cinta de seguridad. Cuadrados me dejó en una parada de autobús cerca de Meadowlands. No tenía ni idea de qué hacer después de lo que acababa de ver. Durante el trayecto por la autopista de Nueva Jersey, ante el espectáculo de aquellas naves industriales ruinosas, puse mi cerebro en punto muerto. Era la única manera de seguir adelante.

Ahora ya sabía que Ken estaba vivo.

Acababa de ver la prueba. Había estado viviendo en Nuevo México con el nombre de Owen Enfield. En cierto modo me sentía eufórico. Había una posibilidad de redención, una posibilidad de volver a estar con mi hermano, la posibilidad de que —ni me atrevía a pensarlo— todo se arreglara.

Pero en ese momento pensé en Sheila.

Habían encontrado sus huellas en la casa de mi hermano, donde habían aparecido dos cadáveres. ¿Qué pintaba Sheila en aquello? No podía imaginarlo, o quizás es que me negaba a aceptar la evidencia. Me había engañado —en los momentos de lucidez, la única explicación que veía era la del engaño, fuera el que fuese— y si lo pensaba detenidamente, si realmente me abandonaba al recuerdo de pequeñas cosas, como su modo de sentarse sobre las piernas en el sofá mientras charlábamos, de echarse el pelo hacia atrás como si estuviera bajo una cascada, el olor que desprendía cuando salía de la ducha en albornoz, su costumbre de ponerse en las noches de otoño mis sudaderas, que le venían tan grandes, aquella manera de tararear en mi oído cuando bailábamos, o de mirarme desde el otro extremo del cuarto de una forma que me cortaba la respiración, y reconocía que todo había sido una farsa deliberada...

Punto muerto.

Opté por centrarme en una única idea: llegar al final del asunto. Mi hermano y mi amante me habían dejado por las buenas, sin explicaciones y sin decir adiós. Era evidente que no podría superarlo hasta averiguar la verdad. Cuadrados me había prevenido desde el principio de que era muy posible que no me gustara lo que descubriese; pero quizás, en definitiva, esto era necesario. Quizás había llegado la hora de volverse valiente. Tal vez había llegado la hora de que yo ayudara a Ken, a diferencia de como había sido siempre.

Por lo tanto, tenía que centrarme en eso: Ken estaba vivo. Era inocente —si hasta ahora había subconscientemente abrigado dudas, Pistillo las había disipado—. Ahora podría volver a ver a Ken y estar con él y —no estaba seguro— resarcirme del pasado y hacer que mi madre descansara en paz, o algo por el estilo.

Aquel último día de duelo oficial, mi padre no estaba en casa. Tía Selma se encontraba en la cocina. Me dijo que había salido a pasear; advertí que se había puesto un delantal y me pregunté de dónde lo habría sacado porque nosotros no teníamos; estaba seguro. ¿Lo habría traído ella? Selma era la clase de mujer que parece ir siempre en delantal aunque no lo tenga puesto. No sé si me explico. Me quedé a observar cómo limpiaba el fregadero; Selma, la apacible hermana de Sunny, trabajaba con calma. Yo nunca la había valorado, y creo que a casi todos les sucedía lo mismo: Selma estaba allí y punto; era una de esas personas que llevaban una vida discreta como si temiera llamar la atención del destino. Ella y mi tío Murray no tenían hijos; no sabía por qué, aunque en cierta ocasión sorprendí a mis padres hablando sobre un aborto. Era la primera vez que la contemplaba conscientemente pensando en ella como en un ser humano que se esfuerza a diario por hacer bien las cosas.

—Gracias —dije.

Selma asintió con la cabeza.

Quise decirle que la quería y que apreciaba lo que hacía y que deseaba —sobre todo ahora que había muerto mi madre— que nos tratásemos más; que a mi madre le habría gustado... Pero no pude. Me contenté con darle un abrazo. Ella, de entrada, lo aceptó un poco tensa, sorprendida por mi extemporánea muestra de afecto, pero luego se relajó.

—Todo irá bien —dijo.

Yo conocía el itinerario de paseo de mi padre. Crucé Coddington Terrace, evitando pasar por delante de la casa de los Miller. Sabía que mi padre también lo hacía. Había cambiado de ruta años atrás. Continué por detrás de la casa de los Jarat y de los Arnay para coger el camino que conduce por Meadowbrook a los terrenos de béisbol de Little League. No había nadie jugando porque era el fin de temporada. Mi padre estaba sentado en la última fila de las gradas. Recordé cuánto le gustaba hacer de entrenador ataviado con aquella camiseta blanca tres cuartos con mangas verdes y la palabra *Senador* en el pecho, y su gorra verde con una S, echada hacia atrás. Le encantaba quedarse en el banquillo, agarrado despreocupadamente a la marquesina polvorienta, con las axilas sudadas. Colocaba el pie derecho en el reborde de la pista de ceniza y el izquierdo en el cemento, quitándose con soltura la gorra para enjugarse al mismo tiempo la frente con el antebrazo y volvérsela a poner. Se le veía radiante aquellas tardes de final de primavera, sobre todo cuando jugaba Ken. Compartía el puesto de entrenador con el señor Bertillo y el señor Horowitz, sus dos mejores amigos, con quienes se juntaba para beber cerveza, los dos muertos de un ataque cardíaco antes de cumplir los sesenta. Ahora, sentado a su lado, sé perfectamente que es como si estuviera oyendo los aplausos y las bromas, captando el olor que desprenden las pistas del querido terreno de juego de Little League.

Me miró y me sonrió.

—¿Recuerdas cómo arbitraba tu madre?

—Sí, algo. ¿Qué edad tenía yo, cuatro años?

—Sí, más o menos —respondió meneando la cabeza y sonriente al recordarlo—. Tu madre estaba por entonces en pleno auge de su fase de liberación femenina y usaba aquellas camisetas con la leyenda de UN LUGAR PARA LA MUJER EN EL PARLAMENTO Y EN EL SENADO y cosas por el estilo. Ten en cuenta que te hablo de años antes de que autorizaran a las chicas a jugar en la Little League. Bueno, la cuestión es que tu madre se enteró de que no había árbitros femeninos, pero consultó el reglamento y vio que no estaba prohibido.

—¿Y se inscribió?

—Sí.

—¿Y qué?

—Bueno, a los más viejos casi les da un ataque, pero el reglamento es el reglamento y no pudieron impedir que arbitrase, aunque hubo un par de problemas.

—¿Como por ejemplo?

—Pues que era la peor árbitro del mundo —respondió mi padre con otra sonrisa, una sonrisa ya rara en él, una sonrisa tan del pasado que sentí una punzada—. Ella ignoraba casi totalmente el reglamento del juego y tú sabes que no veía bien. Recuerdo que en su primer partido alzó el pulgar gritando: «¡Salvado!», y siempre que pitaba una falta hacía unos movimientos... Como una coreografía de Bob Fosse.

Contuvimos la risa como si estuviésemos viéndola en plena

acción haciendo aquellos gestos, avergonzados y fascinados a la vez.

—¿Y los entrenadores no se cabreaban?

—Claro, pero ¿sabes qué hicieron los del equipo?

Negué con la cabeza.

—La pusieron con Harvey Newhouse. ¿Te acuerdas de él?

—Su hijo fue compañero de clase. Era jugador profesional, ¿verdad?

—Sí, blocador de ofensiva en el equipo de los Rams. Harvey pesaría sus ciento cincuenta kilos. Bien, con él detrás y tu madre en el terreno de juego, cuando algún entrenador se desmandaba, bastaba con una mirada de Harvey para que el tipo volviera a sentarse en el banquillo.

Volvimos a contener la risa y después permanecimos en silencio pensando entristecidos cómo un carácter tan animoso se había marchitado ya mucho antes de aparecer la enfermedad. Al cabo de un rato, mi padre se volvió a mirarme y abrió desmesuradamente los ojos al advertir las contusiones.

—Pero ¿qué demonios te ha sucedido?

—No es nada —respondí.

—¿Te has peleado?

—No, no es nada. Tengo que decirte una cosa.

Estaba muy tranquilo y no sabía cómo enfocaba la situación, pero fue él quien tomó la iniciativa.

—Anda, enséñamela —dijo.

Lo miré sorprendido.

—Esta mañana llamó tu hermana y me ha contado lo de la fotografía.

Aún la llevaba en el bolsillo. La saqué, él la cogió y la dejó en la palma de la mano como si temiera arrugarla; bajó la vista y dijo:

—Dios mío.

Vi que se le humedecían los ojos.

—¿Tú no lo sabías? —pregunté.

—No —respondió mirando otra vez la foto—. Tu madre nunca me dijo nada hasta... Bueno, ya sabes.

Vi que una sombra cruzaba su rostro: su mujer, su compañera le había ocultado aquello y se sentía dolido.

—Hay otra cosa —dije.

Se volvió hacia mí.

—Ken ha estado viviendo en Nuevo México.

Le expliqué a grandes rasgos lo que sabía y él escuchó atento y tranquilo como el marinero que aguanta sin mareo el temporal.

—¿Cuánto tiempo ha estado viviendo allí? —preguntó cuando terminé mi relato.

—Unos meses. ¿Por qué?

—Tu madre dijo que volvería. Dijo que volvería cuando demostrase su inocencia.

Seguimos sentados sin hablar. Dejé volar mi imaginación reconstruyendo a mi modo los hechos, más o menos así: once años antes a Ken le hacen caer en una trampa, huye y vive fuera del país, escondido, en la clandestinidad, como dijeron en los noticiarios. Los años pasan. Vuelve a casa.

¿Por qué?

¿Era, como decía mi madre, para demostrar su inocencia? Sí, era lógico, pensé, pero ¿por qué ahora? No acababa de entenderlo, pero el hecho es que había regresado y lo estaba pagando. Alguien lo había descubierto.

¿Quién?

La respuesta era obvia: el asesino de Julie. Esa persona, hombre o mujer, quería silenciar a Ken. ¿Y qué más? No lo sabía; quedaban cabos sueltos.

—Papá.

—Dime.

—¿Tú sospechabas que Ken estuviera vivo?

Tardó en contestar.

—Resultaba más fácil pensar que había muerto.

—No me has contestado.

Su mirada era otra vez vaga.

—Ken te quería mucho, Will.

Dejé que la frase flotara en el aire.

—Pero no era del todo bueno —añadió.

—Eso lo sé —dije.

Dejó que lo asimilara.

—Cuando asesinaron a Julie —añadió—, Ken estaba metido en líos.

—¿Qué quieres decir?

—Volvió a casa huyendo de algo.

—¿De qué?

—No lo sé.

Reflexioné al respecto y recordé que había estado unos dos años fuera de casa y que parecía muy nervioso, incluso el día en que me preguntó por Julie. A mí todo aquello me pareció entonces muy raro.

—¿Te acuerdas de Phil McGuane? —preguntó mi padre.

Asentí con la cabeza. Era el antiguo amigo de Ken en el instituto, el «primero de la clase», de quien ahora se decía que estaba «relacionado».

—He oído que se trasladó a la antigua finca de los Bonanno.

—Sí.

Cuando yo era niño, los mafiosos de entonces ocupaban la finca más importante de Livingston, una propiedad con una inmensa verja de hierro, con la puerta de entrada flanqueada por dos leones de piedra. Corría el rumor —algo habitual en las comunidades de zonas residenciales, donde hay rumores de todo tipo— de que en ella había cadáveres enterrados; se decía que la verja estaba electrificada y que, si alguien intentaba llegar a la casa por el bosque de atrás, tiraban a matar. Dudo mucho que aquellas historias fuesen ciertas, pero la policía acabó deteniendo a Bonanno a la edad de noventa y un años.

—¿Qué pasa con él? —pregunté.

—Ken tenía algo que ver con McGuane.

—¿En qué sentido?

—Es todo cuanto sé.

Pensé en El Espectro.

—¿Tenía algo que ver también con John Asselta?

Mi padre se puso tenso y advertí temor en su mirada.

—¿Por qué me lo preguntas?

—Porque los tres eran amigos en el instituto —comencé a responder, y de pronto decidí decírselo—. Lo he visto hace poco.

—¿A Asselta?

—Sí.

—¿Ha vuelto? —preguntó con voz queda.

Asentí con la cabeza.

Mi padre cerró los ojos.

—¿Qué sucede?

—Asselta es peligroso —respondió.

—Lo sé.

—¿Te ha hecho eso él? —preguntó señalando mi cara.

«Vaya pregunta», pensé.

—En parte, cuando menos —contesté.

—¿En parte?

—Es largo de contar, papá.

Cerró los ojos de nuevo y, cuando los abrió, apoyó sus manos en los muslos y se levantó.

—Vamos a casa —dijo.

Quería preguntarle más cosas, pero vi que no era el momento. Lo seguí. Le costaba trabajo descender las inseguras gradas. Le ofrecí mi mano, pero él rehusó. Cuando llegamos a la grava delante de casa giramos para entrar por el camino y allí, sonriendo tranquilo con las manos en los bolsillos, nos esperaba El Espectro.

Por un instante pensé que era cosa de mi imaginación, como si por haber hablado de él hubiésemos hecho comparecer un fantasma. Pero oí el suspiro de sorpresa de mi padre y acto seguido aquella voz del Espectro:

—Vaya, ¡qué enternecedor!

Mi padre se puso delante de mí escudándome.

—¿Qué quieres? —exclamó.

El Espectro se echó a reír.

—Caramba, a mí cuando me iban mal las cosas me obsequiaban con unos caramelos para que me sintiera mejor.

Nos quedamos paralizados y El Espectro alzó la vista al cielo, cerró los ojos y respiró hondo.

—Ah, Little League —comentó bajando la mirada hacia mi padre—. ¿Recuerda el día en que mi padre acudió al partido, señor Klein?

Mi padre apretó los dientes.

—Fue un momento inefable, Will. Un clásico. Mi querido viejo estaba tan borracho que se puso a mear en un rincón de la cafetería. ¿Te imaginas? Pensé que a la señora Tansmore le daba un ataque —añadió riéndose con unas carcajadas que se me clavaron en el alma. Cuando cesaron, añadió—: Buenos tiempos, ¿verdad?

—¿Qué es lo que quieres? —insistió mi padre.

Pero El Espectro tenía su propio guión y no pensaba salirse de él.

—Dígame, señor Klein, ¿recuerda cuando era entrenador de la selección en las finales del estado?

—Sí —respondió mi padre.

—Ken y yo estábamos en..., ¿cuarto grado era?

Mi padre no contestó.

—Espere... —prosiguió El Espectro con cara seria—. Ah,

casi se me olvida que aquel curso lo perdí, ¿no es cierto? Y el siguiente también. Por la cárcel, claro.

—Tú no fuiste a la cárcel —dijo mi padre.

—Cierto, cierto, tiene toda la razón, señor Klein. Estuve... —fingió marcar la palabra entre comillas con un gesto de los dedos— hospitalizado. ¿Sabes lo que eso significa, Willie, muchacho? En- cierran a un niño con los peores chiflados del mundo para que se corrija. Mi primer compañero de habitación se llamaba Timmy y era pirómano; a la tierna edad de trece años, Timmy quemó a sus padres vivos; una noche robó una cajetilla de cerillas a un celador borracho y prendió fuego a mi cama: estuve en la enfermería tres semanas y poco me faltó para prenderme fuego yo mismo para no tener que volver.

Pasó un coche por Meadowbrook Road y vi a un niño pequeño en la parte trasera, en un asiento de seguridad adaptable. Ni la menor ráfaga de viento movía las ramas de los árboles.

—De eso hace mucho tiempo —dijo mi padre.

El Espectro entornó los ojos como si prestase profunda atención a lo que había dicho mi padre, y finalmente asintió con la cabeza.

—Sí, sí, hace tiempo. En eso tiene también razón, señor Klein. Y además yo no gozaba precisamente de una excelente vida hogareña. Cierto. ¿Qué perspectivas tenía yo? Así se puede decir que lo que me sucedió fue una bendición: me obsequiaron con terapia a cambio de no vivir con un padre que me pegaba.

En aquel momento comprendí que se refería al asesinato de Daniel Skinner, aquel abusón que murió apuñalado. Pero lo que me llamó la atención en aquel momento fue cuánto se parecía aquella historia a la de las vidas de los jóvenes que recogíamos en Covenant House: malos tratos en casa, criminalidad precoz y algún tipo de psicosis. Traté de ver a El Espectro desde esa perspectiva, como si fuera uno más de nuestros acogidos. Pero el retrato no cuadraba, porque él ya no era un muchacho. Ignoro cuándo rebasan el límite y a qué edad dejan de ser unos críos que necesitan ayuda para convertirse en degenerados a quienes hay que encarcelar; o incluso si eso era justo.

—Eh, Willie, muchacho.

El Espectro intentó cruzar su mirada con la mía pero mi padre se interpuso para impedirlo. Yo le puse una mano en el hombro dándole a entender que no hacía falta que me protegiera.

—¿Qué? —dije.

—Tú sabes que me... —repitió aquel gesto con los dedos— hospitalizaron una segunda vez, ¿verdad?

—Sí —contesté.

—Yo estaba en el grado doce y tú en el diez.

—Lo recuerdo.

—Pues durante todo el tiempo que estuve allí sólo una persona vino a verme. ¿Sabes quién?

Asentí con la cabeza. Había sido Julie.

—Parece irónico, ¿no crees?

—¿La mataste tú? —pregunté.

—No se nos puede culpar a los dos.

Mi padre volvió a interponerse.

—Basta ya —dijo.

—¿A quién te refieres? —inquirí yo apartándolo.

—A ti, Willie, muchacho. A ti me refiero.

—¿Qué dices? —repliqué sorprendido.

—Basta ya —repitió mi padre.

—Tú tenías que haberla defendido —prosiguió El Espectro—. Tu deber era protegerla.

Las palabras proferidas por aquel loco se me clavaron en el pecho como un carámbano.

—¿A qué has venido? —inquirió mi padre.

—¿Quiere que le diga la verdad, señor Klein? No lo sé muy bien.

—Deja a los míos en paz. Si quieres a alguien, aquí me tienes.

—No, señor. No he venido a por usted —replicó él mirando a mi padre, y yo sentí como un calambre en las entrañas—.
Creo que prefiero que siga vivo.

El Espectro se despidió con un gesto de la mano y echó a
andar hacia la arboleda. Lo vimos internarse en la espesura y
desvanecerse, como su apodo, hasta desaparecer. Permanecimos
aún fuera un par de minutos y oí que mi padre respiraba angus-
tiosamente como si acabara de salir al aire libre de las profun-
didades de la tierra.

—Papá.

— Entremos en casa, Will —dijo cuando ya había echado
a andar.

42

Mi padre no quiso hablar.

Nada más entrar en casa se encerró arriba en su cuarto, aquel dormitorio que había compartido con mi madre durante casi cuarenta años. Se agolpaban demasiadas cosas en mi cerebro. Intenté ordenarlas, pero era inútil. Mi cerebro se bloqueaba. Y aún no sabía lo suficiente. Aún no. Necesitaba saber.

Sheila.

Había otra persona que quizá pudiera arrojar algo de luz sobre el enigma de quien había sido el amor de mi vida. Alegué una disculpa, me despedí de mi padre y volví a Nueva York. Tomé el metro del Bronx. Ya anochecía y no era un barrio recomendable, pero por una vez en mi vida estaba más allá del miedo.

Antes de que llamara se entreabrió la puerta con la cadena puesta. Tanya dijo:

—Está durmiendo.

—Es con usted con quien quiero hablar —repliqué.

—Yo no tengo nada que decir.

—La vi a usted en el funeral.

—Váyase.

—Por favor. Es importante —dije.

Tanya suspiró y quitó la cadena.

Entré y vi la tenue lamparita del rincón. Recorrí el deprimente cuarto con la vista y pensé que Tanya era quizá tan prisionera como Louis Castman. La miré de frente y ella retrocedió como escaldada.

—¿Hasta cuándo piensa tenerlo aquí? —pregunté.

—No tengo planes —respondió.

No me invitó a sentarme y permanecimos de pie uno frente al otro. Cruzó los brazos y aguardó.

—¿Por qué acudió al funeral? —pregunté.

—Quería presentarle mis últimos respetos.

—¿Conocía a Sheila?

—Sí.

—¿Eran amigas?

Quizá sonriera pero, por la horrorosa mutilación de su rostro con aquellas cicatrices, no podría asegurarlo.

—No teníamos amistad.

—Entonces, ¿por qué acudió?

Tanya ladeó la cabeza.

—¿Quiere oír una cosa extraña?

No sabía qué contestar y simplemente asentí con la cabeza.

—Era la primera vez que salía del piso en año y medio.

Tampoco sabía qué responder pero dije:

—Me alegro.

Tanya me miró escéptica. En el cuarto no se oía más que su respiración, y me pregunté cuál sería exactamente su afección física y si era consecuencia de la brutal mutilación, pero el caso es que respiraba como si su garganta fuese una pajita de zumo obstruida.

—Por favor, dígame por qué asistió —añadí.

—Ya se lo he dicho; para presentarle mis respetos. —Hizo una pausa—. Pensé que podría ayudar.

—¿Ayudar?

Miró a la puerta del cuarto del paralítico y yo seguí su mirada.

—Él me ha contado a qué vino usted y pensé que a lo mejor podía explicarle algunas cosas.

—¿Qué es lo que él le contó?

—Que usted estaba enamorado de Sheila —dijo Tanya arrimándose a la lámpara. Era realmente difícil apartar los ojos de su rostro. Finalmente, se sentó y me hizo una señal invitándome a que hiciera lo mismo—. ¿Es cierto?

—Sí.

—¿La mató usted? —inquirió.

La pregunta me sorprendió.

—No.

No pareció creérselo.

—No lo entiendo —añadí—. ¿Dice que vino para ayudar?

—Sí.

—¿Y por qué se marchó?

—¿No se lo imaginó?

Negué con la cabeza.

Se sentó —o más bien se derrumbó— en la silla con las manos en el regazo y comenzó a balancearse desde delante hacia atrás.

—¿Tanya?

—Fue al oír su apellido —dijo.

—¿Cómo dice?

—Me pregunta por qué me marché, ¿no? —añadió deteniendo el balanceo—. Fue porque oí su apellido.

—No lo entiendo.

—Louis —dijo mirando otra vez a la puerta— no sabía quién era usted, y yo tampoco hasta que oí su nombre en el funeral cuando Cuadrados hizo el elogio fúnebre. Usted es Will Klein.

—Sí.

—Y —añadió con voz tan queda que tuve que inclinarme para oír bien— es el hermano de Ken.

—¿Usted conocía a mi hermano?

—Hace mucho tiempo que nos conocimos.

—¿Cómo?

—A través de Sheila —respondió enderezándose en el asiento y mirándome. Resultaba extraño; dicen que los ojos son el espejo del alma, pero es absurdo. Los ojos de Tanya eran normales, sin mácula o defecto, ni vestigio alguno de su pasado o de sus tormentos—. Louis le habló a usted de un antiguo gángster que conoció Sheila.

—Sí.

—Se refería a su hermano.

Negué con la cabeza y quise protestar, pero me contuve al ver que se disponía a decir algo más.

—Sheila nunca se adaptó a este tipo de vida. Ella era muy ambiciosa. Conoció a Ken, congeniaron y él la ayudó a matricularse en una buena universidad en Connecticut, aunque más para que vendiera drogas que para otra cosa. En las calles tienen que matarse por un tramo de acera, pero en una buena universidad de ricos, si sabes moverte y lo diriges bien, se puede sacar una buena pasta.

—¿Y dice que mi hermano montó todo eso?

—¿Es que de verdad pretende decirme que no lo sabía? —replicó volviendo a balancearse.

—No.

—Yo pensé...

—¿Qué?

—No sé lo que pensé —añadió negando con la cabeza.

—Por favor —dije.

—Es raro. Primero, Sheila está con su hermano y, ahora, reaparece con usted, y usted pretende no saber nada.

De nuevo, no sabía qué decir.

—Bien, ¿y qué fue de Sheila?

—Usted lo sabrá mejor que yo.

—No, me refiero a la época en que estudió en la universidad.

—Yo no volví a verla desde que dejó la calle. Sólo me llamó un par de veces al principio. Pero Ken a mí no me gustaba; usted y Cuadrados vi que eran buena gente y pensé que ella había encontrado algo bueno. Pero al oír su apellido... —añadió encogiéndose de hombros.

—¿El nombre de Carly le suena de algo? —pregunté.

—No. ¿Por qué?

—¿Sabía que Sheila tenía una hija?

—Dios mío —comentó con voz condolida reanudando el balanceo.

—¿Lo sabía?

—No —respondió negando firmemente con la cabeza.

—¿Conoce a Philip McGuane? —añadí a continuación.

—No.

—¿Y a John Asselta o Julie Miller?

—No —respondió sin vacilar—. No los conozco —agregó levantándose y dándome la espalda—. Esperaba que hubiera escapado —espetó.

—Lo hizo —dije—. Durante un tiempo.

Vi que se le hundían los hombros y que parecía respirar con más dificultad.

—No merecía ese fin —añadió.

Tanya se dirigió a la puerta. No la seguí. Miré otra vez hacia el cuarto de Castman, sin poder evitar de nuevo el pensamiento de que eran dos presos. Tanya se detuvo y noté que clavaba la mirada en mí. Me volví hacia ella.

—Hoy en día hay métodos quirúrgicos —dije—; Cuadrados conoce a gente y podemos ayudarla.

—No, gracias.

—No puede vivir siempre en su venganza.

—¿Cree que se trata de eso? —replicó forzando una especie de sonrisa—. ¿Cree que lo tengo aquí por esto? —añadió señalando su rostro.

Me quedé confuso una vez más.

Negó rotundamente con la cabeza.

—¿Le contó Louis cómo reclutó a Sheila?

Asentí con la cabeza.

—Él se atribuye todo el mérito y recalca su estilo y su labia, pero casi todas las chicas, incluso las que llegan por primera vez en autobús, tienen miedo de irse solas con un tío. La diferencia en su caso era que tenía una pareja. Una mujer. Para ayudar a cerrar la venta. Para que las chicas se sintieran seguras.

Aguardó. Su mirada era insolente. Dentro de mí brotó un temblor que iba en aumento. Tanya se acercó a la puerta. Abrió. Y yo salí para no volver nunca.

43

Había dos mensajes telefónicos en el contestador. El primero, de la madre de Sheila, Edna Rogers. Su tono era seco e impersonal, decía que el funeral se celebraría dos días más tarde en una iglesia de Mason, Idaho, indicándome los horarios y cómo llegar desde Boise. Lo guardé.

El segundo era de Yvonne Sterno. Me decía que llamase urgentemente. Eso me inquietó. Pensé que quizás había descubierto la identidad de Owen Enfield, en cuyo caso ¿era algo positivo o negativo?

Yvonne contestó al primer timbrazo.

—¿Qué sucede? —pregunté.

—Will, he averiguado algo importante.

—La escucho.

—Tendríamos que habernos dado cuenta antes.

—¿De qué?

—Até cabos. Un individuo con nombre falso, el enorme interés del FBI y tanto misterio en una urbanización tranquila. ¿Me sigue?

—No, la verdad.

—La clave era Cripco —prosiguió—. Bien, es una empresa tapadera, así que indagué en diversas fuentes. La verdad es que no hacen mucho esfuerzo por ocultarse. La cobertura no es tan densa. El caso es que ellos lo plantean de manera que, si alguien descubre al tipo, saben o no saben. No van a llegar muy lejos en las averiguaciones.

—Yvonne...

—¿Qué?

—No tengo ni idea de qué me habla.

—De Cripco, la empresa que alquiló la casa y el coche y que me ha llevado en la indagación hasta el Ministerio de Justicia.

De nuevo sentí que me daba un vuelco el corazón y, tras una pausa, un débil rayo de esperanza se abrió paso en las tinieblas.

—Un momento —dije—. ¿Quiere decir que Owen Enfield es un agente secreto?

—No, no creo. ¿Qué iba a estar investigando en Stonepointe? ¿Alguien que hiciera trampas a la canasta?

—¿Qué es, entonces?

—Quien controla el programa de testigos protegidos es el departamento de Justicia, no el FBI.

No salía de mi sorpresa.

—¿Quiere decir que Owen Enfield...?

—El Gobierno lo tenía aquí escondido con una identidad falsa, y la clave, como le digo, es que no tenía una cobertura muy buena, pero mucha gente no lo sabe. Qué demonios, muchas veces hacen chapuzas. Mi fuente de información del periódico me contó el caso de ese narcotraficante negro de Baltimore a quien ocultaron en una zona residencial de blancos de las afueras de Chicago. Fue un desastre. Éste no es el mismo caso pero pongamos que, si alguien busca a fulano de tal, lo reconocerá o no. Ellos no se molestan en indagar en su pasado para asegurarse. ¿Me entiende?

—Creo que sí.

—Así que yo creo que lo que sucedió es que el tal Owen Enfield los estorbaba, como sucede con casi todos los testigos protegidos; luego, si efectivamente es un testigo protegido y por lo que sea mató a esos dos tipos y ha huido, el FBI no quiere que se descubra el pastel. ¿Se da cuenta de lo embarazoso que resulta que el Gobierno haya hecho un trato con alguien que comete un doble crimen? La mala prensa y todo eso, ¿entiende lo que quiere decir?

No contesté.

—¿Will?

—Sí.

Hizo una pausa.

—¿No irá a dejarme colgada, eh?

Pensé en la posibilidad.

—Vamos, recuerde el trato: toma y daca.

No sé lo que le habría dicho; si habría llegado a decirle que mi hermano y Owen Enfield eran una misma persona, considerando que era mejor desvelarlo que seguir ocultándolo, pero tomando la decisión por mí. Oí un *clic* y se cortó la conexión.

Llamaron con fuerza a la puerta.

—Agentes del FBI. Abra.

Reconocí la voz de Claudia Fisher. Agarré el picaporte, lo hice girar y casi me tira al suelo al irrumpir con una pistola en la mano ordenándome que pusiera las manos en alto. La acompañaba Darryl Wilcox, y los dos estaban pálidos y con cara de cansancio, de miedo incluso.

—¿Qué diablos es esto? —exclamé.

—¡Manos arriba!

Lo hice y ella sacó unas esposas, pero pareció cambiar de idea y se detuvo.

—¿Nos acompaña por las buenas? —preguntó con voz tranquila.

Asentí con la cabeza.

—Entonces vamos.

44

No discutí. No me hice el gallito ni pedí llamar por teléfono o a un abogado. No pregunté siquiera adónde íbamos. Sabía que protestar en aquella delicada coyuntura sería inútil o contraproducente. Pistillo me había advertido que me mantuviera al margen. Había llegado a detenerme por un delito del que era inocente. Incluso me había amenazado con imputarme una falsa acusación si era preciso, y yo no había hecho caso. Me pregunté de dónde sacaría yo este nuevo valor y me dije que era sencillamente porque no tenía nada que perder. Quizás el valor consistiera en eso, en alcanzar ese límite en que a uno le importa todo un bledo. Sheila y mi madre estaban muertas y había perdido a mi hermano, como quien dice, y un hombre acorralado, aunque timorato como yo, acaba por reaccionar como una fiera.

Nos detuvimos ante una fila de casas de Fair Lawn, en Nueva Jersey. Dondequiera que mirase veía lo mismo: céspedes bien cuidados, parterres floridos perfectos, muebles de jardín otrora blancos ya oxidados y mangueras tendidas sobre la hierba conectadas a aspersores bamboleantes que lanzaban una neblina líquida. Fuimos hacia una casa muy distinta de las demás. Fisher hizo girar el picaporte de la puerta. No estaba cerrada. Entramos en una habitación con un sofá rosa y una mesita con televisor junto al que había fotos de dos niños en escala de edades, desde las primeras cuando eran bebés hasta ya en las últimas de jovencitos bien vestidos dando un beso en la mejilla a una mujer, que imaginé sería su madre.

La cocina tenía una puerta batiente. Pistillo estaba sentado ante una mesa de formica con un té frío. Junto al fregadero estaba la mujer de la fotografía, la supuesta madre. Fisher y Wilcox salieron. Yo permanecí de pie.

—Me han intervenido el teléfono —dije.

Pistillo negó con la cabeza.

—No es una simple intervención que indique el origen de las llamadas, sino un auténtico dispositivo de escucha y, para que no haya dudas, montado con autorización judicial.

—¿Qué quieren de mí? —pregunté.

—Lo que hemos querido durante once años —respondió—: a su hermano.

La mujer que estaba en el fregadero abrió el grifo y enjuagó un vaso. En la nevera, adheridas con imanes, había más fotos de ella, algunas con Pistillo y con más niños, pero en casi todas se la veía con aquellos dos del salón en instantáneas más recientes en la playa o en el patio de la casa.

—María —dijo Pistillo.

La mujer cerró el grifo y se volvió.

—María, te presento a Will Klein. Will, María.

La mujer —imaginé que era la esposa de Pistillo— se secó las manos con un paño y me dio la mano con firmeza.

—Encantada —dijo en tono educado, algo exagerado.

Musité lo propio con una inclinación de cabeza y, a una señal de Pistillo, me acomodé en una silla de metal con asiento de vinilo.

—¿Quiere beber algo, señor Klein? —preguntó la mujer.

—No, gracias.

Pistillo alzó su vaso de té frío.

—Esto es pura dinamita. Debería tomarse un vaso —dijo. María seguía a la expectativa y yo finalmente acepté su invitación para romper el hielo. Ella vertió el té despacio y me puso el vaso delante. Le di las gracias y esbocé una sonrisa a la que ella me correspondió no sin esfuerzo.

—Joe, yo espero en la otra habitación —dijo.

—Gracias, María.

La mujer cruzó la puerta batiente.

—Es mi hermana —dijo Pistillo mirando a la puerta—. Sus dos hijos son ésos —añadió señalando las fotos de la nevera—: Vic de dieciocho años y Jack de dieciséis.

—Ya —comenté cruzando las manos en el regazo—. Así que han estado escuchando mis llamadas.

—Sí.

—Entonces sabrá que no tengo ni idea de dónde está mi hermano.

Pistillo dio un sorbo al té.

—Eso lo sé —dijo sin apartar la vista de la nevera y haciéndome una seña con la cabeza para que yo también mirara—. ¿No echa nada en falta en las fotos?

—Pistillo, de verdad que no estoy de ánimo para juegos.

—Yo tampoco. Mire con más atención. ¿No nota que falta algo?

No me molesté en mirar pues sabía de sobra a qué se refería.

—El padre.

—Lo ha acertado a la primera —comentó chasqueando los dedos y mirándome como un presentador de concursos—. Impresionante.

—¿A qué demonios viene todo esto? —inquirí.

—Mi hermana perdió a su marido hace doce años. Los niños tenían, bueno, calcule usted mismo, seis y cuatro años. María los sacó adelante sola. Yo ayudaba en lo que podía, pero un tío no es un padre, ¿me entiende?

No contesté.

—Él se llamaba Victor Donet. ¿Le dice algo el nombre?

—No.

—Murió asesinado de dos tiros en la cabeza; una ejecución —dijo apurando el té—. Su hermano estaba allí —añadió.

Me dio un vuelco el corazón. Pistillo se levantó sin esperar mi reacción.

—Sé que mi vejiga se resentirá, Will, pero voy a tomarme otro vaso. ¿Quiere usted también algo?

Traté de reaccionar de la impresión.

—¿Qué quiere decir con que mi hermano estaba allí?

Pero él se tomó su tiempo: abrió el congelador, sacó la bandeja de cubitos de hielo y los desprendió en el fregadero, donde rebotaron en la porcelana; cogió unos cuantos con la mano y los echó en el vaso.

—Antes de nada, quiero que me prometa una cosa.

—¿El qué?

—Algo relacionado con Katy Miller.

—¿En qué sentido?

—Ella es una cría.

—Lo sé.

—La situación es peligrosa; no hace falta ser un genio para darse cuenta. No quiero que vuelva a sufrir daño.

—Ni yo.

—Bien, en eso estamos de acuerdo —añadió—. Will, prométame que no volverá a embarcarla en nada.

Lo miré y vi que no era una cuestión negociable.

—De acuerdo —dije—. Ella queda al margen.

Me miró cara a cara para saber si mentía. La verdad era que en eso él tenía razón: Katy ya había pagado un alto precio. No estaba muy seguro de poder soportar que pagara otro aún más alto.

—Hábleme de mi hermano —pedí.

Acabó de servirse el té, se sentó, miró a la mesa y alzó la vista.

—Habrá leído en los periódicos las redadas que hicimos —dijo—, se enteraría de la limpieza que efectuamos en el Fulton Fish Market. Vería en la televisión desfilar a los viejos mafiosos ante el juez y pensaría que todo había acabado. La mafia se ha acabado. Los polis han ganado.

Terminó de servirse té y se reclinó en el asiento. Yo tenía la garganta seca, como atascada de arena, y di un sorbo al té. Era demasiado dulce.

—¿Conoce la teoría de Darwin? —inquirió.

Pensé que era una pregunta retórica, pero vi que aguardaba una respuesta.

—La supervivencia de los más fuertes, y eso —dije.

—No los más fuertes —replicó—. Ésa es la interpretación que ahora se le da, pero es errónea. Para Darwin, los que sobrevivían eran los que mejor se adaptaban, no los más fuertes. ¿Ve la diferencia?

Asentí con la cabeza.

—En resumen, que los criminales más listos supieron adaptarse. Trasladaron sus negocios fuera de Manhattan. Vendían drogas, por ejemplo, en zonas de la periferia menos competitivas. Para ello pusieron en marcha un mercado básico de corrupción en Nueva Jersey. Un ejemplo: Carden, donde tres de los cinco últimos alcaldes han sido convictos de delitos. O Atlantic City, donde el soborno está a la orden del día; y lo de Newark y toda esa reconversión, pamplinas. La reconversión implica dinero y con el dinero llegan los sobornos y la corrupción.

—¿Qué tiene todo esto que ver, Pistillo? —pregunté rebulléndome en el asiento.

—Sí que tiene que ver, imbécil —replicó enrojeciendo pero sin perder los estribos muy a su pesar—. Mi cuñado, el padre de esos dos niños, intentó limpiar esa escoria de las calles. Era agente secreto. Alguien lo descubrió. Él y su compañero acabaron con dos tiros en la cabeza.

—¿Y cree que mi hermano estuvo implicado?

—Sí, sí que lo creo.

—¿Tiene pruebas?

—Mejor que eso —replicó Pistillo sonriendo—: su hermano confesó.

Me eché hacia atrás en la silla como si me hubiese dado un puñetazo y negué con la cabeza. Calma, me dije. Pistillo diría o haría lo que fuera. ¿No había intentado la víspera tenderme una trampa judicial?

—Pero esto es ir más allá de los acontecimientos, Will. Y no quiero que me malinterprete. No creemos que su hermano matase a nadie.

Otro trallazo.

—Pero ¿no acaba de decir...?

—Escuche, ¿quiere? —replicó alzando una mano.

Volvió a levantarse. Comprendí que necesitaba tiempo. La expresión de su cara era curiosamente natural, incluso contenida, pero era debido sobre todo a que reprimía su cólera, aunque yo dudaba mucho si lo lograría y me pregunté cuántas veces daría rienda suelta a su ira al mirar a su hermana.

—Su hermano trabajaba para Philip McGuane. Supongo que sabe quién es.

No estaba dispuesto a decirle nada.

—Continúe.

—Ese McGuane es más peligroso que su amigo Asselta, sobre todo porque es más listo. La DICO lo considera uno de los principales de la costa Este.

—¿La DICO?

—La División de Investigación del Crimen Organizado. Ya desde muy joven, McGuane lo tuvo claro. Hablando de adaptación, ese tipo es el último superviviente. No voy a entrar en explicaciones sobre el estado actual del crimen organizado: los nuevos rusos, la Tría da, los chinos y los italianos del viejo mundo, ya sabe. Bien, pues McGuane siempre ha ido dos pasos por delante de todos ellos. Era ya capo con veintitrés años y trabaja los sectores clásicos: drogas, prostitución, prestamismo; aunque su gran especialidad es la corrupción, los sobornos y la distribución de droga en mercados menos competitivos apartados de Nueva York.

Recordé que Tanya me había dicho que Sheila vendía droga en la Universidad de Haverton.

—McGuane mató a mi cuñado y a su compañero, Curtis Angler. Su hermano estuvo implicado. Lo detuvimos acusado de delitos menos graves.

—¿Cuándo?

—Seis meses antes del asesinato de Julie Miller.

—¿Cómo puede ser que yo no me enterara de nada de eso?

—Porque Ken no se lo dijo. Y porque no era su hermano nuestro objetivo, sino McGuane. Por eso le dimos la vuelta.

—¿La vuelta?

—Le ofrecimos inmunidad a cambio de su colaboración.

—¿Querían que testificara contra McGuane?

—Más que eso. McGuane actuaba con suma cautela y no teníamos pruebas suficientes para detenerlo por inducción al homicidio. Nos hacía falta un topo; así que lo preparamos y lo soltamos para que volviera.

—¿Está diciendo que Ken trabajó de agente secreto para ustedes?

Vi una especie de relámpago cruzar sus ojos.

—No lo ennoblezca —replicó—. Su hermano era un delincuente, no era un agente de la ley, un simple cabronazo dispuesto a salvar el pellejo.

Asentí con la cabeza, diciéndome de nuevo que todo aquello podía ser una patraña.

—Continúe —dije.

Estiró el brazo y cogió una galletita de la encimera. La masticó despacio y dio otro sorbo de té helado.

—No sabemos exactamente qué sucedió; sólo puedo exponerle nuestra hipótesis de trabajo.

—De acuerdo.

—McGuane lo descubrió. Entiéndame. Es un hijo de puta brutal. Para él, matar es siempre una opción, como coger una ruta cuando hay tráfico. Una cuestión de conveniencia, nada más. Es un tipo insensible.

Comprendí adónde quería llegar.

—Así que si McGuane sabía que Ken era un infiltrado...

—Era hombre muerto —espetó él—. Su hermano sabía el riesgo que corría. Nosotros lo vigilábamos de cerca, pero una noche se escapó.

—¿Porque McGuane lo descubrió?

—Sí, eso creemos. Acabó en su casa. No sabemos por qué. Nos inclinamos a creer que debió de pensar que era el lugar más seguro para esconderse, en cierto modo porque McGuane difícilmente podía imaginarse que fuera capaz de poner en peligro a su familia.

—¿Y qué más?

—Supongo que se habrá imaginado que Asselta trabajaba también para McGuane.

—Si usted lo dice...

—Asselta —prosiguió sin hacerme caso— también tenía mucho que perder. Usted mencionó a Laura Emerson, la otra chica de la residencia que fue asesinada. Su hermano nos dijo que fue Asselta quien la mató. Murió estrangulada: el método de ejecución preferido de Asselta. Según Ken, Laura Emerson había descubierto lo del tráfico de drogas en Haverton y estaba dispuesta a denunciarlo.

—¿Y la mataron por eso? —comenté haciendo una mueca.

—Sí, la mataron por eso. ¿Qué se cree que hacen, invitar-los a un helado? Estamos hablando de nosotros, Will. Métase-lo bien en la cabeza.

Recordé a Phil McGuane cuando venía a casa a jugar al risk. Siempre ganaba. Era silencioso y observador; la clase de chico que transmite tranquilidad, calma: creí recordar que ha-bía sido delegado de la clase y que a mí me impresionaba. El Espectro era el psicópata descarado al que se ve venir, mientras que McGuane...

—Bien, el caso es que descubrieron dónde se escondía su her-mano. Quizás El Espectro siguió a Julie desde la universidad; no lo sabemos. En cualquier caso dio con su hermano en casa de los Miller. Suponemos que allí intentó matarlos a los dos. Usted declaró que vio a alguien aquella noche. Le creímos. Su-ponemos que a quien vio fue a Asselta porque encontramos sus huellas en el escenario del crimen. Ken resultó herido, lo que explica la sangre, pero logró escapar dejando a El Espectro con el cadáver de Julie Miller. ¿Qué era lo lógico? Simular que había sido obra de Ken: era una jugada magistral para incriminarlo y meterle incluso más miedo en el cuerpo.

Se detuvo y comenzó a mordisquear otra galletita sin mirar-me. Sabía que todo aquello podía ser mentira, pero lo cierto es que parecía sincero. Traté de calmarme para reflexionar y lo miré fijamente, pero él seguía concentrado mirando la galletita. Era el momento de contraatacar a fondo.

—Entonces, todo este tiempo... —Me detuve y tragué sali-va—. Así que todo este tiempo usted sabía que Ken no mató a Julie.

—Ni mucho menos.

—Pero si acaba de decir...

—Es una hipótesis, Will, una teoría simplemente. Todos los indicios apuntan a que fue él quien la mató.

—Ni usted mismo se lo cree.

—No me diga qué es lo que creo.

—¿Qué posible motivo podía tener Ken para matar a Julie?

—Su hermano era mala persona; eso que quede claro.

— Eso no es ningún motivo —repliqué negando con la cabeza—. Si usted sabía que Ken probablemente no la mató, ¿por qué siempre ha afirmado lo contrario?

No me contestó. Tal vez no había necesidad. La respuesta se me evidenció de repente al mirar las fotos de la nevera. Lo explicaban todo.

—Porque quería a toda costa que Ken volviera —dije en contestación a mi propio interrogante—, porque era el único que podía hacer caer a McGuane y, si seguía oculto como testigo protegido, no trascendería al público ni habría cobertura de prensa y caza espectacular al fugitivo; mientras que si Ken había matado a una joven en el sótano de su casa, un caso de corrupción en la periferia urbana, el interés de los medios de comunicación sería masivo. Usted pensó que con unos titulares tan llamativos le resultaría más difícil seguir escondido.

Pistillo continuó mirándose las manos.

—Tengo razón, ¿verdad?

Me miró despacio.

—Su hermano hizo un trato con nosotros —replicó con frialdad—. Al huir, lo rompió.

—¿Y eso le autoriza a usted a mentir?

—Me autoriza a perseguirlo con todos los medios necesarios.

Temblaba literalmente de rabia.

—¿Y que a nuestra familia la parta un rayo?

—No me venga con ésas.

—¿Sabe lo que nos ha hecho pasar?

—¿Sabe qué le digo, Will? Me importa un bledo. ¿Tanto han sufrido? Mire a mi hermana a los ojos. Mire a sus hijos.

—Eso no justifica...

—No me diga lo que está bien y lo que está mal —dijo dando un palmetazo en la mesa—. Mi hermana fue una víctima inocente.

—Igual que mi madre.

—¡No! —exclamó golpeando otra vez la mesa, ahora con el puño, y apuntándome con el dedo—. Hay una gran diferencia entre ellas; que quede claro. Vic era policía y lo asesinaron. No tuvo elección. No pudo hacer nada por evitar el sufrimiento de los suyos. Su hermano optó por huir. Fue decisión suya. Si con ello causó sufrimiento a su familia, reprócheselo a él.

—Fue usted quien lo obligó a huir —repliqué—. Lo perseguían para matarlo y usted lo agravó haciéndole creer que iban a detenerlo por homicidio. No le quedó otro remedio; usted lo empujó a la clandestinidad.

—Fue él quien lo eligió.

—Usted quería ayudar a su familia y para ello ha sacrificado a la mía.

Pistillo volvió a dar un puñetazo que hizo estrellarse el vaso en el suelo, salpicándome de té. Se levantó y me miró de arriba abajo.

—No se le ocurra comparar lo que sufrió su familia con lo que sufrió mi hermana. No se le ocurra.

Lo miré cara a cara. Era inútil discutir con él y no sabía si realmente decía la verdad o tergiversaba los hechos a su manera. En cualquier caso, quería saber más. No convenía llevarle la contraria. La historia no se había acabado y quedaban muchos interrogantes pendientes.

Se abrió la puerta y Claudia Fisher asomó la cabeza para ver qué había sido el estrépito. Pistillo alzó una mano para darle a entender que no sucedía nada y volvió a sentarse. Ella, tras una pausa, se retiró.

Pistillo tenía aún la respiración alterada.

—¿Qué sucedió después? —pregunté.

—¿No se lo imagina? —respondió alzando la vista.

—No.

—En realidad fue una casualidad. Uno de nuestros agentes fue de vacaciones a Estocolmo. Pura casualidad.

—¿De qué está hablando?

—Nuestro agente vio un día a su hermano por la calle —dijo Pistillo.

—Un momento —repliqué estupefacto—. ¿Eso cuándo fue?

Pistillo reflexionó un instante.

—Hace cuatro meses.

—¿Y Ken se escapó? —pregunté sin salir de mi asombro.

—Ni hablar. El agente no quiso arriesgarse y lo detuvo allí mismo.

Pistillo juntó las manos y se inclinó hacia mí.

—Lo cogimos —dijo casi en un susurro—. Cogimos a su hermano y lo trajimos aquí.

45

Philip McGuane sirvió el coñac.

Habían retirado el cadáver del joven abogado Cromwell, pero Joshua Ford aún estaba tirado en el suelo como un guiñapo, vivo y consciente, pero inmóvil.

Mc Guane tendió una copa al Espectro y se sentaron los dos. McGuane dio un buen trago mientras El Espectro sonriente calentó la copa entre sus manos.

—¿Qué? —preguntó McGuane.

—Es un buen coñac.

—Sí.

El Espectro miró el licor.

—Estaba recordando cuando íbamos al bosque detrás de Riker Hill a beber la cerveza más barata que lográbamos encontrar. ¿Te acuerdas, Philip?

—Schlitz y Old Milwaukee —dijo McGuane.

—Eso es.

—Ken tenía un amigo en aquella tienda. Cuando le despachaba nunca le pedía el carnet.

—Buenos tiempos —añadió El Espectro.

—Éstos son mejores —dijo McGuane alzando su copa.

—¿Tú crees? —preguntó El Espectro dando un sorbo y tragándolo con los ojos cerrados—. ¿Sabes eso que dicen de que toda elección que haces divide el mundo en dos universos distintos?

—Lo sé.

—Muchas veces me pregunto si hay otros mundos en que nos transformamos o si, por el contrario, estamos irremediablemente destinados a vivir en éste.

—No me estarás tomando el pelo, John, ¿verdad?

—Ni mucho menos —respondió El Espectro—. Es que hay momentos de franqueza en que no puedo por menos de preguntarme si tenía que ser así.

—A ti te gusta hacer daño, John.

—Es cierto.

—Siempre has disfrutado con ello.

El Espectro reflexionó un instante.

—No, no siempre. Aunque, por supuesto, la clave reside en el porqué.

—¿El porqué de que te guste hacer daño a la gente?

—No sólo hacerles daño. Me gusta que sufran cuando los mato. Elegí la estrangulación porque es una muerte horrorosa. No hay una bala rápida. Ni una puñalada mortal. Los estrangulados mueren lentamente hasta dar la última bocanada angustiosa por falta de oxígeno. Es un proceso que se sigue de cerca, mirando cómo se debaten por la falta de aire.

—Caramba, caramba, John —dijo McGuane dejando la copa—. Tu conversación en las fiestas debe de ser de lo más divertido.

—Ya lo creo, Philip —replicó sonriente El Espectro, antes de volver a ponerse serio—. Pero ¿por qué me da eso placer? ¿Qué sucede conmigo, con mi criterio moral, para que sea cuando le corte la respiración a la gente cuando me sienta más vivo?

—No irás a echarle la culpa a tu padre, ¿verdad, John?

—No, eso sería muy fácil —respondió El Espectro dejando la copa y mirando a McGuane—. ¿Tú me habrías matado, Philip? Si no me hubiese cargado yo a esos dos del cementerio, ¿me habrías matado?

McGuane optó por decir la verdad.

—No lo sé. Probablemente.

—Y eres mi mejor amigo —comentó El Espectro.

—Y tú probablemente el mío.

—Qué tremendos éramos, ¿verdad, Philip?

McGuane no contestó.

—Yo tenía cuatro años cuando conocí a Ken —prosiguió El Espectro—. En el vecindario, a todos los chicos les decían que no se acercaran a nuestra casa porque los Asselta eran mala gente; eso les decían. Bueno, a ti no tengo que explicártelo.

—Efectivamente —asintió McGuane.

—Pero a Ken le atraía venir, le encantaba explorar en mi casa. Recuerdo el día que encontramos la pistola de mi viejo; tendríamos seis años. Me acuerdo de cómo la sopesamos hipnotizados por sentir el poder del arma. La cogíamos para meter miedo a Richard Werner... Tú no lo conociste, creo, porque se marchó cuando hacía tercer grado. Un día lo secuestramos, lo atamos y lo hicimos llorar y mearse en los pantalones.

—Y a ti te encantó.

—Tal vez —respondió El Espectro asintiendo despacio con la cabeza.

—Voy a preguntarte una cosa —dijo McGuane.

—Adelante.

—Si tu padre tenía una pistola, ¿por qué en el caso de Daniel Skinner usaste un cuchillo de cocina?

—No quiero hablar de eso —replicó El Espectro sacudiendo la cabeza.

—Nunca has hablado de ello.

—Exacto.

—¿Por qué?

—Mi padre descubrió que jugábamos con la pistola y me pegó una buena paliza —respondió El Espectro eludiendo la respuesta directa.

—Lo hacía con frecuencia.

—Sí.

—¿Intentaste alguna vez vengarte? —inquirió McGuane.

—¿De mi padre? No. Yo, más que odio, le tenía lástima. Fue incapaz de evitar que mi madre nos abandonara. Siempre esperó que volviera. Se preparaba para eso. Se sentaba a beber solo en el sofá y hablaba y reía como si ella estuviera a su lado, y después rompía en sollozos. Ella lo hizo un desgraciado. Yo he hecho daño a gente, Philip, y he visto hombres que me suplicaban que los matase. Pero creo que nunca he visto nada más deprimente como mi padre llorando la ausencia de mi madre.

Joshua Ford, junto a la puerta, lanzó un estertor, pero ellos siguieron indiferentes.

—¿Dónde está ahora tu padre? —preguntó McGuane.

—En Cheyenne, Wyoming. Dejó de beber, encontró una buena mujer y se ha convertido en un fanático religioso. Cambió el alcohol por Dios, una adicción como cualquier otra.

—¿Hablas con él alguna vez?

—No —respondió El Espectro sin levantar la voz.

Siguieron bebiendo en silencio.

—¿Y tú, Philip? Tú no eras pobre ni tus padres te pegaban.

—Eran padres como los demás —dijo McGuane.

—Sé que tu tío era de la mafia y que te metió en el negocio, pero podías haber seguido un buen camino. ¿Por qué no lo hiciste?

McGuane se rió entre dientes.

—¿Qué sucede?

—Me parece que somos más distintos de lo que creía.

—¿Ah, sí?

337

—Tú te lamentas —dijo McGuane—. Tú, que matas recreándote y lo haces bien. Pero te consideras malo. —Se levantó bruscamente—. Dios mío.

—¿Y qué?

—Que eres más peligroso de lo que pensaba, John.

—¿Por qué?

—Tú no has vuelto a por Ken. Has vuelto a por esa niña —añadió McGuane bajando la voz—, ¿a que sí?

El Espectro sorbió un trago largo. No contestó.

—Se trata de esas opciones y esos universos distintos de que hablabas —prosiguió McGuane—, porque crees que si Ken hubiese muerto aquella noche todo habría cambiado.

—Sí, claro que sería un universo distinto —replicó El Espectro.

—Pero no mejor, quizás. Y ahora ¿qué? —añadió McGuane.

—Necesitamos que Will colabore. Es el único que puede atraer a Ken.

—No nos ayudará.

El Espectro arrugó la nariz.

—Precisamente tú sabes mejor que nadie que sí lo hará.

—¿Por su padre? —inquirió McGuane.

—No.

—¿Su hermana?

—No, vive muy lejos —respondió El Espectro.

—Pero tú tienes una idea.

—Piensa —añadió El Espectro.

McGuane reflexionó y al adivinarlo una sonrisa iluminó su rostro.

—Katy Miller —dijo.

46

Pistillo no me quitaba ojo esperando mi reacción, pero yo me sobrepuse enseguida. Quizá todo empezaba a cobrar sentido.

—¿Cogieron a mi hermano?

—Sí.

—¿Y lo extraditaron a Estados Unidos?

—Sí.

—¿Y cómo es que no salió la noticia en los periódicos?

—Lo hicimos de tapadillo —contestó Pistillo.

—¿Porque temían que se enterara McGuane?

—Sí, principalmente.

—¿Y qué otro motivo?

Él negó con la cabeza.

—Porque quien les interesaba era McGuane —dije.

—Sí.

—Y mi hermano aún podía servirles.

—Podía ayudarnos.

—Y entonces llegaron a otro acuerdo con él.

—No, simplemente restablecimos el anterior.

Vi un claro en la niebla.

—¿Y lo incluyeron en el programa de testigos protegidos?

Pistillo asintió con la cabeza.

—En principio lo ocultamos en un hotel con protección.

Pero mucho de lo que su hermano sabía ya era cosa pasada. Aunque podía servirnos de testigo clave, el más importante probablemente, lo que necesitábamos era más tiempo y no podíamos tenerlo siempre en un hotel. Él tampoco quería estar allí, por otra parte. Contrató a un abogado famoso y llegamos a un entendimiento. Le buscamos un sitio en Nuevo México donde él se presentaba a diario a uno de nuestros agentes, con la promesa de acudir sin demora si lo citábamos para atestiguar. De no cumplir lo convenido volveríamos a presentar los cargos contra él, incluido el de homicidio de Julie Miller.

—¿Y qué es lo que salió mal?

—Que McGuane lo descubrió.

—¿Cómo?

—No lo sabemos. Quizá por una filtración. En cualquier caso, McGuane envió a dos matones para matarlo.

—Los dos cadáveres que aparecieron en su casa —dije.

—Sí.

—¿Quién los mató?

—Creemos que fue su hermano. Lo subestimaron. Él los mató y huyó otra vez.

—Y ahora quieren a Ken otra vez.

Pistillo desvió la mirada hacia las fotos de la nevera.

—Sí —dijo.

—Pero yo no sé dónde está.

— Ahora sí que me consta. Escuche, tal vez nos hayamos pasado. N o lo sé; pero Ken tiene que volver. Le pondremos protección las veinticuatro horas del día, en una casa franca, segura; lo que él quiera. Ésa es la zanahoria. El palo es la condena de prisión que está en el aire.

—¿Y qué quiere de mí?

—Terminará por ponerse en contacto con usted.

—¿Por qué está tan seguro?

Lanzó un suspiro y miró el vaso.

—Porque Ken ya lo ha llamado —dijo Pistillo.

Sentí una opresión en el pecho.

—Se hicieron dos llamadas a su apartamento desde un teléfono público cercano a la casa de su hermano en Alburquerque —prosiguió—. La primera aproximadamente una semana antes de que mataran a los dos sicarios y la otra justo después.

Debería haberme sorprendido, pero no fue así. Quizás ahora todo concordara, aunque no como a mí me gustaba.

—No sabía lo de las llamadas, ¿verdad, Will?

Tragué saliva y pensé quién, aparte de mí, podía contestar al teléfono si llamaba Ken.

Sheila.

—No —respondí—, no sabía nada.

Él asintió con la cabeza.

—Lo ignorábamos la primera vez que lo interrogamos, ya que era lógico pensar que quien había contestado al teléfono era usted.

—¿En qué sentido está implicada Sheila Rogers en esto? —pregunté mirándolo.

—Había huellas suyas en el escenario del crimen.

—Eso ya lo sé.

—Bien, déjeme hacerle una pregunta, Will. Si sabíamos que su hermano lo había llamado y sabíamos que su novia había ido a verlo a Nuevo México, usted en nuestro lugar ¿qué habría pensado?

—Que de algún modo yo estaba implicado.

—Exacto. Pensamos que Sheila era una especie de enlace entre ustedes dos y que usted ayudaba a su hermano. Por eso, al huir Ken, nos imaginamos que usted conocía el paradero.

—Pero ahora sabe que no.

—Correcto.

—Entonces, ¿qué es lo que sospecha ahora?

—Lo mismo que usted, Will —dijo con voz queda en un

tono de conmiseración que me hizo maldecirlo—. Que Sheila lo utilizó. Que trabajaba para McGuane y es ella quien le dio el soplo sobre su hermano. Y cuando todo salió mal, McGuane hizo que la mataran.

Sheila. Su traición me hería profundamente. Defenderla ahora, pensar que no había sido para ella más que un primo, sería cerrar los ojos a la realidad. Había que ser verdaderamente ingenuo y mirar las cosas a través de un prisma color de rosa para negarse a ver la verdad.

—Le estoy contando esto, Will, porque tenía miedo de que hiciera alguna tontería.

—Hablar con la prensa, por ejemplo —dije.

—Sí, y porque quiero que entienda. Su hermano sólo tiene dos opciones: o McGuane y El Espectro dan con él y lo matan, o lo encontramos nosotros para protegerlo.

— Exacto —dije—. Y ustedes hasta ahora no han conseguido nada.

—Pero seguimos siendo su mejor opción —replicó él—. Y no creo que McGuane se contente simplemente con su hermano. ¿Cree acaso que la agresión a Katy Miller fue una casualidad? Por su propio bien, tiene usted que ayudarnos.

No contesté. Sabía que no podía confiar en él. No podía confiar en nadie. Era la consecuencia que sacaba de toda la historia. Pero Pistillo era particularmente peligroso. Había pasado once años viendo el rostro sufriente de su hermana. Eso te retuerce. Sabía del asunto, de lo que es ansiar algo hasta el punto de que acaba distorsionando la razón. Pistillo había dicho claramente que nada lo detendría hasta cargarse a McGuane; por consiguiente, era capaz de sacrificar a mi hermano. A mí me había encerrado. Y, sobre todo, había destrozado a mi familia. Pensé en la marcha de mi hermana a Seattle; pensé en mi madre, en su sonrisa, y comprendí que el hombre sentado frente a mí, el hombre que se arrogaba el papel de salvador de mi hermano, había acumulado un enorme rencor. Había matado a mi madre —porque nadie podría convencerme de que el cáncer no estuviera relacionado con lo que había pasado, de que su sistema inmunitario no hubiera sido una segunda víctima de aquella terrible noche— y ahora me pedía que lo ayudase.

No sabía hasta qué extremo todo aquello era mentira y decidí mentir también.

—Lo ayudaré —dije.

—Muy bien. Me encargaré de que retiren inmediatamente los cargos contra usted.

No le di las gracias.

—Si quiere lo llevamos a casa.

Me habría gustado hacerle un desprecio pero no quise darle ningún indicio. Si pretendía engañarme, yo también lo haría. Acepté con buena cara y, cuando me levantaba, añadió:

—Tengo entendido que va a celebrarse el funeral de Sheila.

—Sí.

—Ahora que no hay cargos contra usted, puede viajar.

No dije nada.

—¿Va a asistir usted? —preguntó.

Esta vez dije la verdad:

—No lo sé.

47

No podía quedarme en casa esperando en vilo, así que por la mañana fui a trabajar. Fue curioso. Pensé que sería incapaz de hacer nada, pero sucedió todo lo contrario. Al cruzar la puerta de Covenant House me sentí como un atleta que sale impasible al estadio. Nuestros jóvenes ante todo, me dije. Es un estereotipo, cierto, pero me sirvió para autoconvencerme y sumergirme en mi mundo.

Naturalmente, algunas personas se acercaron a darme el pésame y para mí, qué duda cabe, que el espíritu de Sheila flotaba en el ambiente. Había pocos sitios en el local que no me trajeran su recuerdo, pero logré sobreponerme. Eso no quiere decir que olvidara ni que renunciara a averiguar el paradero de mi hermano, quién había matado a Sheila ni qué era de su hija Carly. No olvidaba nada, pero de momento no podía hacer gran cosa. Había llamado al hospital para intentar hablar con Katy pero seguía vigente la prohibición de pasarle llamadas; Cuadrados había encargado a una agencia de detectives que localizasen el nombre falso de Donna White que utilizaba Sheila en los ordenadores de las líneas aéreas con listas de pasajeros, y de momento no había ningún resultado. Así que decidí esperar.

Aquella noche me presté voluntario a salir con la furgoneta. Me acompañó Cuadrados, a quien había explicado todos los detalles, y juntos nos sumergimos en la noche. Bajo los faros, surgían en la oscuridad los niños de la calle. Sus caras eran anodinas, sin tacha y sin arrugas. Ves a un vagabundo adulto, a una pordiosera con bolsas, a un hombre con un carrito del supermercado, a gente durmiendo abrigada con cartones, a alguien pidiendo limosna con un vaso de plástico, y sabes que son gente sin hogar; pero los adolescentes de quince y dieciséis años que se escapan de casa porque los maltratan, que caen en la drogadicción o en la prostitución, o se vuelven locos, pasan más inadvertidos. Cuando se trata de adolescentes no sabes si son personas sin hogar o están paseando.

Pese a lo que se diga, no es tan fácil pasar por alto la grave situación de los sin techo adultos porque salta a la vista; puedes desviar la mirada siguiendo tu camino y argumentar que, si te apiadas y les das un dólar o unos centavos, se lo van a gastar en alcohol o en drogas o cualquier otra justificación que uno prefiera pero, aunque se esquive la situación de ese modo, el hecho de haber pasado de largo junto a un ser humano necesitado se te queda grabado y te acongoja. Nuestros chicos, por el contrario, son invisibles. Se fusionan con la noche. Puedes evitarlos y no hay efectos secundarios.

La radio sonaba a todo volumen, era un ritmo musical fuerte latino. Cuadrados me tendió un taco de tarjetas de teléfono para que las repartiera. Nos internamos en la Avenida A, famosa por la heroína; comenzamos nuestra rutina habitual: hablándoles, engatusándolos y escuchándolos. Yo observaba aquellas miradas adustas, aquel modo de rascarse piojos imaginarios bajo la piel, los pinchazos y las venas hundidas.

Volvimos a la furgoneta a las cuatro de la mañana. No habíamos intercambiado casi palabra en las últimas horas. Cuadrados miró por la ventanilla. Seguían pasando jovenzuelos por la calle, como si los sangraran los ladrillos.

—Deberíamos ir al funeral —dijo él.

No estaba seguro de que me saliera la voz.

—¿Recuerdas su cara cuando se acercaba en la calle a estos chicos? —preguntó él.

Claro. Sabía perfectamente a qué se refería.

—Eso no se puede fingir, Will.

—Ojalá pudiera creérmelo —dije.

—¿Lo que Sheila te hacía sentir?

—Hacía que me sintiera el hombre más feliz del mundo —añadí.

Él asintió con la cabeza.

—Eso tampoco se puede fingir —dijo.

—Entonces, ¿tú cómo te lo explicas?

—No me lo explico —respondió él parando en la calle—. Pero estamos usando mucho la cabeza y tal vez convendría tener también en cuenta el corazón.

—Suena muy bonito, Cuadrados —repliqué frunciendo el ceño—, pero no sé si tiene sentido.

—Pues escucha otra alternativa: vamos a dar el último adiós a la Sheila que conocimos.

—¿Aunque fuese una falsaria?

—Aunque lo fuese. Quizás averigüemos algo. Que nos sirva para entender qué sucedió.

—¿No eras tú quien decías que probablemente no nos gustaría lo que descubriésemos?

—Pues sí. Mira que listo soy —añadió él moviendo las cejas.

Yo sonreí.

—Es un deber, Will. En su memoria.

Tenía razón. Había que poner fin a aquello. Necesitaba respuestas y quizás en el funeral obtuviéramos algún indicio, el hecho en sí de enterrar a mi falsa amada contribuiría a cicatrizar mis heridas. No lo creía, pero estaba dispuesto a intentar lo que fuese.

—Además, hay que tener en cuenta a Carly. ¿No es nuestro

cometido ayudar a niños? —añadió Cuadrados señalando por la ventanilla.

—Sí —contesté volviéndome hacia él—. Y hablando de niños... —agregué.

Aguardé. No veía sus ojos, porque muchas veces, de noche, como en la vieja canción de Corey Hart, llevaba gafas de sol, pero advertí que apretaba el volante.

—Cuadrados.

—Ahora hablamos de Sheila —replicó en tono cortante.

—Eso pertenece al pasado y por mucho que averigüemos no podemos cambiarlo.

—Centrémonos en una sola cosa, ¿de acuerdo?

—No —repliqué—. Somos amigos y se supone que esto es un toma y daca.

Negó con la cabeza y puso en marcha la furgoneta. Circulamos en silencio. Yo miraba su rostro sin afeitar picado de viruelas. El tatuaje parecía más oscuro y vi que se mordía el labio inferior.

—Nunca se lo dije a Wanda —reveló al cabo de un rato.

—¿Que eras padre?

—De un hijo —respondió en voz baja.

—¿Dónde está?

Apartó una mano del volante para rascarse algo en la cara y noté que le temblaba al hacerlo.

—Antes de cumplir cuatro años estaba bajo dos metros de tierra.

Cerré los ojos.

—Se llamaba Michael. Yo no quería saber nada de él. Sólo lo vi dos veces y luego lo dejé en manos de su madre, una drogadicta de diecisiete años a quien no se le podía confiar ni un perro. Un día, cuando el niño tenía tres años, ella iba conduciendo colgada y se estrelló contra una pared. Se mataron los dos. Aún no sé si fue un suicidio o no.

—Cuánto lo siento —dije.

—Ahora tendría veintiún años.

Quise musitar algo pero no me salía y al fin opté por decir:

—De eso hace mucho tiempo. Tú eras un crío.

—No trates de racionalizarlo, Will.

—No es eso. Lo que quiero decir... —no sabía cómo seguir—
es que si yo tuviera un hijo te pediría que fueses el padrino para
que lo cuidaras tú si a mí me sucediese algo. Y no lo haría por
amistad o lealtad, sino por el bien de mi hijo.

Él tardó un rato en hablar.

—Hay cosas que no se perdonan nunca —dijo.

—Tú no lo mataste, Cuadrados.

—Sí, claro; no se me puede reprochar nada.

Nos detuvimos en un semáforo en rojo y él puso la radio.
No era una emisora de música sino una de las que transmiten
información comercial, que en aquel momento anunciaba una
dieta milagrosa. Agarró y se inclinó con los codos apoyados en
el volante.

—Veo a esos chicos de la calle e intento ayudarlos sin dejar
de pensar en todo momento si realmente cumplo bien ayudando a muchos, si quizá con eso redima lo que hice con Michael,
no sé, como si de algún modo lo ayudase. —Se quitó las gafas
de sol y su voz se hizo más grave—. Pero lo que sí sé, y siempre
he sabido, es que por mucho que haga soy una mierda.

Negué con la cabeza deseando que se me ocurriera algo que
lo pudiera consolar, que lo iluminara o lo distrajera al menos,
pero no lo conseguí. Todo lo que pensaba sonaba a trillado y
falso. Como en casi todas las tragedias, lo que había dicho explicaba muchas cosas pero, a pesar de todo, no permitía entender cómo era aquel hombre en el fondo.

—Creo que te equivocas —dije al fin.

Se puso de nuevo las gafas, se concentró en la conducción y
comprendí que quería inhibirse, pero decidí insistir.

—Dices que tenemos que ir al entierro por deber hacia Sheila. ¿Y qué me dices de Wanda?

—Will.

—¿Qué?

—No quiero hablar más de esto.

48

El vuelo a primera hora a Boise se desarrolló sin incidentes. Salimos de La Guardia, un aeropuerto horrible donde los haya. Fui en mi asiento en clase turística detrás de una viejecita que mantuvo el suyo inclinado sobre mis rodillas durante todo el viaje. La contemplación de sus pelos grises y de su cráneo descolorido —tenía prácticamente su cabeza en mi regazo— me ayudó a distraerme durante el vuelo.

Cuadrados iba a mi derecha leyendo un artículo sobre su persona en *Yoga Journal* y de vez en cuando movía la cabeza asintiendo a alguna afirmación sobre él que hacía el artículo, y farfullaba: «Cierto, ya lo creo, eso es lo que soy», simplemente para incordiarme: para eso es mi mejor amigo.

Logré mantener mi mente en blanco hasta que vi el indicador de BIENVENIDO A MASON, IDAHO. Cuadrados había alquilado un Buick Skylark y nos perdimos dos veces por el camino porque, incluso allí en el quinto pino, como dicen, lo único visible son los habituales y monstruosos hipermercados que imponían en el paisaje su desproporcionada monotonía.

Era una iglesia pequeña y blanca sin nada de particular y, nada más verla, reparé en Edna Rogers, que estaba sola en la puerta fumando un cigarrillo. Cuadrados paró el coche y sentí un nudo en el estómago. Bajé del Buick y pisé aquella seca hierba; Edna Rogers miró hacia nosotros y sin quitarme los ojos de encima exhaló una larga bocanada de humo.

Caminé hacia ella flanqueado por Cuadrados, sintiéndome vacío, ausente. Era el funeral de Sheila, íbamos a enterrarla y la sola idea era como la banda horizontal de interferencia de los antiguos televisores.

Edna Rogers continuó fumando con sus ojos duros sin una lágrima.

—No sabía si darían con el camino —comentó.

—Aquí estoy.

—¿Ha sabido algo de Carly? —inquirió.

—No —mentí en cierto modo—. ¿Y usted?

Negó con la cabeza.

—La policía no indaga como es debido. Dicen que no hay constancia de que Sheila tuviese una hija. Para mí, que ni creen que exista.

A continuación balbució cosas imprecisas pero Cuadrados la interrumpió para dar el pésame al mismo tiempo que se acercaba más gente, en su mayor parte hombres con traje; escuché y comprendí que eran casi todos compañeros de trabajo del padre de Sheila en una fábrica de cerraduras para garajes. Me pareció extraño, pero en aquel momento apenas le di importancia. Estreché varias manos de gente cuyo nombre no recuerdo. El padre de Sheila era alto y bien parecido; me saludó con un fuerte abrazo y se apartó con sus compañeros. Sheila tenía un hermano y una hermana, dos jóvenes hoscos y distantes.

Permanecimos fuera de la iglesia como si temiéramos iniciar la ceremonia y la gente se dividió en grupos. Los más jóvenes lo hicieron con la hermana y el hermano de Sheila; el padre se situó en el centro de un semicírculo de hombres trajeados, todos con una enorme corbata, manos en los bolsillos y cabeza gacha, mientras que las mujeres formaron otro grupo junto a la entrada.

Cuadrados atraía la atención, pero estaba acostumbrado.

No se había cambiado los vaqueros polvorientos aunque había añadido una chaqueta azul con corbata gris. Comentó con una sonrisa que, si se hubiera puesto un traje, Sheila no lo habría reconocido.

Finalmente, la gente comenzó a entrar en la iglesia; me sorprendió la concurrencia, pero la verdad es que todos los que habían hecho acto de presencia era por deferencia a sus padres y no por Sheila, que hacía mucho tiempo que no vivía allí. Edna Rogers se acercó a mí y me agarró del brazo, alzó la cabeza decidida y forzó una sonrisa. Yo no sabía qué pensar de aquella mujer.

Entramos al fin en la iglesia, que llenaban los murmullos y comentarios sobre lo «guapa» que estaba Sheila y que «no parecía muerta», una afirmación que a mí me resulta realmente siniestra. No soy religioso, pero si voy a un funeral me inclino a adoptar la actitud habitual entre nosotros los judíos, que damos el adiós a nuestros difuntos y los enterramos cuanto antes en un ataúd cerrado.

No me gustan los ataúdes descubiertos.

No me gustan por razones evidentes. Contemplar un cadáver, un cuerpo que carece de fluidos vitales, que ha perdido su energía, y se expone embalsamado, bien vestido, maquillado, como una figura de cera del museo de madame Tussaud o algo peor, tan real que casi espera uno que respire o que se incorpore de pronto, me resulta espantoso. Pero, por otro lado, ¿qué clase de imagen perdura en los dolientes que ven un cadáver que parece un salmón ahumado? ¿Me apetecía a mí conservar un último recuerdo de aquella Sheila que yacía con los ojos cerrados en una caja bien acolchada y hermética de caoba? ¿Por qué acolchan de esa manera los féretros? Cuando me incorporé al final de la cola del brazo de Edna Rogers para contemplar sus despojos, estos pensamientos abrumadores pesaban insoportablemente sobre mí.

Pero era un formalismo inevitable; la señora Rogers me apretó del brazo quizá más de lo debido y al acercarnos noté que le fallaban las piernas. La sostuve y ella volvió a sonreírme, esta vez con auténtica dulzura.

—Yo la quería —musitó—. Una madre nunca deja de querer a sus hijos.

Asentí con la cabeza sin atreverme a hablar y avanzamos un paso más, como cuando se va a embarcar en avión, y se me antojó que no me habría extrañado oír una voz que anunciara: «Los deudos a partir de la fila veinticinco pueden mirar el cadáver». Qué idea más tonta, me dije; pero dejé vagar mi imaginación por distanciarme de todo aquello.

Cuadrados cerraba la cola, detrás de nosotros. Yo mantenía la vista a un lado, pero a medida que nos aproximábamos me fue venciendo de nuevo la irracional esperanza. Creo que es algo corriente porque me sucedió también en el entierro de mi madre y me vino el pensamiento de que quizá todo fuera un error, una equivocación garrafal y que, al mirar aquel féretro, estaría vacío o no sería Sheila la muerta. Quizá por eso hay quienes prefieren los ataúdes descubiertos, pues dejan ver la irremediable realidad. Yo estaba al lado de mi madre cuando murió y fui testigo de su último suspiro y, sin embargo, aquel mismo día me acerqué al féretro para cerciorarme, por si Dios había cambiado de parecer.

Es un fenómeno que debe darse en mucha gente, pues no aceptar la realidad forma parte del proceso del duelo y uno se aferra a la esperanza. Era lo que a mí me sucedía en aquel momento: imploraba a una entidad en la que no creo, rogando un milagro en virtud del cual, de alguna manera, las huellas dactilares, el FBI, los padres de Sheila y todos aquellos amigos y familiares fueran un tremendo error y Sheila estuviera viva y no hubiera muerto a manos de unos asesinos que la dejaron tirada en una cuneta.

Naturalmente, no sucedió nada de eso.

No exactamente.

Cuando Edna Rogers y yo llegamos junto al féretro, miré sacando fuerzas de flaqueza y fue como si el suelo se hundiera bajo mis pies. Me precipité en un pozo sin fin.

—Qué bien la han arreglado, ¿verdad? —susurró la señora Rogers apretándome el brazo y rompiendo a llorar.

Pero yo estaba en otro sitio, muy lejos de ella. Mirando aquel rostro hasta que la verdad se abrió paso en mi cerebro.

Efectivamente, Sheila Rogers estaba muerta. Sin ningún género de duda.

Pero la mujer que yo amaba, la mujer con quien yo había vivido, a quien había abrazado y con quien quería casarme, no era Sheila Rogers.

49

No me desmayé, pero estuve a punto.

Todo me daba vueltas y tuve una especie de cortocircuito visual que me hizo perder el equilibrio y por poco caigo encima de Sheila Rogers, una mujer a quien no había visto en mi vida y a quien tan bien conocía. Una mano me sostuvo por el brazo. Era Cuadrados; vi que estaba muy serio y pálido y, al cruzarse nuestras miradas, él asintió casi imperceptiblemente con la cabeza.

No había sido mi imaginación ni un espejismo. Él también lo había visto.

Nos quedamos hasta el final. ¿Qué otra cosa podíamos hacer? Sentado en aquel banco, mudo, era incapaz de apartar mis ojos del cadáver de la desconocida; estaba conmocionado y temblaba, pero a nadie le extrañaba. Al fin y al cabo, era un funeral.

Después de dar sepultura a Sheila Rogers, su madre nos invitó a ir a su casa, pero nosotros nos disculpamos diciendo que perderíamos el avión. Subimos al coche de alquiler, Cuadrados lo puso en marcha y hasta que no estuvimos lejos no lo paró para que yo diera rienda suelta a mi emoción.

—A ver si pensamos lo mismo —dijo Cuadrados.

Yo asentí con la cabeza, ya casi sobrepuesto. De nuevo tenía que reprimirme, esta vez la posible euforia. No me centré en la nueva perspectiva que abría el hecho. Sólo en pequeños detalles. En minucias. Fijé la atención en un solo árbol porque era imposible ver todo el bosque.

—Todo cuanto hemos averiguado sobre Sheila —dijo Cuadrados—, su huida, los años que estuvo haciendo la calle, lo de las drogas, la habitación que compartía con tu ex novia, sus huellas dactilares en casa de tu hermano..., todo eso...

—Es aplicable a la desconocida que acaban de enterrar —añadí.

—Por consiguiente, la Sheila que conocemos, quien creíamos que era Sheila...

—No hizo ninguna de esas cosas y no era la persona que creíamos.

—Un buen montaje —dijo Cuadrados reflexivo.

—Desde luego —añadí casi sonriente.

En el avión, Cuadrados dijo:

—Si nuestra Sheila no ha muerto, es que está viva.

Lo miré.

—Oye, hay gente que paga una pasta por tener acceso a mi sabiduría —añadió.

—Y pensar que a mí me sale gratis.

—¿Qué hacemos ahora?

—Donna White —contesté cruzando los brazos.

—¿El nombre falso que le procuraron los Goldberg?

—Exacto . ¿La agencia sólo hizo una verificación en ciertas líneas aéreas?

Cuadrados asintió con la cabeza.

—Según la hipótesis de que había volado hacia el oeste.

—¿Puedes decir a la agencia que amplíe la investigación?

—Claro.

Nos sirvieron el «tentempié». Mi cerebro no cesaba de funcionar. Aquel vuelo me estaba viniendo muy bien porque me daba tiempo para pensar. Desgraciadamente, a la par, me hacía volver a la realidad y considerar las repercusiones. Dejé a un lado aquel pensamiento. No quería nubarrones que enturbiaran mis razonamientos, al menos de momento, que sabía tan poco. Bueno, no era tan poco.

—Ahora se explican muchas cosas —dije.

—¿Por ejemplo?

—Tanto secretismo y que no quisiera hacerse fotos, que tuviera tan pocas pertenencias, que no quisiera hablar de su pasado.

Cuadrados asintió con la cabeza.

—En cierta ocasión, Sheila —me detuve porque seguramente no era ése su nombre— se fue de la lengua y me dijo que se había criado en una granja, cuando en realidad el padre de la verdadera Sheila Rogers trabaja en una fábrica de cerraduras para garajes. Aparte de que se resistía a llamar a sus padres porque..., bueno, sencillamente, porque no eran sus padres. Yo pensé que los detestaba porque la habían maltratado.

— Podría tratarse fácilmente de una usurpación de personalidad.

—Exacto.

—Luego, la verdadera Sheila Rogers —continuó Cuadrados alzando la vista—, la que acaban de enterrar, ¿era la que estaba con tu hermano?

—Eso parece.

—Y por eso había huellas dactilares suyas en el escenario del crimen.

—Exacto.

—¿Y tu Sheila?

Me encogí de hombros.

—Bien —añadió Cuadrados—. Supongamos que la que estaba con Ken en Nuevo México, la que vieron los vecinos, era la Sheila muerta.

—Sí.

—Y tenían una niña —agregó.

Silencio.

—¿Estás pensando lo mismo que yo? —preguntó él mirándome.

Asentí con la cabeza.

—Que la niña era Carly y que Ken debe de ser el padre.

—Sí.

Me recliné en el asiento y cerré los ojos. Cuadrados abrió su bocadillo, miró de qué era y lanzó una maldición.

—Will.

—¿Qué?

—¿Se te ocurre alguna idea sobre quién puede ser la mujer que amabas?

—Ninguna —respondí con los ojos cerrados.

50

Cuadrados se fue a casa y me prometió llamar en cuanto se supiera algo sobre Donna White. Yo regresé agotado al apartamento y, cuando metía la llave en la cerradura, sentí que una mano me tocaba el hombro y di un respingo.

—No pasa nada —dijo una voz ronca.

Era Katy Miller.

Llevaba un collarín ortopédico, tenía la cara hinchada y los ojos congestionados; por debajo de la barbilla y por encima del collarín asomaba una marca amoratada y amarillenta.

—¿Te encuentras bien? —dije.

Asintió levemente.

Le di un abrazo con cuidado de no hacerle daño.

—No me voy a romper —replicó.

—¿Cuándo te han dado el alta? —pregunté.

—Hace unas horas. No puedo estar mucho rato porque si mi padre se entera...

—No me digas más —dije alzando una mano.

Entramos en el apartamento y vi que hacía muecas de dolor al moverse. Nos sentamos en el sofá y le pregunté si quería beber o comer algo, pero dijo que no.

—¿Seguro que no deberías estar en el hospital?

—Me han dicho que estoy bien pero que descanse.

—¿Cómo te has librado de tu padre?

Intentó sonreír.

—Soy muy tozuda.

—Ya.

—Le he dicho una mentira —añadió.

—Sí, claro.

Me miró moviendo sólo los ojos bañados en lágrimas.

—Gracias, Will —dijo.

—No puedo dejar de pensar que fue culpa mía —repliqué.

—Qué tontería —dijo ella.

—Durante la agresión —añadí rebulléndome en el asiento— exclamaste «John», o eso me pareció.

—Ya me lo ha dicho la policía.

—¿Tú no lo recuerdas?

Negó con la cabeza.

—¿Qué es lo que recuerdas?

—Aquellas manos en mi garganta —respondió mirándome—. Dormía profundamente y de pronto noté que me apretaban el cuello y que no podía respirar —añadió con voz desmayada.

—¿Sabes quién es John Asselta? —pregunté.

—Sí. Era amigo de Julie.

—¿Podría ser que fuera él?

—¿Cuándo grité «John»? —Reflexionó un instante—. No lo sé, Will. ¿Por qué?

—Yo creo —en ese momento recordé que le había prometido a Pistillo dejarla al margen—, yo creo que él tiene algo que ver con el asesinato de Julie.

Katy me escuchó imperturbable.

—¿A qué te refieres con que tiene algo que ver?

—Por ahora no puedo decirte más.

—Pareces un policía.

—He tenido una semana tremenda —contesté.

—Cuéntame qué has averiguado.

—Ya sé que eres curiosa, pero creo que debes hacer caso a los médicos.

—¿Qué quieres decir exactamente? —replicó mirándome enfadada.

—Que tienes que descansar.

—¿Quieres que me mantenga al margen de esto?

—Sí.

—Tienes miedo de que vuelvan a hacerme daño.

—Pues sí, mucho.

—Sé cuidarme sola —replicó echando fuego por los ojos.

—Lo sé, pero ahora pisamos terreno peligroso.

—¿Y qué hemos hecho hasta ahora?

Tenía razón.

—Escucha, confía en mí.

—Will.

—¿Qué?

—No te va a ser fácil deshacerte de mí.

—No pretendo deshacerme de ti —repliqué—. Pero tengo que protegerte.

—No puedes —dijo con voz queda—, y lo sabes.

No contesté.

—Tengo que saber qué pasó —añadió acercándose más a mí—. Tú deberías entenderlo mejor que nadie.

—Lo entiendo.

—¿Entonces?

—He prometido no decir nada.

—¿A quién?

Negué con la cabeza.

—Confía en mí, ¿de acuerdo?

—Nada de acuerdo —replicó levantándose.

—Yo sólo quiero...

—Si yo te dijera a ti que no te entrometieras, ¿me harías caso?

—No puedo decirte nada —añadí cabizbajo.

Fue hacia la puerta.

—Espera —dije.

—Ahora no tengo tiempo —respondió cortante—. Mi padre ya estará buscándome.

—Llámame, ¿quieres? —dije levantándome y dándole el número del móvil; yo me sabía el suyo de memoria.

Salió dando un portazo.

Katy Miller llegó a la calle. Le dolía el cuello una barbaridad. Estaba pasándose y lo sabía, pero no podía evitarlo. Echaba chispas. ¿Habrían coaccionado a Will? No lo creía; quizás era igual que los demás. O tal vez no; a lo mejor es que estaba realmente convencido de que era su protector.

A partir de ahora tendría que ir con más cuidado incluso.

Tenía la garganta seca y necesitaba beber algo; pero le hacía daño al tragar. ¿Cuándo acabaría todo aquello? Esperaba que pronto. Desde luego, iba a seguir hasta el final; se lo había prometido a sí misma y no podía volverse atrás. Iría hasta el fin hasta que el asesino de Julie acabara ante los tribunales de un modo u otro.

Se dirigió a la Calle 18 y desde allí se encaminó hacia el oeste, al barrio de envasado de carne. En ese momento estaba todo tranquilo, la calma entre el horario de descarga diurna y la vida de perversión a partir de medianoche. La ciudad era así; como un teatro que representa dos funciones diarias distintas con cambio de decorado y de actores. Pero de día o de noche, o a media luz, aquella calle conservaba siempre aquel intenso olor a carne podrida; aunque Katy no estaba muy segura de si era de origen animal o humano.

Volvió a sentir pánico.

Se detuvo y trató de conjurarlo. El tacto de aquellas manos

en su cuello, jugueteando con su tráquea, cortándole el aire... Tanta potencia contra ella, desamparada.... Le había impedido respirar, ¡por favor! Aprisionando su cuello hasta cortarle la respiración, hasta hacerle sentir que se apagaba su energía vital...

Igual que a Julie.

Estaba tan absorta recordando la horrenda situación que no se percató de su presencia hasta que la cogió del codo.

—¿Qué demonios...? —exclamó revolviéndose hacia atrás.

El Espectro no la soltó.

—Tengo entendido que me has estado llamando —dijo con su característico ronroneo. Después, sonriendo, añadió—: Pues aquí me tienes.

51

Me quedé solo, sentado. Katy tenía toda la razón para enfadarse, pero no me importaba. Lo prefería a tener que asistir a otro entierro. Me restregué los ojos y me tumbé. Debí de quedarme dormido, aunque no estoy seguro, pero cuando oí sonar el teléfono me sorprendió ver la luz del día. Comprobé el número y vi que era Cuadrados. Cogí a tientas el receptor y me lo llevé al oído.

—Hola —dijo, y sin gastar ninguna broma añadió—: Creo que hemos encontrado a Sheila.

Media hora más tarde entraba en la recepción del Hotel Regina.

Estaba a medio kilómetro del apartamento. Nosotros pensábamos que se había ido al otro extremo del país y resultaba que Sheila..., ¿cómo, si no, llamarla?, había estado muy cerca.

A la agencia de detectives Cuadrados, con su amplia experiencia, no le costó mucho localizarla, y menos aún teniendo en cuenta que ella no había tomado precauciones después de la muerte de su suplantada. Había ingresado dinero en el First National y solicitado una tarjeta Visa. En Nueva York —bueno, en cualquier sitio— no se puede vivir sin tarjeta de crédito; han pasado los tiempos en que era posible alojarse en un hotel con nombre falso pagando en efectivo; quizá queden algunos tugurios inhabitables que lo acepten, pero en casi todos los establecimientos, como mínimo, piden la tarjeta para tomar los datos por si les roban algo o destrozan la habitación. No es imprescindible liquidar la cuenta con ella, como dije, sólo quieren los datos, pero la piden.

Probablemente, ella pensó que no corría ningún riesgo, y era comprensible porque los Goldberg, que sobrevivían gracias a su discreción, le habían vendido una identidad y no cabía pensar que fueran a delatarla, ya que le habían hecho el favor gracias exclusivamente a su amistad con Cuadrados y Raquel, y si los viejos nos lo habían contado era por el hecho de que se consideraban en parte responsables de que la hubieran asesinado. Sumado a eso el hecho de que ahora Sheila Rogers estaba «muerta» y nadie iba a perseguirla, no era de extrañar que bajase un poco la guardia.

La víspera había sacado dinero con la tarjeta en un cajero automático de Union Square. A partir de ahí fue simple cuestión de indagar en los hoteles cercanos. Casi todo el trabajo detectivesco se efectúa a base de contactos y gente pagada, que en realidad son lo mismo. Los buenos detectives tienen contactos a sueldo en las compañías de teléfonos, oficinas de impuestos, empresas de tarjetas de crédito, en Tráfico y qué sé yo. Si alguien cree que es difícil encontrar a una persona que dé información a cambio de dinero, es que no lee bien los periódicos.

En nuestro caso fue incluso más fácil. Bastó con llamar a los hoteles de la zona preguntando por Donna White. Una operación repetitiva que concluye cuando en algún establecimiento responden: «Un momento, por favor», y te pasan la comunicación. Mientras subía la escalinata del Hotel Regina sentí que se apoderaba de mí la emoción. Estaba viva. No acababa de creérmelo, no iba a creérmelo hasta que la viera con mis propios ojos. La esperanza te juega malas pasadas obnubilando o esclareciendo la razón y, así como antes estaba casi convencido de que podía acaecer un milagro, ahora temía volver a perderla y que, cuando después mirase un féretro, viera en él a mi Sheila.

«Siempre te querré.»

Eso había escrito en la nota. Siempre.

Me acerqué al mostrador. Le había dicho a Cuadrados que quería ir solo. Lo entendió. La recepcionista, una mujer rubia de sonrisa indecisa, atendía el teléfono y me enseñó los dientes para darme a entender que no tardaría. Le respondí con gesto de no tener prisa y me recosté en el mostrador fingiendo plena tranquilidad.

Al cabo de un minuto colgó y me miró.

—¿Qué desea?

—Vengo a ver a Donna White —dije. Mi voz sonaba poco natural, vocalizaba exageradamente, como un presentador de esos programas ligeros de FM—. He venido a ver a Donna White. ¿Me da el número de habitación?

—Lo siento, señor, el número de habitación de los clientes es confidencial.

Estuve a punto de darme una palmada en la frente por idiota.

—Sí, claro, perdone. Llamaré primero. ¿Hay teléfono interior?

La mujer me señaló un lugar a la derecha donde en una pared había tres teléfonos blancos sin teclado numérico. Descolgué uno de los receptores y aguardé a oír la señal y a continuación la voz de la telefonista. Le pedí que me pusiera con Donna White. «Con mucho gusto», dijo, sirviéndose de la coletilla de moda en hostelería. Oí sonar el timbre.

El corazón me daba saltos en el pecho.

Sonó dos, tres, cuatro, hasta seis veces, y a continuación la comunicación se conectó al sistema automático y una voz monótona me informó que el huésped no estaba disponible en ese momento, instándome a que dejara un mensaje si lo deseaba. Colgué.

¿Y ahora qué?

Esperar. ¿Qué otra cosa podía hacer? Fui al quiosco a comprar un periódico y me senté en un rincón del vestíbulo desde donde veía la entrada; me tapé la cara con el periódico al estilo espía, con la sensación de ser un perfecto imbécil y con nervios en el estómago. Nunca había temido padecer una úlcera, pero aquellos últimos días comenzaba a notar una aguda acidez de estómago.

Me esforcé por leer el periódico, inútilmente, por supuesto. No podía concentrarme. No tenía energía para interesarme por los sucesos corrientes. Cada tres segundos miraba a la puerta de entrada. Pasaba páginas, miraba fotos, eché un vistazo distraídamente a los resultados deportivos, a las tiras cómicas, pero ni Beetle Bailey lograba fijar mi atención.

La rubia de recepción dirigía de vez en vez la vista hacia mí y cuando nuestras miradas se cruzaban me sonreía con gesto paternalista. Estaba seguro de que me vigilaba, o quizá fuese simple paranoia por mi parte pues, al fin y al cabo, lo que yo hacía era leer un periódico en el vestíbulo y no tenía por qué despertar sospechas.

Al cabo de una hora sin que sucediera nada sonó el móvil y me lo acerqué al oído.

—¿La has visto ya? —preguntó Cuadrados.

—No está en su habitación; o no contesta al teléfono.

—¿Dónde estás ahora?

—Acechando en el vestíbulo.

Oí que profería una especie de sonido.

—¿Qué? —pregunté.

—¿Acechando, has dicho?

—Déjame en paz, ¿quieres?

—Escucha, ¿por qué no contratamos a un par de detectives

de la agencia para que lo hagan como es debido y nos llamen en cuanto entre?

Reflexioné al respecto.

—Déjame en paz, ¿quieres? —dije.

Y en ese momento entró.

Los ojos se me saltaron de las órbitas y me quedé sin respiración. Dios mío, era realmente mi Sheila. Estaba viva. Me tembló la mano y casi se me cae el móvil al suelo.

—Will...

—Tengo que dejarte —dije.

—¿Ha llegado ya?

—Te llamo.

Corté la comunicación. Mi Sheila —uso ese nombre porque no sabía cómo llamarla— había cambiado de peinado. Llevaba el pelo más corto, con flequillo y suelto sobre su cuello de cisne, y con un tono más oscuro, color negro. Al verla fue como si me dieran un mazazo en el pecho.

Sheila cruzó el vestíbulo. Yo trataba de levantarme como en sueños. Eran sus andares de siempre: decidida y con la cabeza alta; se abrieron las puertas del ascensor y comprendí que no iba a darle alcance.

Entró en el ascensor en el momento en que yo lograba por fin ponerme en pie y cruzaba el vestíbulo lo más rápido posible sin correr. No quería dar el espectáculo. Fuera lo que fuese lo que estaba sucediendo —por qué había desaparecido, a qué obedecía el cambio de nombre y la adopción de un disfraz y Dios sabe qué más—, tenía que ingeniármelas para verificarlo. No podía sencillamente gritar su nombre y echar a correr hacia ella.

Sentí mis pisadas resonar en el mármol maldiciendo porque se me escapaba y, al cerrarse el ascensor tras ella, me detuve.

Maldita sea.

Pulsé el botón de llamada y se abrió otro ascensor. Fui a entrar pero me paré en seco. ¿De qué me serviría cogerlo sin saber el piso de su habitación? Miré las lucecitas parpadeantes de las plantas por las que pasaba el ascensor en que iba ella y vi que cambiaban despacio: cinco, seis... ¿Era ella la única pasajera? Pensé que sí.

El ascensor se detuvo en el noveno. Ah, muy bien. Volví a pulsar el botón de llamada. Se abrió de nuevo el mismo ascensor. Me precipité dentro y pulsé el botón del noveno piso con la esperanza de llegar antes de que entrara en la habitación. La puerta comenzó a cerrarse. Me recosté en la pared. En el último segundo, una mano se abrió paso y las puertas volvieron a abrirse. Entró un hombre sudoroso con traje gris que me saludó con una inclinación de cabeza. Marcó el piso once, las puertas se cerraron de nuevo y el ascensor se puso en marcha.

—Vuelve a hacer calor —comentó.

—Sí.

—Está bien este hotel —añadió jadeante—, ¿verdad?

Un forastero, pensé. Yo había subido en millones de ascensores de Nueva York, cuyos habitantes conocen la regla: mirar los números parpadeantes de los pisos y no entablar conversación.

Le dije que sí, que estaba bien, y se abrieron las puertas. Salí como una tromba. El pasillo era largo. Miré a la izquierda. Nada. Miré a la derecha y oí que se cerraba una puerta. Fui en esa dirección como un perro de caza pensando por instinto que era una de las puertas del fondo del pasillo.

Era como seguir un rastro sonoro, y deduje que procedía de la habitación 912 o de la 914. Miré sucesivamente las dos puertas y recordé la escena de *Batman* en que Catwoman le dice que una puerta lo conducirá hasta ella y la otra hasta un tigre, y Batman elige la que no es. Bueno, mi situación no era ninguna película.

Llamé a las dos y me situé en el centro equidistante.

No contestaban.

Volví a llamar más fuerte. Oí movimiento en la 912. Me situé frente a ella y me retoqué el cuello de la camisa, enderezando los hombros mientras descorrían la cadena de seguridad. El picaporte giró y la puerta se abrió despacio.

Era un hombre fornido y con cara de pocos amigos en camiseta de cuello en pico y calzoncillos a rayas.

—¿Qué quiere? —ladró.

—Perdone, busco a Donna White.

—¿Me parezco yo a esa Donna White? —replicó él con las manos en jarras.

De la habitación del brusco individuo surgían unos ruidos extraños, gruñidos y gimoteos de pasión y falso placer; nuestras miradas se cruzaron y vi que no le hacía gracia mi presencia; retrocedí un paso al percatarme de que lo había interrumpido mientras pasaban en el servicio de vídeo del hotel una película porno. Porno interruptus.

—Lo siento —dije.

Cerró de un portazo.

«Bueno, queda eliminada la 912. « Eso al menos —esperaba con todo mi corazón— parecía claro. Aquello era una locura. Alcé la mano para llamar a la 914 y en ese momento oí una voz que decía:

—¿Puedo ayudarlo?

Me volví y al fondo del pasillo vi a un tipo cuellicorto de cráneo rapado sacando pecho; llevaba una chaqueta azul con una insignia en la solapa y un escudo en la manga: un agente de seguridad del hotel ufano de su cargo.

—No, gracias —contesté.

—¿Es usted cliente del hotel? —preguntó arrugando el entrecejo.

—Sí.

—¿Qué habitación tiene?

—No tengo habitación.

—¿No acaba de decir...?

Llamé con todas mis ganas a la puerta pero el vigilante echó a correr hacia mí y por un instante pensé que iba a tirarse en plancha para defender la puerta, pero se detuvo.

—Haga el favor de acompañarme —dijo.

Volví a llamar sin hacerle caso, pero no contestaban y el vigilante me cogió del brazo. Yo me solté y volví a llamar gritando: «¡Sé que no eres Sheila!». Esto lo desconcertó. Frunció el ceño más aún. Los dos nos quedamos quietos mirando la puerta y al ver que no contestaba nadie él volvió a agarrarme del brazo, esta vez con más discreción. No me resistí y me acompañó abajo hasta la puerta del hotel.

Estaba en la acera. Me volví y lo vi sacando pecho otra vez con los brazos cruzados.

¿Y ahora qué?

Otro axioma de Nueva York: no te detengas en la acera porque es esencial que la gente circule con premura y nadie se interponga en su camino; si alguien se para, los peatones lo esquivan sin detenerse.

Busqué un lugar seguro. El secreto estaba en permanecer lo más cerca posible del hotel: en el bordillo. No, eso no. Me guarecí junto a la luna de un escaparate, saqué el móvil, llamé al hotel y dije que me pusieran con Donna White. Volvieron a contestarme: «Con mucho gusto», y pasaron la comunicación; no lo cogían.

Esta vez dejé un breve mensaje con el número del móvil diciendo que me llamase sin que se notara demasiado que era una súplica.

Metí el móvil en el bolsillo y volví a preguntarme: ¿y ahora qué?

Mi Sheila estaba en aquel hotel y sólo de pensarlo se me iba la cabeza. Mi ansiedad era brutal dadas las inquietantes posibilidades y dudas, pero las expulsé de mi mente.

Bueno, ¿en definitiva, qué? Vamos a ver: ¿no habría otra salida por detrás o por el sótano? ¿Me había visto a través de las gafas de sol y por eso había subido tan rápido en el ascensor? ¿Me equivoqué yo al seguirla y por lo tanto llamé a una habitación equivocada? Podía ser. Sabía que era el piso noveno. Ya era algo. ¿O acaso no? Tal vez, si ella me había visto, había bajado en otro piso para engañarme.

¿Me quedaría allí esperando?

No sabía qué hacer. Por supuesto que a casa no podía irme. Respiré hondo y contemplé a los peatones pasar apresurados; eran incontables, una masa anodina, un conjunto formado por seres aislados entre sí. Fue en ese momento, mirando a través de la multitud, cuando la vi.

Se me paró el corazón.

Estaba allí de pie mirándome. Estaba demasiado impresionado para hacer un movimiento. Noté que algo cedía dentro de mí y me llevé la mano a la boca para ahogar un grito. Ella avanzó hacia mí con los ojos bañados en lágrimas y sacudí la cabeza mientras ella continuaba caminando hasta llegar a mi lado y apretarse contra mí.

—No pasa nada —musitó.

Cerré los ojos y estuvimos un rato abrazados. Sin hablar. Sin movernos. Mientras el tiempo pasaba.

52

—Mi verdadero nombre es Nora Spring.

Nos sentamos en la planta baja de un Starbucks del sur de Park Avenue, en un rincón junto a la salida de emergencia. Estábamos solos. Ella no quitaba ojo de la escalera temerosa de que me hubieran seguido. Era un local, como tantos otros de la cadena, decorado en tonos terrosos con artísticos móviles surrealistas y grandes fotos de hombres de piel tostada cosechando felices granos de café. Nora sostenía con las manos un vaso de leche fría con crema. Yo opté por un capuchino.

Los sillones eran morados y enormes y aceptablemente mullidos. Los juntamos. Nos agarramos las manos. Yo estaba aturdido, por supuesto, y quería aclaraciones, pero por encima de todo, en un plano superior, me inundaba una alegría inenarrable, como una oleada extraordinaria que me apaciguaba; era feliz pese a lo que tuviera que decirme: la mujer que amaba había vuelto a mi vida y eso era lo único que contaba.

Dio un sorbo al vaso de leche.

—Lo siento —dijo.

Le apreté la mano.

—Desaparecer de ese modo. Dejar que pensaras que... —se detuvo—. Ni sé lo que pudiste pensar —añadió mirándome a los ojos—. Yo no pretendía hacerte daño.

—Estoy bien —dije.

—¿Cómo te enteraste de que no era Sheila?

—En su funeral; al ver el cadáver.

—Quería decírtelo, y más aún después de saber que la habían asesinado.

—¿Por qué no lo hiciste?

—Ken me dijo que podías correr peligro de muerte.

El nombre de mi hermano me conmocionó. Nora volvió la cabeza y yo subí la mano por su brazo hasta reposarla en el hombro. Estaba tensa y empecé a masajearla suavemente, creamos un momento de intimidad. Ella cerró los ojos abandonándose y estuvimos un buen rato sin decir palabra.

—¿Cuánto hace que conoces a mi hermano? —pregunté rompiendo el silencio.

—Hace casi cuatro años —contestó.

Asentí con la cabeza para mi sorpresa, tratando de incitarla a decir algo más, pero ella seguía con la cabeza vuelta a un lado. Le cogí suavemente la barbilla, la volví hacia mí y la besé dulcemente en los labios.

—Te quiero mucho —dijo.

Me sentí flotar en el asiento.

—Yo también te quiero.

—Tengo miedo, Will.

—Yo te protegeré —dije.

—Te he mentido todo este tiempo que hemos estado juntos —añadió mirándome a los ojos.

—Lo sé.

—¿Tú crees que podremos superarlo?

—Te perdí una vez y no pienso volver a perderte —respondí.

—¿Estás seguro?

—Siempre te querré —añadí.

Estudió mi cara. No sabía lo que buscaba.

—Will, estoy casada.

Logré a duras penas mantenerme impasible ante aquella revelación que me oprimía como una boa constrictor, y estuve a punto de soltarle la mano.

—Cuéntame —dije.

—Hace cinco años dejé a mi marido, Cray. Cray era... muy brutal —añadió cerrando los ojos—. No quiero entrar en detalles. De todos modos, da igual. Vivíamos en una ciudad llamada Cramden, cerca de Kansas City. Un día, después de tener que ir al hospital por culpa de Cray, huí de allí. Eso es lo que querías saber, ¿no?

Asentí con la cabeza.

—No tengo hijos. Tenía amigos allí pero no quise implicarlos. Cray está loco. No consentía en que nos separásemos, me amenazaba con... —añadió con voz apagada—. Bueno, da igual. Pero no podía correr ningún riesgo y busqué protección en una asociación para mujeres maltratadas; dije que quería empezar una nueva vida y marcharme de allí, pero que tenía miedo de Cray. Es policía. No tienes ni idea de lo que es... Vivir tanto tiempo aterrorizada por un hombre llega a hacerte creer que es omnipotente. No sé cómo explicarlo.

Me arrimé algo más a ella sin soltarle la mano. Sabía lo que eran los malos tratos y lo entendía.

—Con ayuda de aquella asociación me fui a Europa. Viví en Estocolmo. Fue duro. Conseguí un trabajo de camarera. Estaba constantemente sola y anhelaba volver, pero seguía aterrada por mi marido. Al cabo de seis meses creí que iba a volverme loca. Seguía teniendo pesadillas en las que aparecía Cray buscándome...

Se le quebró la voz. No sabía qué hacer. Traté de acercar más mi asiento al suyo, pero vi que los apoyabrazos se tocaban, aunque creo que ella agradeció el gesto.

—Finalmente conocí a una mujer norteamericana que vivía en el barrio. Hicimos una discreta amistad y algo en ella me hizo pensar que también era fugitiva. Nos encontrábamos las dos muy solas, aunque ella tenía a su marido y una niña. Vivían recluidos. Al principio no supe por qué.

—¿Aquella mujer era Sheila Rogers? —pregunté.

—Sí.

—Y su marido —me detuve y tragué saliva—, mi hermano.

Ella asintió con la cabeza.

—Y tienen una hija que se llama Carly.

Todo comenzaba a cobrar sentido.

—Sheila y yo nos hicimos amigas y, aunque tardó un poco en abrirse a mí, hice también amistad con Ken. Me fui a vivir con ellos y los ayudaba a cuidar de Carly. Tienes una sobrina encantadora, Will. Lista y preciosa y, no quiero parecer metafísica, pero desprende un aura alrededor.

Era mi sobrina: Ken tenía una hija que no conocía a su tío.

—Tu hermano hablaba constantemente de ti. Mencionaba a tu madre, a tu padre o a Melissa, pero tú lo eras todo para él. Él estaba al tanto de todo lo que hacías y sabía que trabajabas en Covenant House. Debe de hacer... siete años que se esconde y me da la impresión de que también sufría de soledad, porque en cierta ocasión se explayó conmigo y me habló de muchas cosas, pero sobre todo de ti.

Parpadeé, bajé la vista y miré en la mesa la servilleta gris de Starbucks, adornada con un poema fútil sobre el aroma y no sé qué promesa; era de papel reciclado, grisácea por falta del blanqueo.

—¿Te encuentras bien? —preguntó ella.

—Muy bien —respondí alzando la vista—. ¿Y qué sucedió?

—Me puse en contacto con un amigo de mi ciudad. Me dijo que Cray había contratado a un detective privado y sabía que vivía en Estocolmo. Me entró pánico, pero en aquel momento ya había decidido volver. Como te he dicho, vivía con Cray en

Missouri, así que pensé que estaría más segura si venía a Nueva York, pero necesitaba cambiar de identidad por si Cray seguía buscándome. A Sheila le sucedía lo mismo; su falsa identidad no le servía de mucho, y fue así como se nos ocurrió un sencillo plan.

Asentí con la cabeza.

—Intercambiasteis los nombres —dije.

—Exacto. Ella adoptó el de Nora Spring y yo el de Sheila Rogers. Así, si mi marido me buscaba daría con ella y quienes buscaban a Sheila Rogers tampoco conseguirían su propósito.

Reflexioné al respecto, pero había algo que no cuadraba.

—De acuerdo, fue así como te convertiste en Sheila Rogers.

—Sí.

—¿Y viniste a Nueva York?

—Eso es.

—Y —ésa era la parte que me resultaba difícil— nos conocimos por casualidad.

Nora sonrió.

—Te resulta extraño, ¿no? —preguntó.

—Sí.

—Piensas que es demasiada casualidad que me presentara voluntaria en el lugar donde tú trabajas.

—Sí, es muy raro —dije.

—Tienes razón. No fue casual —admitió ella recostándose en el asiento—. No sé cómo explicártelo, Will.

No dije nada y seguí apretando su mano, aguardando.

—Tienes que comprender que en Europa me sentía muy sola. Sólo tenía a tu hermano y a Sheila, y a Carly, por supuesto. El caso es que, como tu hermano no cesaba de hablar de ti, sucedió que... para mí eras muy distinto a cualquier otro hombre que conocía; la verdad es que... creo que estaba medio enamorada de ti aunque fueses un desconocido. Así que me propuse conocerte al llegar a Nueva York para ver cómo eras. Incluso pensé revelarte que tu hermano seguía vivo y era inocente, pese a la insistencia por parte de él de que era peligroso hacerlo. No fue un plan premeditado. Llegué a Nueva York y fui un día a Covenant House y, atribúyelo al destino o como quieras llamarlo, pero nada más verte supe que eras el hombre de mi vida.

Sonreí asustado y aturdido.

—¿Qué sucede? —preguntó.

—Te quiero.

Ella apoyó la cabeza en mi hombro y permanecimos así apaciblemente. Ya habría otros momentos; ahora disfrutábamos con el silencio los dos quietos y unidos. Cuando le pareció bien prosiguió con la historia.

—Hace unas semanas estaba en el hospital sentada al lado de tu madre. Sufría mucho. Me confesó que no aguantaba más, que quería morir. Lo estaba pasando muy mal, en fin, tú ya lo sabes.

Asentí con la cabeza.

—Creo que sabes que yo quería a tu madre.

—Sí —dije.

—Allí sentada, sin poder hacer nada, me sentía impotente. Así que falté a mi palabra con tu hermano y decidí contarle la verdad antes de que muriera. Era lo menos que podía hacer por ella, decirle que su hijo vivía, que seguía queriéndola y que no había hecho mal a nadie.

—¿Le contaste lo de Ken?

—Sí. Pero a pesar de que estaba semiinconsciente se mostró escéptica y me figuré que quería una prueba.

Me quedé helado; me volví hacia ella y comprendí el origen de todo: la visita al dormitorio después del entierro, la foto escondida detrás del marco.

—Le enseñaste aquella foto de Ken.

Nora asintió con la cabeza.

—No llegó a verlo. Sólo la fotografía.

—Ya.

Eso explicaba que nosotros no supiéramos nada.

—¿Le dijiste que Ken iba a volver?

—Sí.

—Una mentira piadosa.

Ella reflexionó un instante.

—Quizá fuese una exageración, pero no exactamente una mentira. Sheila se puso en contacto conmigo cuando capturaron a Ken. Él siempre se había movido con mucho cuidado adoptando toda clase de precauciones por Sheila y Carly. La primera vez que lo detuvieron, ellas huyeron al extranjero y la policía nunca supo de su existencia. Sheila estuvo fuera del país hasta que Ken pensó que ya estarían seguros.

—¿Y Sheila te llamó a su regreso?

—Sí.

Todo coincidía.

—¿Desde un teléfono público de Nuevo México?

—Sí.

Debía de ser la primera llamada desde Nuevo México a mi apartamento a que se refería Pistillo.

—¿Y después qué sucedió?

—Que todo empezó a ir mal —respondió ella—. Ken me llamó enloquecido para avisarme que los habían descubierto. Él y Carly estaban fuera de casa cuando irrumpieron dos hombres. Torturaron a Sheila para averiguar dónde había ido. Ken los sorprendió a su regreso y los mató, pero Sheila estaba muy malherida; me llamó para decirme que tenían que huir y prevenirme de que la policía encontraría huellas de Sheila y que McGuane y los suyos se entera rían también de que Sheila Rogers estaba con él.

—Y todos la buscarían —dije.

—Sí.

—Y como tú tenías su identidad era necesario que desaparecieras.

—Yo quería decírtelo, pero Ken insistió en que correrías menos peligro si no sabías nada, y me recordó además que había que tener en cuenta a Carly. Esa gente había torturado y matado a su madre y yo no me habría perdonado nunca que a la niña le sucediera algo.

—¿Cuántos años tiene?

—Pronto cumplirá doce.

—Así que nació antes de que Ken huyera.

—Tengo entendido que tenía seis meses.

Otro tema delicado: Ken tenía una hija y no me había dicho nada.

—¿Por qué guardaba en secreto que era padre de una niña?

—No lo sé.

Hasta aquel momento, todo me había parecido lógico, pero no acababa de entender de qué modo encajaba Carly en la historia. Recapacité: seis meses antes de la desaparición de Ken, ¿qué era de su vida? Era la época en que el FBI lo acosaba. ¿Tendría relación con ello? ¿Tenía Ken miedo de que sus actos repercutieran en contra de su hijita? Sí, era lógico.

Pero me faltaba un eslabón.

Iba a hacer una pregunta para obtener más detalles cuando chirrió el móvil. Probablemente sería Cuadrados. Miré el número y no era él, pero lo reconocí al instante: Katy Miller. Pulsé el botón y me llevé el aparato al oído.

—¿Katy?

—Oooh, no, lo siento, se equivoca. Pruebe otra vez, por favor.

El miedo volvió a invadirme. Dios santo: El Espectro. Cerré los ojos.

—Si le haces daño, soy capaz de...

—Vamos, vamos, Will —me interrumpió él—, a ti no te van las amenazas vanas.

—¿Qué quieres?

—Tenemos que hablar, muchacho.

—¿Dónde está Katy?

—¿Quién? Ah, sí, Katy. Aquí la tengo.

—Quiero hablar con ella.

—¿No me crees, Will? Me ofendes.

—Quiero hablar con ella —insistí.

—¿Quieres una prueba de que está viva?

—Algo parecido.

— Vamos a ver —añadió El Espectro con su murmullo sedoso—, puedo hacerla gritar para que tú lo oigas. ¿Te sirve?

Cerré los ojos otra vez.

—¿No dices nada, Will?

—No, eso no.

—¿De verdad? No sería un problema. Un grito agudo, escalofriante. ¿Qué me dices?

—Por favor, no le hagas daño —repliqué—. Ella no tiene nada que ver en esto.

—¿Dónde estás?

—En el sur de Park Avenue.

—Sé más concreto.

Le dije que me encontraba dos manzanas más allá de donde estábamos.

— Un coche te recogerá dentro de cinco minutos. Sube. ¿Entiendes?

—Sí.

—Oye, Will.

—¿Qué?

—No llamés a ningún sitio ni le digas nada a nadie. Katy Miller ya tiene lesionado el cuello de un encuentro previo y no

quiero ni contarle lo tentador que resultaría ponerlo a prueba. —Hizo una pausa y luego susurró—: ¿Me escuchas, viejo vecino?

—Sí.

—Tranquilo entonces, esto acabará pronto.

53

Claudia Fisher irrumpió en el despacho de Joe Pistillo.

—¿Qué sucede? —preguntó Pistillo levantando la cabeza.

—Raymond Cromwell no ha comunicado.

Cromwell era el agente secreto que habían asignado a Joshua Ford, el abogado de Ken Klein.

—¿No llevaba transmisor?

—Fueron a una entrevista con McGuane y allí no podía llevar micrófono oculto.

—¿Y no se le ha vuelto a ver desde entonces?

—Ni a Ford tampoco. Han desaparecido los dos.

—Dios mío.

—¿Qué hacemos?

Pistillo ya se había puesto en pie.

—Reúna a todos los agentes que pueda y vamos ahora mismo a la oficina de McGuane.

Dejar sola de aquel modo a Nora —ya me había acostumbrado al nombre— era descorazonador, pero ¿qué podía hacer? Pensar que Katy estaba en manos de aquel psicópata sádico me atormentaba. Recordé la impotencia que sentí al verme esposado a la cama mientras él la agredía y cerré los ojos para exorcizar la escena.

Nora quiso impedir que fuera, pero lo comprendió. Tenía que hacerlo. Nos despedimos con un beso lánguido inenarrable. Al romper el abrazo vi lágrimas en sus ojos.

—Vuelve a mí —dijo.

Dije que lo haría y salí del local.

Era un Ford Taurus negro de ventanillas ahumadas. No había nada en el coche aparte del chófer. No lo conocía. Me tendió un protector para los ojos como los que dan en los aviones durante el vuelo y me dijo que me lo pusiera y me tumbase en el asiento trasero. Así lo hice. Puso el coche en marcha y arrancó. Me dispuse a pensar: ahora sabía ya muchas cosas. No todo. No lo suficiente. Pero bastante. Estaba casi razonablemente convencido de que El Espectro tenía razón: aquello tocaba a su fin.

Por mi mente discurrió todo como una película y el resumen prácticamente definitivo era que once años atrás Ken se implicó en algo ilegal con sus antiguos amigos McGuane y El Espectro. Eso estaba claro: Ken había delinquido. A mí me habría podido parecer un héroe, pero no podía prescindir del comentario de mi hermana Melissa sobre cómo a él le atraía la violencia. Podía alegarse como eximente que le gustaba la acción, el riesgo. Pero eso eran puros matices.

En algún momento lo habían detenido, y llegó a un acuerdo para ayudar a desenmascarar a McGuane. Había arriesgado su vida actuando como agente secreto con un micrófono oculto, pero McGuane y El Espectro lo descubrieron. Ken huyó. Volvió a casa, aunque yo no acababa de entender ese regreso ni tampoco el modo en que Julie encajaba en la historia. En cualquier caso, ella también llevaba un año fuera de casa. ¿Habría regresado por pura casualidad? ¿O simplemente iba detrás de Ken porque era su amante o quizá su pro veedor de droga? ¿Le seguía a ella los pasos El Espectro convencido de que lo conduciría a Ken?

Eran datos que ignoraba de momento.

En cualquier caso, El Espectro dio con ellos, probablemente en un momento delicado. Los atacó. Ken resultó herido pero logró escapar. Julie no tuvo esa suerte. El Espectro quería presionar a Ken, de modo que fingió que el asesinato había sido obra suya. Ken, temiendo ser asesinado o algo peor, huyó. Con su novia, Sheila Rogers, y con su hija Carly. Los tres desaparecieron.

Noté que disminuía la luz, ya escasa con el protector, y oí sonido de ruedas apagado: acabábamos de entrar en un túnel. Quizá fuese el de Midtown, pero me imaginé que era el de Lincoln en dirección a Nueva Jersey. Pensé en Pistillo y su papel en aquel asunto: para él se trataba del clásico proverbio de que el fin justifica los medios. Aunque en determinadas circunstancias él fuera hombre de principios, este caso era algo personal. Sí, no era difícil entender su punto de vista: Ken era un criminal; habían llegado a un acuerdo que él, por el motivo que fuese, había roto con su huida, y Pistillo se consideraba con derecho a perseguirlo sin tregua y con los medios que fuese.

Pasan los años, Ken y Sheila permanecen juntos. La niña, Carly, se ha hecho mayor. De pronto, un día lo capturan y lo traen a Estados Unidos y supuestamente le imputan el asesinato de Julie Miller. Pero las autoridades siempre han sabido la verdad. No lo quieren por eso. Quieren la cabeza del dragón, McGuane. Y Ken aún puede traérsela.

Así que llegan a un acuerdo. Ken se oculta en Nuevo México. Una vez que consideran que no corre peligro, Sheila y Carly vuelven de Suecia para vivir con él. Pero McGuane tiene infinitos recursos. Descubre su paradero y envía a dos matones que se presentan cuando Ken está fuera de casa y torturan a Sheila para que revele adónde ha ido. Ken regresa de improviso, los sorprende y los mata, monta a Sheila herida y a su hija en el coche y vuelve a emprender la huida. Previene a Nora, que se encubre bajo la identidad de Sheila, de que el FBI y McGuane van a buscarla. Nora también se ve obligada a huir.

Era más o menos cuanto yo sabía.

El Ford Taurus se detuvo y el chófer paró el motor. Basta de pasividad, pensé. Si había alguna esperanza de salir con vida de aquella situación tenía que ser más activo. Me quité el protector de ojos y miré el reloj. Habíamos circulado durante una hora. Me senté.

Estábamos en un bosque. El suelo estaba cubierto de pinaza y árboles opulentos y verdes. Había una especie de torre de vigilancia, una estructura de aluminio de unos cuatro metros coronada por una plataforma que se levantaba a unos cinco metros del suelo. Parecía un cobertizo metálico rudimentario, una caseta somera tipo industrial en la que pude advertir el marco oxidado de la puerta.

—Baje —dijo el chófer volviéndose hacia mí.

Hice lo que me decía. Clavé la vista en la estructura. Vi cómo se abría la puerta y El Espectro apareció. Iba completamente vestido de negro como para dar un recital de poesía en el Village. Me saludó con la mano.

—Hola, Will.

—¿Dónde está? —pregunté.

—¿Quién?

—Déjate de tonterías.

El Espectro cruzó los brazos.

—Vaya, vaya, con el valiente —dijo.

—¿Dónde está?

—¿Te refieres a Katy Miller?

—Lo sabes de sobra.

El Espectro asintió con la cabeza. Llevaba algo en la mano; una especie de cuerda. Un lazo, quizá. Se me heló la sangre en las venas.

—Se parece mucho a su hermana, ¿no crees? ¿Cómo podría

haberme resistido?: ese cuello, ese espléndido cuello de cisne con esas contusiones...

—¿Dónde está? —repetí tratando de reprimir el temblor de mi voz.

Parpadeó.

—Ha muerto, Will.

Se me encogió el corazón.

—Me aburría de esperar y... —Se echó a reír. Sus carcajadas resonaron en aquel lugar desolado, perdiéndose en la arboleda. Me quedé inmóvil y él me señaló con el dedo—. ¡Caíste en la trampa! Bah, Will, muchacho, es una broma, lo dije por divertirme. Katy está bien. Ven y verás —añadió con una seña para que me acercara.

Corrí hacia la plataforma con el corazón en un puño y subí por la escalerilla roñosa. El Espectro continuaba riendo, pasé junto a él y abrí la puerta de la caseta metálica, miré hacia la derecha.

Katy estaba allí.

Con el eco en mis oídos de la risa de El Espectro corrí hacia ella y vi que tenía los ojos abiertos aunque se los tapaban unos mechones de pelo; las magulladuras del cuello eran ahora amarillentas y estaba atada a la silla por los brazos, pero no parecía herida.

—¿Estás bien? —pregunté agachándome y apartándole el pelo.

—Estoy bien.

— ¿Te ha hecho daño? —añadí, sintiendo que me crecía la cólera.

Katy Miller negó con la cabeza.

—¿Qué quiere de nosotros? —preguntó con voz temblorosa.

—Deja que conteste yo a eso.

Nos volvimos y vimos que El Espectro entraba. Dejó la puerta abierta. En el interior de la caseta, el suelo estaba lleno de cascos rotos de botellas de cerveza. En un rincón había un archivador viejo y en otro, un portátil cerrado, aparte de tres sillas metálicas plegables, como las de las asambleas escolares, una de las cuales ocupaba Katy. El Espectro se sentó en otra y me indicó que me acomodase en la tercera, a su izquierda, pero yo seguí de pie. Él lanzó un suspiro y se reclinó en la suya.

—Necesito que me ayudes, Will, y se me ocurrió que la señorita Miller aquí presente —añadió volviéndose hacia Katy— te serviría de acicate.

—Si le haces daño o le pones la mano encima... —dije haciendo acopio de valor.

El Espectro no se inmutó. No replicó. Tan sólo despegó la mano del costado y me acercó el puño a la barbilla. Oí un *clic* y el resorte de la navaja hizo que la hoja se abriera hasta rozarme los labios. Sentí como si me hubiera tragado mi propia garganta. Desvié los ojos temblando mientras El Espectro se agachaba despacio y me propinaba un gancho en el hígado que me hizo caer de rodillas sin resuello.

—Tu actitud me ataca los nervios, Will —dijo mirándome tirado en el suelo a punto de vomitar—. Necesitamos ponernos en contacto con tu hermano —continuó— y por eso te he hecho venir.

—Yo no sé dónde está —respondí levantando la vista hacia él.

El Espectro se apartó de mí y se colocó detrás de la silla de Katy poniéndole con ostentosa delicadeza las manos en los hombros y provocando en ella una mueca al sentir que le acariciaba con los dos dedos índice las magulladuras del cuello.

—Lo digo en serio —añadí.

—Oh, te creo —replicó él.

—Entonces, ¿qué es lo que quieres?

—Yo sé cómo establecer contacto con Ken.

—¿Qué? —inquirí asombrado.

—¿Has visto en las viejas películas que el fugitivo deja mensajes en la sección de anuncios por palabras?

—Sí, creo que sí.

El Espectro sonrió como complacido con mi respuesta.

—Es lo que ha hecho Ken utilizando un grupo de noticias de Internet. Más concretamente, intercambia mensajes en rec. music.elvis, que, como supondrás, es un sitio de la red para admiradores de Elvis Presley. De modo que si su abogado necesita establecer contacto le indica día, hora y lugar con un nombre cifrado para que Ken sepa cuándo enviar un MI a dicho abogado.

—¿MI?

—Un mensaje instantáneo. Imagino que tú lo habrás usado. Es como un espacio privado de chateo. Perfectamente ilocalizable.

—¿Cómo sabes todo eso? —pregunté.

Sonrió y oprimió un poco más el cuello de Katy.

—Acopio de información —contestó—. Una de mis especialidades.

Hasta que no apartó las manos del cuello de ella no advertí que yo no había dejado de mirarlo conteniendo la respiración, pero él volvió a meter la mano en el bolsillo y sacó otra vez el lazo.

—¿Qué es lo que quieres que haga? —dije.

—Tu hermano no acudió a una cita con su abogado porque debió de sospechar una encerrona —dijo El Espectro—. Le hemos enviado un mensaje para otra cita y esperamos que tú lo convenzas para que acuda.

—¿Y si no lo logro?

—¿Sabes qué es esto? —inquirió alzando aquella cuerda con un mango en el extremo.

No contesté.

—Es un lazo del Punjab —dijo como quien inicia una conferencia— utilizado por los Thuggee, los llamados asesinos sigilosos de la India, que muchos creen desaparecidos en el siglo diecinueve, aun que hay quien no..., quien no estaría tan seguro. —Miró a Katy y alzó más el arma rudimentaria—. ¿Continúo, Will?

Negué con la cabeza.

—Sabrá que es una trampa —dije.

—Tú te encargarás de convencerlo de que no. Si no lo consigues... —Alzó la vista sonriente—. Bueno, al menos tendrás ocasión de ver directamente cómo sufrió Julie hace tantos años.

Sentí que se me helaba la sangre en las venas.

—Queréis matarlo —dije.

—Oh, no necesariamente.

Sabía que era mentira pero su expresión era palmariamente sincera.

—Tu hermano grabó unas cintas con información comprometedora —dijo—, pero las ha guardado todos estos años y aún no se las ha entregado a los federales. Un buen detalle. Demuestra buena voluntad por su parte y que sigue siendo el Ken que conocemos y apreciamos. Pero, aparte de eso... —se detuvo como reflexionando—, tiene algo que yo quiero.

—¿Qué?

Negó con la cabeza.

—El trato es el siguiente: si entrega lo que tiene y promete desaparecer, todos contentos.

Sabía que era mentira. Mataría a Ken. Y nos mataría a nosotros. De eso no tenía la menor duda.

—¿Y si no te creo?

Pasó el lazo por el cuello de Katy y ella lanzó un quejido mientras él sonreía mirándome.

—¿De verdad importa?

Tragué saliva.

—Supongo que no.

—¿Supones?

—Colaboraré.

Soltó el lazo y lo dejó colgando del cuello de Katy a modo de siniestro collar.

—No lo toques —añadió—. Nos queda una hora, Will. No dejes de mirar su cuello. E imagina.

54

Habían pillado a McGuane desprevenido.

Vio cómo entraban en tromba los agentes del FBI. No lo había previsto. Claro, Joshua Ford era una persona importante y su desaparición habría causado revuelo a pesar de que lo habían obligado a llamar a casa para avisar a su esposa de que acababa de recibir una llamada para atender un «asunto delicado» fuera de la ciudad. Pero ¿aquella irrupción? Parecía excesiva.

No importaba. McGuane siempre estaba preparado. Habían limpiado la sangre con un nuevo producto peróxido y aunque utilizaran un microscopio no descubrirían nada. Habían eliminado pe los y fibras e, incluso si quedaba alguna brizna, no habría problema. Admitiría que Ford y Cromwell habían estado allí pero que después se fueron. Podía probarlo de sobra porque el personal de seguridad ya había cambiado la cinta de vídeo auténtica por la manipulada digitalmente en la que se veía a Ford y a Cromwell saliendo del edificio por su propio pie.

McGuane pulsó un botón que automáticamente borraba y reformateaba los archivos del ordenador. Allí no descubrirían nada porque periódicamente hacía una copia de seguridad por correo electrónico. Cada hora, el ordenador enviaba el mensaje a una cuenta secreta que sólo él conocía y de la que podía retirar los datos en cualquier momento.

Se levantó y se recolocó la corbata en el momento en que Pistillo irrumpía en el despacho con Claudia Fisher y otros dos agentes, apuntándolo con una pistola.

McGuane abrió los brazos tranquilamente. No hay que dejar que vean que tienes miedo.

—Qué agradable sorpresa —dijo.

—¿Dónde están? —vociferó Pistillo.

—¿Quiénes?

—Joshua Ford y el agente especial Raymond Cromwell.

McGuane permaneció impasible. Ahora lo entendía.

—¿Quiere decir que el señor Cromwell es agente federal?

—Eso es —replicó Pistillo—. ¿Dónde está?

—En ese caso presentaré querella.

—¿Cómo?

—El agente Cromwell se presentó como abogado —prosiguió McGuane con voz serena—. Yo lo creí y le di mi confianza convencido de que preservaría la confidencialidad abogado-cliente, y ahora me dice usted que es un agente secreto. Quiero asegurarme de que no hay nada que pueda ser usado en contra mía.

—¿Dónde está, McGuane? —replicó Pistillo con el rostro congestionado.

—No tengo la menor idea. Se marchó con el señor Ford.

—¿Qué clase de negocios tenía con él?

McGuane sonrió.

—Pistillo, sabe perfectamente que la reunión que hemos celebrado queda amparada bajo la confidencialidad abogado-cliente.

Pistillo ansiaba con toda su alma apretar el gatillo, apuntó al centro del rostro de McGuane, pero éste lo miraba impasible, y bajó la pistola.

— Comiencen a registrar —ordenó a los agentes a voz en grito—. Todo; de arriba abajo. Y a él, deténganlo.

McGuane se dejó esposar. No les diría lo de la cinta de vigilancia: que la encontrasen ellos y así la sorpresa sería mayor. De todos modos, mientras salía escoltado por los agentes pensó que aquello no le convenía. No le faltaba audacia, ni era el primer agente federal a quien mataba, pero no pudo evitar el pensar si no se habría dejado algún cabo suelto que al fin resultara un error crucial que le hiciera perderlo todo.

55

El Espectro salió de la caseta y bajó al bosque dejándonos a solas. Me senté en la silla y miré el lazo en el cuello de Katy. Ciertamente, ejercía el efecto deseado. Colaboraría. No me arriesgaría a que apretara con la cuerda el cuello de la espantada joven.

—Nos va a matar —dijo ella mirándome.

De eso no había duda pero yo, naturalmente, lo negué y le dije que todo iría bien, que encontraríamos una solución, aunque creo que no logré mitigar su preocupación. No era de extrañar. La garganta ya casi no me dolía, pero sí el hígado después del puñetazo. Eché un vistazo a la caseta.

Piensa, Will, y deprisa.

Sabía lo que iba a pasar. El Espectro me obligaría a convenir una cita. Cuando Ken se presentara nos mataría a todos. Lo pensé e intenté discurrir alguna manera de prevenir a mi hermano, tal vez mediante algún tipo de código; nuestra única esperanza era que Ken se oliera la trampa y los sorprendiera. Pero no podía confiar plenamente en eso, tenía que buscar una salida, la que fuese, incluso si ello implicaba sacrificarme por salvar a Katy. Seguro que se produciría algún fallo, algún error por parte de El Espectro. Debía estar alerta para aprovecharlo.

—Sé dónde estamos —musitó Katy.

—¿Dónde? —pregunté volviéndome hacia ella.

— En la reserva de humedales de South Orange —respondió—. Veníamos aquí a beber. Estamos cerca de la carretera de Hobart Gap.

—¿A qué distancia? —pregunté.

—A kilómetro y medio, seguramente.

—¿Sabrías llegar a ella? Es decir, si nos escapamos, ¿sabrías encontrar el camino?

—Creo que sí —contestó ella—. Sí, sí que sabría —añadió asintiendo con la cabeza.

Estupendo. Eso era algo. No mucho pero, en principio, servía. Miré desde la puerta y vi al chófer recostado en el coche. El Espectro estaba con las manos a la espalda levantándose de puntillas distraídamente con la cabeza echada hacia atrás como mirando a los pájaros. El chófer encendió un cigarrillo. El Espectro no se movió.

Miré en el suelo y no tardé en encontrar lo que buscaba: un buen trozo de cristal. Volví a mirar furtivamente por la puerta, vi que ninguno de los dos observaba y me acerqué con cautela a la silla de Katy.

—¿Qué haces? —musitó ella.

—Voy a cortar las cuerdas.

—¿Estás loco? Si te ve...

—Tenemos que intentar algo —dije.

—Pero... —No acabó de decir la frase—. Aunque cortes las cuerdas, luego ¿qué? —añadió.

—No lo sé, pero tú estate alerta por si surge la ocasión de escapar y podemos aprovecharla.

Acerqué el vidrio roto a la cuerda y comencé a rozarla; me costaba pero poco a poco se rompía; aceleré el movimiento y vi que cedían más fibras.

Casi había cortado la mitad cuando noté que la plataforma vibraba; me quedé quieto: subían por la escalerilla. Katy profirió como un gemido y yo me aparté de la silla para ir a sentarme en la mía justo en el momento en que reaparecía El Espectro y me miraba.

—Estás sin resuello, Will, muchacho.

Dejé disimuladamente el vidrio en la parte de atrás del asiento, casi bajo mis nalgas. El Espectro frunció el ceño y yo seguí callado sintiendo cómo se me aceleraba el pulso. Él miró hacia Katy, quien con gran acopio de valor, desafiante, le sostuvo la mirada. Me admiraba lo valiente que era, pero al mirarla allí atada volví a sentir pavor: la cuerda medio rota estaba a la vista.

El Espectro entrecerró los ojos.

—Bueno, acabemos de una vez —dije yo.

Mi observación bastó para distraerlo. Se volvió hacia mí mientras Katy ocultaba como podía el cabo de la cuerda. No mucho si a él se le ocurría mirar atentamente. El Espectro hizo una pausa antes de acercarse al portátil. Durante un segundo —el más breve segundo— me dio la espalda.

«Ahora», pensé.

Me pondría en pie de repente y, como si fuera un cuchillo, le clavaría el vidrio en el cuello. Calculé a toda velocidad: ¿demasiada distancia? Probablemente. ¿Y el chófer? ¿Estaría armado? ¿Me atrevería...?

El Espectro se dio la vuelta. Había perdido la ocasión si es que realmente la había tenido.

Se acercó con el ordenador ya en marcha y tecleó para conectarse a través de un módem remoto; volvió a teclear y apareció un cuadro de diálogo.

—Es hora de hablar con Ken —dijo sonriente.

Sentí un nudo en el estómago mientras él pulsaba la tecla de «retorno» y pude ver en la pantalla el texto:

¿ESTÁS AHÍ?

Aguardamos y la respuesta no se hizo esperar.

ESTOY.

El Espectro sonrió diciendo: «Ah, Ken», volvió a teclear y le dio al «intro».

SOY WILL. ESTOY CON FORD.

Hubo una pausa larga.

DIME EL NOMBRE DE LA PRIMERA CHICA CON QUIEN LO HICISTE.

El Espectro se volvió hacia mí mirándome.

—Como era de esperar quiere una prueba de que eres tú —dijo.

Yo no contesté pero pensaba a toda velocidad.

—Sé lo que estás pensando —añadió él—. Quieres advertirlo y darle una respuesta aproximada. —Se acercó a Katy y cogió el extremo del lazo y tiró un poco hasta que la cuerda se ciñó a su cuello—. Éste es el trato, Will. Quiero que te levantes, te acerques al ordenador y teclees la respuesta correcta. Voy a seguir apretando y si me sales con algún truco, o simplemente sospecho que lo intentas, no dejaré de apretar hasta matarla. ¿Entendido?

Asentí con la cabeza.

Apretó un poco más el lazo a Katy y ella barbotó un sonido confuso.

—Adelante —dijo él.

Corrí hasta el ordenador. El miedo me nublaba la mente. Tenía razón. Había estado pensando en recurrir a alguna mentira que pareciera verdad para alertar a Ken, pero ahora era imposible. Puse los dedos sobre el teclado y escribí:

CINDI SHAPIRO.

El Espectro sonrió.

—¿En serio? Tío, era un bomboncito, Will. Estoy impresionado.

Aflojó el lazo, Katy lanzó un suspiro y él se acercó al ordenador. Yo miré a mi silla, advertí que el vidrio estaba a la vista y fui a sentarme sin pensármelo dos veces mientras llegaba la respuesta.

VETE A CASA, WILL.

—Interesante respuesta —dijo El Espectro restregándose la cara y reflexionando—. ¿Dónde te lo hiciste con ella? —preguntó.

—¿Cómo?

—Con Cindi Shapiro. ¿Fue en su casa o dónde?

—En el bar de Eric Frankel.

—¿Ken sabe ese detalle?

—Sí.

El Espectro sonrió y volvió a teclear.

ME HAS PUESTO A PRUEBA Y AHORA TE TOCA A TI. ¿DÓNDE ME LO HICE CON CINDI?

Hubo otra larga pausa. Yo estaba en ascuas. Era una idea genial por parte del Espectro como réplica, pero lo cierto es que no sabíamos si era Ken o no y la respuesta nos sacaría de dudas.

Transcurrieron treinta segundos hasta que apareció:

VETE A CASA, WILL.

El Espectro tecleó:

TENGO QUE SABER SI ERES TÚ.

Hubo otra pausa aún más larga hasta que apareció en la pantalla lo siguiente:

EN EL BAR DE FRANKEL. AHORA VETE A CASA .

Sentí una sacudida. ¡Era Ken!

Miré a Katy y nuestras miradas se cruzaron. El Espectro volvió a teclear.

TENEMOS QUE VERNOS.

La respuesta fue inmediata:

NO, NO PUEDE SER.

POR FAVOR, ES IMPORTANTE.

VETE A CASA, WILL. PELIGRO.

¿DÓNDE ESTÁS?

¿CÓMO HAS ENCONTRADO A FORD?

—Mmm —musitó El Espectro pensando.

PISTILLO TECLEÓ.

Hubo otra larga pausa.

ME ENTERÉ DE LO DE MAMÁ. ¿SUFRIÓ MUCHO?

El Espectro no me consultó para contestar:

SÍ.

¿CÓMO ESTÁ PAPÁ?

NO MUY BIEN. QUEREMOS VERTE.

Otra pausa.

NO, NO PUEDE SER.

PODEMOS AYUDARTE.

MEJOR QUE NO LO HAGÁIS.

El Espectro me miró.

—¿Probamos a tentarlo con su vicio preferido?

No tenía ni idea de a qué se refería, pero vi que tecleaba:

PODEMOS CONSEGUIRTE DINERO. ¿LO NECESITAS?

SÍ. LO NECESITARÉ PERO PODEMOS HACERLO A TRAVÉS DE TRANS-FERENCIAS INTERNACIONALES.

Y a continuación, como si leyera mi pensamiento, El Espectro añadió:

DE VERDAD NECESITO VERTE. POR FAVOR.

TE QUIERO, WILL. VETE A CASA.

De nuevo, como si estuviese dentro de mi cabeza, El Espectro tecleó:

ESPERA.

VOY A CERRAR, HERMANO. NO TE PREOCUPES.

El Espectro lanzó un prolongado suspiro.

—Esto no funciona —exclamó. Tecleó rápidamente.

CIERRA, KEN, Y TU HERMANO MUERE.

Una pausa.

¿QUIÉN ERES?

El Espectro sonrió.

ADIVINA. UNA AYUDA: EL CORDIAL CASPER.

La respuesta no se hizo esperar:

DÉJALO EN PAZ, JOHN.

NO.

ÉL NO TIENE NADA QUE VER CON ESTO.

ME CONOCES DEMASIADO PARA PEDIRME COMPASIÓN. DÉJATE VER, DAME LO QUE QUIERO Y NO LO MATO.

PRIMERO DEJA QUE SE VAYA Y LUEGO TE DOY LO QUE QUIERES.

El Espectro se echó a reír y tecleó:

POR FAVOR, KEN. EN EL PATIO. RECUERDAS EL PATIO, ¿VERDAD? TIENES TRES HORAS PARA COMPARECER.

IMPOSIBLE. NI SIQUIERA ESTOY EN LA COSTA ESTE.

El Espectro rezongó: «Mentira» y tecleó frenético:

PUES MÁS VALE QUE TE DES PRISA. TRES HORAS. SI NO ACUDES LE CORTO UN DEDO; A LA MEDIA HORA, OTRO, Y ASÍ SUCESIVAMENTE. A CONTINUACIÓN EMPIEZO POR LOS DE LOS PIES. DESPUÉS, LO QUE SE ME OCURRA. EN EL PATIO, KEN. TRES HORAS.

El Espectro apagó el ordenador, lo cerró de golpe y se puso de pie.

—Bueno —dijo sonriente—, creo que no ha salido mal, ¿no te parece?

56

Nora llamó a Cuadrados al móvil y le hizo un resumen de las circunstancias de su desaparición. Cuadrados escuchó sin interrumpirla mientras acudía con la furgoneta a recogerla delante del edificio Metropolitan Life de Park Avenue.

Nada más subir al vehículo, ella lo abrazó. Le hacía ilusión estar de nuevo en aquella furgoneta.

—No podemos llamar a la policía —dijo Cuadrados.

—Ken lo dejó bien claro —añadió ella asintiendo con la cabeza.

—¿Qué es lo que podemos hacer?

—No lo sé, Cuadrados, pero tengo miedo. El hermano de Will me habló de esa gente. Lo matarán, estoy segura.

Cuadrados reflexionó.

—¿Cómo te comunicabas con Ken?

—A través de un grupo de noticias de Internet.

—Vamos a enviarle un mensaje a ver si él tiene alguna idea.

El Espectro mantuvo las distancias.

El tiempo corría. Yo estaba alerta. Si había alguna oportunidad, la menor posibilidad, me arriesgaría. Toqué el vidrio con la mano y lo miré al cuello, repasando de memoria lo que me disponía a hacer y calculando los movimientos defensivos con los que él podría reaccionar. ¿Dónde tendría exactamente la arteria? ¿En qué punto sería su carne más blanda y vulnerable?

Miré a Katy y vi que aguantaba bien. Volví a pensar en la insistencia de Pistillo en que la dejase al margen. Tenía razón. Era culpa mía. Desde el primer momento en que me dijo que quería ayudar tendría que haberme negado. Le había hecho correr peligro, y por mucho que ahora tratase de ayudarla y ella se diera cuenta de cómo ansiaba yo que todo acabara, eso no me eximía de mi responsabilidad.

Tenía que encontrar el modo de salvarla.

Volví a mirar a El Espectro. Me sostuvo la mirada. No pestañeé.

—Suéltala —dije.

Fingió un bostezo.

—Su hermana se portó bien contigo.

—¿Y qué?

—No hay motivo para que le hagas daño.

El Espectro alzó las manos con la palma hacia arriba y dijo con su peculiar afectación sosegada:

—¿Quién habla aquí de motivos?

Katy cerró los ojos. No insistí. Estaba agravando la situación. Miré el reloj y vi que quedaban dos horas. El patio era el lugar de reunión de los porreros del colegio Heritage al final de una jornada de diversión; estaba a unos cinco kilómetros de allí y sabía por qué lo había elegido. Era un lugar cerrado fácil de controlar, sobre todo en verano, en el que una vez dentro había pocas posibilidades de escapar con vida.

El móvil del Espectro sonó. Bajó la vista como si no hubiera oído nunca aquel pitido y por primera vez vi en su rostro un gesto de contrariedad. Me puse en tensión sin atreverme a coger el vidrio. Todavía no. Pero estaba preparado.

El Espectro pulsó el botón y acercó el aparato al oído.

—Diga.

Escuchó. Estudié aquel rostro blanquecino; escuchaba sin alterarse, pero algo sucedía. Parpadeaba más. Miraba el reloj. Estuvo casi dos minutos sin decir nada.

—Voy para allá —dijo al fin.

Se levantó, vino hacia mí, se inclinó y me susurró al oído:

—Si te mueves de esta silla me suplicarás que la mate. ¿Entiendes?

Asentí con la cabeza.

El Espectro salió y cerró la puerta. Había poca luz. El sol comenzaba a declinar y la arboleda no dejaba pasar sus rayos. Como en la parte delantera la caseta no tenía ventanas, era imposible ver lo que hacían.

—¿Qué sucede? —susurró Katy.

Crucé mis labios con un dedo y presté oído. Sonó un motor y oí que arrancaba el coche. Pensé en la advertencia de que no me moviera de la silla y en que a El Espectro no se le desobedecía, pero de todos modos iba a matarnos. Me incliné sin prestar atención y dejé caer la silla. No fue un movimiento precisamente delicado. Más bien nervioso.

Miré a Katy y le hice señas para que callara. Ella asintió con la cabeza.

Me agaché cuanto pude y me acerqué con cautela a la puerta. Lo habría hecho arrastrándome sobre el vientre estilo comando pero no me atreví por los trozos de vidrio; avancé despacio con cuidado de no cortarme y, cuando llegué a la puerta, acerqué los ojos a las planchas del suelo y miré por una rendija. Vi que el coche se alejaba; cambié de postura para ver mejor, pero era imposible. Me senté y arrimé el ojo a una pequeña rendija de la pared que no me permitía ver muy bien. Me erguí un poco y entonces lo vi.

El chófer.

Pero ¿dónde estaba El Espectro?

Calculé rápidamente: dos hombres, un coche; si el coche se va sólo puede quedar uno. Pura aritmética. Me volví hacia Katy.

—Se ha marchado —dije.

—¿Qué?

—El Espectro se ha marchado y está el chófer solo.

Volví a mi silla y cogí el vidrio roto. Pisando con cuidado para no hacer ruido, temeroso de que mis movimientos hicieran tambalearse la estructura, llegué hasta detrás de la silla de Katy y comencé a cortar la cuerda.

—¿Qué vamos a hacer? —susurró ella.

—Tú sabes cómo salir de aquí —dije—. Vamos a escapar.

—Está oscureciendo.

—Precisamente es el momento.

—El otro puede estar armado —dijo ella.

— Probablemente, pero ¿qué prefieres, esperar a que vuelva El Espectro?

Ella negó con la cabeza.

—¿Y tú cómo sabes que no va a volver ahora mismo?

—No lo sé —respondí cortando las cuerdas. Estaba libre. Se restregó las muñecas—. ¿Lista?

Me miró y yo pensé que era, quizá, prácticamente la misma actitud con que yo miraba a Ken, aquella mezcla de esperanza, admiración y confianza. Yo procuraba hacerme el valiente, pero nunca se me dio bien jugar al héroe. Katy asintió con la cabeza.

Había una ventana en la parte de atrás y mi plan era abrirla, salir descolgándonos por la estructura y escapar a través del bosque; procuraríamos hacer el menor ruido posible, pero si el chófer nos oía echaríamos a correr. Contaba con el hecho de que o no estuviera armado o, si lo estaba, no nos hiriera gravemente, pues habrían pensado que Ken adoptaría sus precauciones. Les interesaba mantenernos vivos para hacerlo caer en la trampa.

O quizá no.

La ventana estaba atascada. Tiré y empujé con fuerza. Nada. La habían pintado hacía un millón de años. Era imposible abrirla.

—¿Y ahora qué? —preguntó Katy.

Acorralado. Me sentía como un ratón acorralado. La miré y pensé en lo que había dicho El Espectro de que yo no había protegido a Julie. No volvería a suceder con Katy.

—Sólo hay una manera de salir —dije mirando hacia la puerta.

—Nos verá.

—A lo mejor no.

Arrimé el ojo a la rendija; la luz era más escasa, comenzaban a acentuarse las sombras. Vi que el chófer se había sentado en un tocón. Le delataba la lumbre del cigarrillo, una señal en la oscuridad.

Estaba de espaldas.

Me guardé el trozo de vidrio en el bolsillo y, haciendo una señal a Katy para que se agachara, yo giré despacio. La puerta crujió al abrirse. Agarré el pomo. Me quedé quieto y miré afuera. El chófer seguía de espaldas. Tenía que arriesgarme. Empujé algo más la puerta. El crujido era más leve. Abrí la puerta treinta centímetros. Suficiente para pasar.

Katy me miró. Yo asentí con la cabeza. Se escurrió a través de la puerta y me agaché siguiendo sus pasos. Estábamos fuera tumbados en la plataforma. Perfectamente visibles. Cerré la puerta.

El chófer seguía de espaldas.

Bien, ahora sólo faltaba bajar de allí. Por la escalerilla no podíamos hacerlo porque nos vería. Hice un gesto a Katy para que me siguiera a rastras hasta el borde; no fue difícil porque era una plataforma de aluminio. No había fricción ni astillas sueltas.

Alcanzamos el extremo de la caseta. Al llegar a la esquina oí un ruido parecido a un gruñido. En ese momento, algo se desprendió. Me quedé helado. Una viga había cedido e hizo temblar la estructura.

—¿Qué diablos...? —exclamó el chófer.

Nos aplastamos contra el suelo. Apreté a Katy contra mí junto a la caseta, que nos tapaba. El chófer no nos podía ver, pero había oído el ruido. Miró hacia arriba y, al ver la puerta cerrada y la plataforma vacía, gritó:

—¿Puede saberse qué diablos hacéis?

Contuvimos la respiración. Oí pisadas sobre la hojarasca. Me lo esperaba y tenía previsto un plan. Contuve la respiración mientras él gritaba de nuevo:

—¿Qué diablos hacéis...?

—Nada —contesté arrimando la boca a la pared de la caseta, contando con que sonase amortiguada como si saliera del interior. No tenía más remedio que arriesgarme. Si no contestaba, subiría a echar un vistazo—. Esta caseta es una mierda —dije—. No para de moverse.

Silencio.

Seguimos conteniendo la respiración, los dos muy juntos. Noté que Katy temblaba y le di una palmadita en la espalda para tranquilizarla. Todo iría bien. Seguro, todo iba bien. Presté oído por si captaba ruido de pisadas del chófer. No oí nada. La miré y le indiqué con los ojos que se arrastrara hasta la parte de atrás. Ella dudó un instante y al final se puso en marcha.

Mi plan consistía en descolgarnos por uno de los postes traseros. Ella bajaría primero. Si el chófer la oía, lo que parecía probable, tenía pensado otro plan.

Le señalé el sitio y ella, muy decidida, asintió con la cabeza y se acercó al poste. Sacó medio cuerpo afuera y se agarró a él como un bombero; la plataforma dio una sacudida y vi desesperado que se bamboleaba y volvía a crujir, esta vez más fuerte. Advertí que saltaba un tornillo.

—¿Qué diablos...?

Esta vez, el chófer no se molestó en gritar. Oí cómo se acercaba mientras Katy me miraba aún agarrada al poste.

—¡Salta al suelo y echa a correr! —grité.

Se deslizó y llegó abajo. No era mucha altura y desde tierra se quedó mirándome, esperando.

—¡Corre! —volví a gritar.

—¡Quietos o disparo! —gritó el chófer.

—¡Corre, Katy!

Saqué medio cuerpo fuera de la plataforma y me descolgué despacio por el poste, pero tardé algo más en llegar al suelo y aterricé con bastante fuerza; recordé haber leído que hay que caer con las rodillas flexionadas y dejarse rodar, y es lo que hice, pero me di de frente contra un árbol. Cuando me incorporé vi que, a unos cincuenta metros, el hombre venía hacia nosotros enfurecido.

—¡Alto o disparo!

Pero no llevaba pistola.

—¡Corre! —grité de nuevo a Katy.

—Pero...

—¡Yo voy detrás! ¡Corre!

Ella sabía que mentía. Yo había asumido la parte del plan que consistía en hacer frente al enemigo para que ella tuviese tiempo de huir. La vi indecisa y disconforme con mi sacrificio, pero el hombre se nos echaba encima.

—Pide ayuda. ¡Corre! —la apremié.

Finalmente obedeció y echó a correr entre los árboles saltando matas y raíces mientras yo metía la mano en el bolsillo, pero en ese momento el chófer se lanzó sobre mí; el golpazo fue tremendo mas logré agarrarme a él y rodamos los dos por el suelo. También había leído eso no sé dónde: casi todas las peleas acaban en el suelo. En las películas, los antagonistas se propinan puñetazos para derribar se pero, en la vida real, lo que hacen es encogerse, tratando de agarrar al contrario hasta acabar los dos en el suelo cuerpo a cuerpo. Mientras rodábamos los dos agarrados, él me dio varios golpes pero yo centraba exclusivamente mi pensamiento en el vidrio que tenía en la mano.

Le di un abrazo de oso, apretándole fuertemente, con todas mis fuerzas, aunque sabía que no le haría daño. Daba igual. Ganaría tiempo. Para Katy contaba cada segundo que yo ganara de ventaja. Mi adversario trataba por todos los medios de zafarse. Yo no lo solté.

Fue en ese momento cuando me dio un cabezazo.

Echó bruscamente la cabeza hacia atrás y me golpeó en la cara con su frente. Nunca había recibido un cabezazo y la verdad es que duele mucho. Sentí como si me hubiera golpeado un martillo pilón. Se me saltaron las lágrimas. Lo solté, caí de espaldas y vi que se disponía a golpearme de nuevo, pero instintivamente me di la vuelta encogido como una pelota. Mientras, él se puso de pie. Estaba decidido a patearme las costillas.

Pero yo estaba al quite: me preparé y esperé a que me diera una patada para agarrarle el pie con una mano, sujetándolo bajo mi peso, al tiempo que con la otra le clavaba el vidrio en la pantorrilla. Al sentir en su carne el profundo corte lanzó un grito que resonó en el bosque espantando a los pájaros. Se lo clavé por segunda vez en el tendón de la corva y noté que brotaba un chorro de sangre caliente.

El hombre cayó al suelo retorciéndose como un pez en el anzuelo.

Iba a clavárselo de nuevo cuando lo oí decir:

—Lárguese, por favor.

Lo miré y, al ver su pierna inerme, comprendí que no representaba ninguna amenaza. Yo no era un asesino, al menos de momento, y allí estaba perdiendo tiempo porque quizás El Espectro estaba a punto de volver. Teníamos que escapar antes de que llegara.

Le di la espalda y eché a correr.

Al cabo de veinte o treinta metros miré hacia atrás y vi que, incapaz de seguirme, pugnaba a duras penas por arrastrarse. Reanudé la carrera al oír gritar a Katy:

—¡Will, por aquí!

Me di la vuelta y la vi.

—Es por aquí —añadió.

Corrimos sin detenernos y sin preocuparnos por las ramas que nos azotaban la cara y sin caernos a pesar de los tropezones en las raíces. Era cierto que Katy sabía dónde estábamos porque al cabo de un cuarto de hora salíamos del bosque a la carretera de Hobart Gap.

Cuando Will y Katy salieron del bosque, El Espectro estaba al acecho.

Los contempló desde lejos. Sonrió y subió de nuevo al coche para regresar al claro de la plataforma y hacer limpieza. Había sangre, no lo esperaba. Will Klein no sólo volvía a sorprenderlo, sino que realmente le impresionaba.

Eso estaba bien.

Cuando terminó, El Espectro fue a South Livingston Avenue, pero no había rastro de Will ni de Katy. Muy bien. Se detuvo en correos de Northfield Avenue y dudó un instante antes de echar el paquete al buzón.

Ya estaba hecho.

Después fue por Northfield Avenue hasta la Autopista 280

para tomar la autopista Garden State. Ya faltaba menos. Pensó en cómo había comenzado todo y en cómo terminaría, y pensó en McGuane, Will, Katy, Julie y Ken.

Pero sobre todo pensó en su promesa y en lo que lo había impulsado a volver.

57

Sucedieron muchas cosas en los cinco días siguientes.

Después de escaparnos, Katy y yo avisamos a la policía. Los acompañamos al bosque en que estuvimos secuestrados. No había nadie y la caseta estaba vacía. Descubrieron restos de sangre cerca del sitio en que yo clavé el vidrio al chófer, pero no había huellas dactilares ni fibras. Ninguna pista; desde luego, yo no lo esperaba. Pero tampoco sabía si importaba.

Todo estaba a punto de acabar.

Philip McGuane fue detenido por los asesinatos de un agente secreto federal llamado Raymond Cromwell y de un famoso abogado llamado Joshua Ford. En esa ocasión le negaron la libertad condicional. Cuando me entrevisté con Pistillo vi en su mirada el brillo de quien ha escalado su Everest personal, o ha alcanzado el ansiado Grial, como quiera expresarse.

—Se viene abajo —dijo con exagerado regocijo—. Tenemos a McGuane en la cárcel acusado de homicidio y todo el montaje se cae a pedazos.

Le pregunté cómo habían logrado detenerlo y Pistillo, por una vez, se explayó con ganas.

—McGuane presentó como coartada la cinta falsa del sistema de vigilancia en la que aparece nuestro agente saliendo de sus oficinas y, para ser sincero, lo cierto es que estaba perfectamente trucada. No es difícil hacerlo mediante tecnología digital, según me explicaron en el laboratorio.

—¿Y, entonces?

Pistillo sonrió.

—Recibimos otra cinta por correo. Con sello de Livingstone, Nueva Jersey, figúrese. La cinta auténtica. En ella se ve cómo arrastran el cadáver hasta el ascensor privado dos tipos. Ya están detenidos y colaboran con la justicia. La cinta iba acompañada de una nota indicándonos dónde habían enterrado los cadáveres y, de propina, el paquete incluía también las cintas y las pruebas que su hermano recopiló durante años.

Aquello no me lo explicaba, y no se me ocurría nada.

—¿Saben quién lo envió?

—No —respondió Pistillo con aparente despreocupación.

—¿Y qué sucede con John Asselta?

—Hay cursada contra él orden internacional de busca y captura.

—Siempre la ha habido.

—¿Qué otra cosa podemos hacer? —replicó encogiéndose de hombros.

—Él mató a Julie Miller.

—Por orden de otros. El Espectro era un simple sicario.

Era parco consuelo, pensé.

—No cree que vayan a detenerlo, ¿verdad?

—Escuche, Will, me encantaría echar el guante a El Espectro pero le seré franco. No va a ser fácil. Asselta ya ha salido del país; nos han llegado informes al respecto. Encontrará trabajo con algún déspota que lo proteja, pero en definitiva, y esto es muy importante, El Espectro no es más que un instrumento, y lo que yo quiero son los tipos que mueven los hilos.

Yo no estaba de acuerdo pero no quise discutir. Le pregunté qué consecuencias traería todo aquello para Ken y él se lo pensó antes de contestar.

—Usted y Katy Miller no nos lo han contado todo, ¿no es cierto?

Me rebullí en el asiento. Habíamos denunciado el rapto con todo detalle pero decidimos omitir la comunicación con Ken que guardábamos como un secreto entre los dos.

—Sí —respondí.

Pistillo me miró a los ojos y volvió a encogerse de hombros.

—La verdad, Will, es que no sé si Ken sigue siéndonos necesario. Pero ahora ya no corre peligro. Sé que no ha tenido contacto con él —añadió inclinándose sobre la mesa y advertí por su mirada que no se lo creía— pero, si de algún modo habla con él, dígale que no siga escondiéndose. Ya no lo amenaza ningún peligro y, además, podría servirnos de testigo de cargo.

Ya digo que fueron cinco días agitados.

Aparte de mi entrevista con Pistillo, pasé todo el tiempo con Nora. No hablamos mucho de su pasado. Su rostro acusaba todavía preocupación porque sentía profundo temor de su ex marido, lo que a mí me enfurecía, por supuesto. Había que arreglar aquel asunto del señor Cray Spring de Cramden, Missouri. Aún no sabía cómo, pero no iba a consentir que Nora viviera aterrorizada toda su vida. Eso sí que no.

Ella me contó cosas de mi hermano y me dijo que tenía dinero en Suiza y que iba de un lado para otro persiguiendo una paz que lo rehuía. Me habló también de Sheila Rogers, el pajarillo herido de quien yo sabía tantas cosas, tan allegada a él y a su hija. Pero sobre todo Nora me habló de mi sobrina Carly y, cuando lo hacía, se le iluminaba el rostro. A Carly le gustaba correr cuesta abajo con los ojos cerrados, le encantaba leer y dar volteretas y tenía una risa contagiosa. Al principio se había mostrado retraída y tímida con ella, pues sus padres, por razones obvias, no dejaban que hiciera muchas amistades, pero Nora había sabido ganársela con paciencia. Le había costado muchísimo tener que abandonar a la niña (fue la palabra que ella empleó, aunque me pareció excesiva) privándola de la única amiga que tenía.

Katy Miller no volvió a entrometerse. Se marchó, no quiso decirme dónde y yo no insistí en preguntárselo, pero llamaba todos los días. Ahora sabía la verdad, aunque creo que, en definitiva, de poco le había servido. Con El Espectro en libertad, el asunto no había terminado y los dos mirábamos por encima del hombro de vez en cuando más de lo debido.

Vivíamos atemorizados.

Pero para mí la historia tocaba a su fin. Lo único que me faltaba, quizá más que nunca, era ver a mi hermano. Pensaba en todos aquellos años que había pasado solo yendo de un lado para otro. Me decía que no era vida para Ken, una persona sin dobleces. No era la clase de persona que puede vivir en la sombra.

Quería volver a ver a mi hermano para recordar los viejos tiempos: ir con él a un partido, jugar al tenis, ver en la tele películas antiguas por la noche; sí, todo eso, naturalmente; pero ahora había otros dos motivos.

He mencionado que Katy había mantenido en secreto el contacto que habíamos tenido con Ken, lo que me permitió conservar abierta la línea de comunicación con él. Finalmente cambiamos de grupo de noticias. Le dije que no temiera la muerte con la esperanza de que captara el sentido, y así fue. El mensaje era también un recuerdo de los viejos tiempos, porque *No temas a la Muerte* era la canción de Blue Oyster Cult *Don't Fear the Reaper*, la preferida de Ken. Encontramos una página informativa sobre el antiguo grupo en la que no había muchas casillas de diálogo, pero nosotros conseguíamos intercambiar mensajes instantáneos.

Ken seguía tomando precauciones pero también deseaba poner punto final al asunto. Yo al menos tenía a mi padre y a Melissa y había vivido al lado de mi madre los últimos once años y, pese a que echaba mucho de menos a mi hermano, creo que él nos echaba en falta mucho más.

De cualquier forma, tardamos en prepararlo, pero al fin acordamos vernos.

Cuando yo tenía doce años y Ken catorce, fuimos a un campamento de verano en Marshfield, Massachusetts, llamado Camp Millstone. En la publicidad se decía que estaba «En el cabo Cod», lo que, de haber sido cierto, habría significado que el cabo ocupaba la mitad del estado. Las cabañas de aquel campamento tenían nombres de universidades: Ken estaba en Yale y yo en Duke. Pasamos un verano estupendo jugando al baloncesto y al softball, a guerras de azules contra grises. Comíamos comida basura, bebíamos aquel zumo inmundo que llamábamos «zumo de chinches» y los instructores eran una mezcla de jovialidad y sadismo. Sabiendo lo que ahora sé, no se me ocurriría enviar a un hijo mío a un campamento pero, extrañamente, a mí me encantaba.

¿Tiene sentido?

Hace cuatro años llevé a Cuadrados a ver aquel campamento cuando estaba a punto de cerrar y él adquirió el terreno para convertirlo en un retiro para yoga a gran escala. Construyó una granja en el terreno del campo de fútbol. Había un único camino de acceso por el que se veía perfectamente quién llegaba.

Convinimos en que era el sitio ideal para encontrarnos.

Melissa llegó en avión desde Seattle. Nos dejamos llevar por la paranoia y la hicimos aterrizar en Filadelfia. Mi padre y yo nos encontramos con ella en el área de descanso Vince Lombardi de la autopista de Nueva Jersey, y desde allí seguimos los tres en coche. Nadie más, aparte de Nora, Katy y Cuadrados, estaba al corriente de la reunión. Ellos acudirían cada uno por separado para reunirse con nosotros al día siguiente, deseosos también de que todo acabara.

Pero aquella noche, la primera noche, sería exclusivamente familiar.

Me puse al volante, mi padre se acomodó en el asiento del copiloto y Melissa en el de atrás. Hablamos poco. La tensión nos lo impedía, y a mí creo que más que a nadie. Había aprendido a no dar nada por cierto. Hasta que no viera a Ken con mis propios ojos, lo abrazara y lo oyera hablar, no acabaría de creerme que estaba vivo.

Pensé en Sheila y en Nora. Pensé en El Espectro y en el delegado de clase Philip McGuane y lo que había sido de él. Debería haberme sorprendido, pero no era así del todo. Nos «impresiona» enterarnos de actos de violencia en zonas residenciales de la periferia urbana, en entornos de céspedes bien cuidados con casas de dos plantas, ligas de rugby con su hinchada de madres, lecciones de piano, su plaza con ayuntamiento, juzgados y comisaría, sus reuniones de padres y profesores, elementos que actúan como una especie de exorcismo del mal, pero si El Espectro y McGuane se hubieran criado a quince kilómetros de Livingston —la distancia que nos separaba de Newark— nadie se habría «asombrado» ni habría «deplorado» su destino.

Puse un compacto de Bruce Springsteen del concierto del verano de 2000 en Madison Square Garden, pero a duras penas logró distraernos. La Autopista 95 estaba otra vez en obras, como de costumbre, y fue un viaje interminable de cinco horas. Llegamos por fin a la granja rojiza con su silo ficticio. No había ningún coche. Era de esperar. Se suponía que nosotros éramos los primeros. Después llegaría Ken.

Melissa se bajó la primera. El golpetazo de la portezuela al cerrar resonó en el campo. Cuando salí evoqué con todo detalle el antiguo campo de rugby, en donde ahora el garaje ocupaba el lugar de una de las porterías y el camino de entrada cortaba el emplazamiento del banquillo. Miré a mi padre y él desvió la mirada.

Por un instante permanecimos allí quietos hasta que yo rompí el encanto abriendo la marcha hacia la granja. Mi padre y Melissa me siguieron unos pasos más atrás. Todos pensábamos en mi madre. Debería haber estado allí. Debería haber tenido la oportunidad de ver por última vez a su hijo. Sabíamos que esa oportunidad habría hecho revivir la sonrisa de Sunny. Nora la había reconfortado al darle la fotografía. Un detalle por el que yo nunca le estaría lo bastante agradecido.

Sabía que Ken acudiría solo. Carly estaba en algún lugar seguro. Yo no sabía dónde. Rara vez mencionábamos a la niña en las comunicaciones. Ken arriesgaba mucho viniendo a la cita, pero era comprensible que no quisiera exponer a su hija a ningún peligro.

Aguardamos dando vueltas despacio por la casa; no tenía ganas de beber nada. En un rincón de la sala había una rueca. El tictac del viejo reloj de pared sonaba con fuerza incongruente. Mi padre se sentó al fin y Melissa se me acercó, me miró con su gesto de hermana mayor y murmuró:

—¿Por qué será que parece que esta pesadilla no vaya a acabar de una vez por todas?

No quise considerar siquiera su comentario.

Cinco minutos después oímos el motor de un coche.

Nos acercamos rápido a la ventana. Aparté el visillo y miré afuera. Ya había oscurecido y apenas podía ver. El coche era un Honda Accord gris, absolutamente común. El corazón me dio un vuelco. Deseaba echar a correr, pero me quedé donde estaba.

El coche se detuvo. Durante unos segundos, puntuados por el maldito reloj de pared, no sucedió nada. Luego se abrió la puerta del conductor y yo sujeté con tal fuerza el visillo que casi lo arranco. Vi un pie que pisaba el suelo y un hombre que bajaba del Honda.

Era Ken.

Me sonrió con aquella sonrisa suya de confianza y despreocupación y no pude más. Era lo que necesitaba. Lancé un grito de alegría y corrí hacia la puerta. La abrí y vi que Ken llegaba a la carrera hacia mí. Cruzó el umbral y se me echó encima como blocando en un partido de rugby y los años se esfumaron en un soplo mientras rodábamos por la alfombra, yo lanzando risitas como si tuviera siete años y él riendo también.

El resto lo vi como en un éxtasis borroso, entre lágrimas. Papá lo abrazó y después Melissa. Ahora lo veo como en ráfagas confusas: Ken abrazando a mi padre; papá cogiéndolo del cuello y besándolo en la frente suavemente, con los ojos cerrados y lágrimas en las mejillas; Ken levantando a Melissa en el aire y dándole vueltas; Melissa llorando y propinándole palmadas como para asegurarse de que era real.

Once años.

No sé cuánto tiempo estuvimos así, abrazándonos en un delirio maravilloso y confuso. Por fin nos calmamos y nos sentamos en el sofá. Ken se puso a mi lado y de vez en cuando me hacía una llave en el cuello y me daba capones; nunca pensé que sentiría semejante delicia al recibir un golpe en la cabeza.

—Te has enfrentado a El Espectro y has sobrevivido —dijo Ken con mi cabeza bajo su axila—. Me parece que ya no necesitas que yo te defienda.

—Sí que lo necesito —repliqué suplicante zafándome de él.

Se hizo de noche y salimos a dar un paseo. La brisa nocturna era muy agradable. Ken y yo encabezamos la marcha seguidos por mi padre y Melissa unos diez metros más atrás, como si hubieran imaginado que era lo que nosotros deseábamos. Ken me pasó el brazo por los hombros. Recordé aquel año en que fuimos al campamento y cuando en un partido cometí una falta que hizo perder al equipo y mis compañeros comenzaron a pincharme; fue una cosa normal en un campamento juvenil. Aquel día, Ken me llevó a dar un paseo y también me pasó el brazo por los hombros.

Volví a sentir el mismo bienestar.

Ken empezó a contarme su historia. A grandes rasgos coincidía con lo que yo había averiguado: había delinquido y a continuación llegó a un acuerdo con los federales pero McGuane y Asselta lo descubrieron.

Soslayó la pregunta de por qué había vuelto a casa aquella noche y, sobre todo, por qué había ido a casa a ver a Julie, pero yo estaba harto de engaños. Así que le pregunté llanamente:

—¿Por qué regresasteis Julie y tú?

Ken sacó un paquete de cigarrillos.

—¿Ahora fumas? —comenté.

—Sí, pero voy a dejarlo —dijo mirándome—. Julie y yo pensamos que era un buen sitio para vernos.

Recordé lo que había dicho Katy: Julie, igual que Ken, hacía más de un año que no iba por Livingston. Aguardé a que continuase, pero él siguió mirándome sin encender el cigarrillo.

—Perdóname —dijo.

—No pasa nada.

—Sé que seguías enamorado de ella, Will, pero yo en aquella época me drogaba y era un desastre. O quizá no fuese eso, sino tal vez simple egoísmo; no lo sé.

— No tiene importancia —dije; y la verdad es que lo sentía así—, pero lo que no acabo de entender es qué tenía Julie que ver en la historia.

—Ella me ayudaba.

—¿De qué manera?

Ken encendió el cigarrillo y vi sus facciones: unos rasgos ahora cincelados y curtidos que lo hacían aún más atractivo. Conservaba aquellos ojos de hielo.

—Ella y Sheila tenían un apartamento cerca de Haverton y eran amigas. —Se detuvo y meneó la cabeza—. Mira, Julie se enganchó en la droga por mi culpa; cuando Sheila fue a Haverton, yo se la presenté; ella se introdujo en el ambiente y comenzó a trabajar para McGuane.

—¿Vendiendo droga? —pregunté.

Él asintió con la cabeza.

—Pero cuando me atraparon los federales y acepté volver, necesitaba un amigo, un cómplice que me ayudara a destruir a McGuane. Al principio nos aterraba el plan, pero comprendimos que era una salida, la manera de redimirnos, de salir de todo aquello, ¿me explico?

—Creo que sí.

—Bien, a mí me tenían muy vigilado pero a Julie no, porque no había razón para que sospecharan de ella. Julie me ayudó a sacar a escondidas documentación comprometedora que pensábamos entregar al FBI para acabar de una vez.

—Lo que no entiendo —dije— es por qué la guardabais vosotros. ¿Por qué no la entregabais a los federales a medida que la obteníais?

—¿Has hablado con Pistillo? —preguntó Ken sonriente.

Asentí con la cabeza.

—Tienes que comprender una cosa, Will. No es que yo diga que todos los policías sean corruptos ni mucho menos, pero los hay que sí. Uno de ellos le dio el soplo a McGuane de que estaba en Nuevo México. Pero además los hay, como Pistillo, jodidamente ambiciosos. Necesitaba tener algo para negociar. No podía arriesgarme por las buenas, y tenía que lograr un acuerdo según mis propios términos.

Pensé que tenía su lógica.

—Y fue cuando El Espectro descubrió dónde estabas.

—Sí.

—¿Cómo?

Llegamos hasta un poste de la valla. Ken apoyó el pie mientras yo miraba hacia atrás para comprobar que mi padre y Melissa se mantenían a distancia.

—No lo sé, Will. Debió de ser porque advirtieron que Julie y yo estábamos asustados. Vete a saber. En cualquier caso, ya habíamos recopilado casi toda la información y pensé que podíamos volver libres a casa. Estábamos en el sótano, en aquel sofá, y comenzamos a besarnos... —añadió, volviendo a desviar la mirada.

—¿Y qué?

—De pronto sentí que una cuerda me oprimía el cuello —respondió dando una larga calada—. Yo estaba encima de ella y El Espectro había entrado en el sótano sin que lo viéramos. Noté que me faltaba el aire. Me estaba estrangulando. Apretó fuerte. Pensé que me cortaría la garganta. No recuerdo bien qué sucedió después; creo que Julie lo golpeó, yo logré soltarme y mientras él le pegaba en la cara yo retrocedí. A continuación, sacó una pistola, disparó y me alcanzó en el hombro —dijo cerrando los ojos—. Y yo eché a correr. Qué vergüenza. Eché a correr...

La noche nos envolvía, se oía el canto suave de los grillos y Ken siguió fumando. Sabía lo que estaba pensando: «Eché a correr y él la mató».

—No es culpa tuya —dije—. Tenía una pistola.

—Sí, claro —asintió no muy convencido—. Te puedes imaginar lo que sucedió después. Volví corriendo con Sheila, cogimos a Carly y, como tenía dinero guardado de cuando trabajaba con McGuane, huimos figurándonos que él y Asselta nos perseguirían. Unos días después, cuando aparecí en los periódicos como sospechoso del asesinato de Julie, comprendí que no sólo huía de McGuane sino de todo el mundo.

Le pregunté lo que desde el principio me quemaba los labios.

—¿Por qué no me dijiste lo de Carly?

Volvió bruscamente la cabeza como si le hubiera dado un puñetazo.

—¿Ken?

No me miró a la cara.

—¿Podemos dejar eso a un lado de momento, Will?

—Me gustaría saberlo, Ken.

—No es ningún secreto —añadió con una voz extraña, confidencial, aunque había algo ambiguo en ella—. Yo me encontraba en peligro; los federales me habían capturado poco antes de nacer la niña y tuve miedo por ella; por eso no le hablé a nadie de su existencia. A nadie. A ella y la madre las veía a menudo pero yo vivía solo; Carly estaba con su madre y con Julie porque no me interesaba que la relacionasen conmigo de ningún modo. ¿Lo entiendes?

—Sí, claro —dije, aguardando a que continuara el relato.

Él sonrió.

—¿Qué sucede? —pregunté.

—Me estaba acordando del campamento —respondió.

Yo sonreí también.

—Lo pasé muy bien aquí —añadió.

—Yo también —dije—. ¿Ken?

—¿Qué?

—¿Cómo has logrado vivir tanto tiempo escondido?

—Gracias a Carly —respondió riéndose entre dientes.

—¿Carly te ayudó a ello?

—El hecho de no decírselo a nadie, creo que me salvó la vida.

—¿Cómo?

—Lo que buscaban era un fugitivo, es decir, un hombre solo o quizás acompañado de una mujer, pero no a un matrimonio con una hija y capaz de viajar de un sitio a otro sin despertar sospechas.

De nuevo, eso tenía sentido.

—El FBI tuvo suerte; me descuidé o no sé... A veces pienso que quizá deseaba que me cogieran. Porque vivir así, siempre con miedo, sin poder echar raíces, te reconcome, Will. Yo te echaba mucho de menos; a ti más que a nadie. Tal vez bajé la guardia. O realmente quería que todo terminara.

—¿Y te extraditaron?

—Sí.

—Y llegaste a un nuevo acuerdo.

—Al principio creí que iban a imputarme irremediablemente el asesinato de Julie. Pero cuando me encontré con Pistillo me di cuenta de que aún quería desesperadamente a McGuane. El homicidio de Julie casi era secundario, aparte de que él sabía que no la había matado yo. Así que... —añadió encogiéndose de hombros.

A continuación me contó lo de Nuevo México y que a los federales no les había revelado la existencia de Carly y Sheila para protegerlas.

—Yo no quería que se reunieran conmigo tan pronto —dijo en tono más tranquilo—, pero Sheila no me hizo caso.

Me habló también del día en que él y Carly estaban fuera de la casa cuando llegaron los dos matones y que al volver los encontró torturando a su amada, cómo los mató, reemprendió la huida y desde el mismo teléfono público llamó a Nora a mi apartamento: eso explicaba la segunda llamada interceptada por el FBI.

—Sabía que la buscarían porque había huellas de Sheila por toda la casa, y si no la localizaba el FBI lo haría McGuane. Así que le dije que se escondiera hasta que todo hubiese acabado.

Después, dos días más tarde, logró encontrar en Las Vegas un médico discreto que hizo cuanto pudo por ella, pero era demasiado tarde. Sheila Rogers, su compañera durante once años, murió al día siguiente. Carly dormía en el asiento trasero del coche cuando su madre exhaló su último suspiro. Ken, sin saber qué hacer, y pensando en cierto modo en presionar a Nora, dejó el cadáver de su amante en la cuneta de una carretera y siguió huyendo.

Melissa y mi padre estaban acercándose y guardamos silencio.

—¿Y después? —pregunté en voz baja.

—Dejé a Carly en casa de una amiga de Sheila; en realidad, una prima suya. Sabía que allí no corría peligro, y yo volví a la costa Este.

Justo en el momento en que salía de sus labios la afirmación de su regreso a la costa Este, todo tomó un giro adverso inesperado.

¿Ha tenido uno de esos momentos? Uno está escuchando algo con atención y todo se esclarece merced a una lógica, cuando inesperadamente percibe algo, nimio, irrelevante, que casi no merece consideración, pero empiezas a darte cuenta con creciente temor de que nada concuerda.

—Enterramos a mamá el martes —dije.

—¿Cómo?

—Que enterramos a mamá el martes —repetí.

—Ah, sí —dijo Ken.

—Tú, ese día, estabas en Las Vegas, ¿verdad?

Él reflexionó un instante.

—Exacto.

Yo le di vueltas en la cabeza.

—¿Qué sucede? —preguntó Ken.

—Hay algo que no entiendo —dije.

—¿Qué?

—La tarde del entierro —me detuve y aguardé a que me mirara a la cara— estuviste en el otro cementerio con Katy Miller.

Un brillo cruzó su rostro.

—Pero ¿qué dices?

—Katy te vio en el cementerio. Estabas bajo un árbol cerca de la tumba de Julie. Le dijiste que eras inocente y que habías regresado para desenmascarar al asesino. ¿Cómo puede ser si te encontrabas en el otro extremo del país?

Mi hermano no respondió. Permanecimos los dos quietos y yo sentí que algo dentro de mí comenzaba a desmoronarse antes de oír aquella voz que hizo que mi universo se tambalease:

—Era mentira.

Nos volvimos y vimos a Katy Miller salir de detrás de un árbol. La miré sin decir nada. Se acercó.

Tenía una pistola en la mano.

Apuntaba al pecho de Ken. Me quedé boquiabierto. Oí a Melissa contener un grito y a mi padre gritar: «¡No!», pero como si todo sucediera a la distancia de un año luz. Katy me miró a la cara, sondeándome, tratando de decirme algo que yo no podía entender.

Negué con la cabeza.

—Yo sólo tenía seis años —empezó a decir— por lo que fácilmente me habrían rechazado como testigo. En definitiva, ¿qué podía saber yo, una niñita? Aquella noche vi a tu hermano. Pero también vi a John Asselta. La policía podía haber alegado que quizá confundía a uno con otro. ¿Con qué criterio puede diferenciar una niña de seis años los jadeos de pasión de los estertores? Para una criatura de seis años son uno y lo mismo, ¿no es cierto? Era fácil para Pistillo y sus agentes desvirtuar lo que yo dijera. Ellos querían a McGuane y para ellos mi hermana no era más que una yonqui de periferia urbana.

—Pero ¿qué dices? —exclamé.

—Yo estaba allí aquella noche —prosiguió volviendo la mirada hacia Ken—. Me escondí detrás del viejo baúl militar de mi padre como siempre, y lo vi todo —añadió mirándome de nuevo a mí—. No fue John Asselta quien mató a mi hermana, Will; fue tu hermano.

Sentí que mi entereza se desmoronaba pero me resistí negando de nuevo con la cabeza; miré a Melissa y vi que estaba pálida, miré a mi padre y vi que agachaba la cabeza.

—Nos viste haciendo el amor —dijo Ken.

—No —replicó Katy con voz sorprendentemente firme—. Tú la mataste, Ken. La estrangulaste porque querías imputárselo a El Espectro..., igual que estrangulaste a Laura Emerson porque amenazó con denunciar la venta de droga en Haverton.

Di un paso adelante, pero Katy se volvió hacia mí. Me detuve.

—Cuando en Nuevo México Ken logró salvarse de los sicarios de McGuane, recibí una llamada de Asselta —siguió diciendo como si lo hubiese ensayado con tiempo, y pensé que, efectivamente, así era—. Me dijo que habían extraditado a tu hermano desde Suecia. Yo al principio no lo creí y le dije que, si era cierto, cómo no lo publicaban los periódicos. Me explicó que el FBI simplemente quería a Ken de cebo para que los llevara hasta McGuane. Después de todos estos años, el asesino de Julie iba a quedar impune. No podía aceptarlo después de todo lo que habían sufrido mis padres. Asselta lo sabía, supongo, y por eso me llamó.

Yo seguía negando con la cabeza, pero ella prosiguió.

—Mi tarea consistía en estar a tu lado, porque suponíamos que si Ken decidía ponerse en contacto con alguien lo haría contigo antes que con otra persona, y yo me inventé la historia de que lo había visto en el cementerio para que tú no desconfiaras.

—Pero... sufriste una agresión en mi apartamento —dije con un hilo de voz.

—Sí —asintió ella.

—Incluso pronunciaste el nombre de Asselta.

—Reflexiona, Will —replicó ella con gran aplomo.

—¿Sobre qué tengo que reflexionar? —dije.

—¿Por qué te esposaron a la cama?

—Porque quería enredarme en una trampa igual que hizo...

Ahora era ella quien negaba con la cabeza apuntando a Ken con la pistola.

—Fue él quien te esposó porque no quería hacerte daño —dijo mirándolo.

Abrí la boca pero no me salieron las palabras.

—Necesitaba tenerme a mí sola. Necesitaba averiguar lo que yo te había dicho y saber qué recordaba yo antes de matarme. Sí, pronuncié el nombre de John, pero no porque pensase que era él el enmascarado, sino pidiendo ayuda. Y tú me salvaste la vida, Will, porque él me hubiera matado.

Dirigí la mirada despacio hacia mi hermano.

—Miente —dijo Ken—. ¿Por qué iba yo a matar a Julie? Ella me estaba ayudando.

—Eso es verdad a medias —replicó Katy—. Efectivamente, Julie vio la detención de Ken como una oportunidad de redención, como te acaba de decir. Sí, Julie estaba dispuesta a colaborar en la captura de McGuane, pero tu hermano llevó las cosas demasiado lejos.

—¿Cómo? —pregunté.

—Ken sabía que debía deshacerse también del Espectro para no dejar cabos sueltos, y la manera de hacerlo fue imputarle la muerte de Laura Emerson. Ken pensó que no habría problema en conseguir para ello la ayuda de Julie, pero se equivocó. ¿Recuerdas que Julie y John eran muy amigos?

Asentí como pude.

—No sé qué vínculo los unía y me da igual el que fuese; creo que ni ellos mismos se lo habrían explicado. Lo cierto es que Julie le tenía cariño; creo que fue la única persona que le dio algún cariño en su vida, y estaba dispuesta a colaborar sin reservas para destruir a McGuane pero no para hacer daño a John Asselta.

No me salían las palabras.

—Eso es mentira —dijo Ken—. Will...

Yo rehuí su mirada.

Katy continuó:

—Cuando Julie descubrió lo que Ken pensaba hacer, llamó a El Espectro para prevenirlo. Ken vino a nuestra casa a recoger las cintas y los documentos. Ella intentó entretenerlo. Hicieron el amor. Ken le pidió las pruebas que guardaban y Julie se negó a dárselas. Él se enfureció y le exigió que dijera dónde las tenía, pero ella se negó y él, al darse cuenta de la situación, la estranguló. El Espectro llegó unos segundos después, disparó contra Ken pero él logró escapar. Pienso que su primera reacción habría sido ir tras él, pero al ver a Julie muerta en el suelo perdió la cabeza. Se arrodilló a su lado, la acunó en sus brazos y profirió el lamento más desgarrador que he oído en mi vida. Fue como si algo se quebrara dentro de él para siempre.

Katy se acercó más a mí y me miró desafiante.

—Ken no huyó porque tuviera miedo de McGuane o por temor a caer en una trampa —añadió—. Huyó porque había matado a Julie.

Yo continuaba hundiéndome inexorablemente en un pozo sin fondo.

—Pero El Espectro —dije— nos secuestró...

—Fue un montaje —respondió ella—. Nos dejó escapar. Lo que no estaba previsto era que tú fueses a tener tantos arrestos. Acudió con chófer simplemente para dar mayor realidad a la situación, pero no imaginábamos que tú fueses a herirlo tan gravemente.

—¿Y todo eso por qué?

—Porque El Espectro sabía la verdad.

—¿Qué verdad?

Volvió a hacer un gesto en dirección a Ken.

—Que tu hermano no iba a aparecer para salvarte la vida,

que no iba a correr ese riesgo. Que sólo aceptaría verse contigo en una situación como ésta —añadió acompañando sus palabras de un gesto con la mano libre.

Yo negué otra vez con la cabeza.

—Aquella noche dejamos a un hombre de vigilancia en el patio. Por si acaso. No acudió nadie.

Retrocedí anonadado. Miré a Melissa y a mi padre, y comprendí que todo era cierto. Cada palabra que había dicho. Era cierto.

Ken había matado a Julie.

—Yo no quería hacerte daño —añadió Katy—, pero mis padres deseaban poner fin a todo esto. El FBI lo había puesto en libertad y era lo único que podía hacer. No podía dejar que se escapara después de lo que le había hecho a mi hermana.

Mi padre habló por primera vez.

—Bien, ¿y qué vas a hacer, Katy? ¿Vas a disparar?

—Sí —respondió ella.

Y en ese momento todo se convirtió otra vez en un infierno.

Mi padre, dispuesto al sacrificio, lanzó un grito y se abalanzó sobre Katy. Ella disparó pero él continuó tambaleante hacia ella hasta arrebatarle el arma al tiempo que se agachaba sujetándose la pierna.

Aquella distracción bastó; cuando alcé la vista vi que Ken había sacado su pistola. Tenía los ojos —aquellos ojos fríos— clavados en Katy. Iba a disparar. No vacilaba. No tenía más que apuntar y apretar el gatillo.

Me arrojé sobre él y logré golpearlo en el brazo cuando a su vez apretaba el gatillo, pero el arma se disparó en el aire mientras yo lo blocaba y caíamos al suelo, esta vez de forma muy distinta a la de antes en la casa, porque sentí un codazo en el estómago que me dejó sin respiración y él se levantó apuntando a Katy.

—¡No! —exclamé.

—Tengo que hacerlo —dijo Ken.

Lo agarré y forcejeamos. Le gritaba a Katy que echara a correr. Ken no tardó en dominarme y, encima de mí, nuestras miradas se cruzaron.

—Ella es el último eslabón —dijo.

—No consentiré que la mates.

Ken me arrimó el tambor del arma a la frente; con su rostro casi pegado al mío, oí gritar a Melissa y le advertí que se apartara, pero vi de reojo que sacaba un móvil y marcaba un número.

—Adelante —dije a Ken—. Aprieta el gatillo.

—¿Crees que no lo haré?

—Eres mi hermano.

—¿Y qué? —replicó mientras yo pensaba otra vez en el mal, en sus múltiples representaciones y en que nunca estamos a salvo de él—. ¿No has oído a Katy? ¿Te das cuenta de lo que soy capaz de hacer y a cuánta gente he hecho mal y engañado?

—A mí no —repliqué.

Se echó a reír con el rostro pegado al mío y el arma sobre mi frente.

—¿Cómo dices?

—Que a mí no —repetí.

Echó la cabeza hacia atrás y soltó una carcajada que resonó en la calma de la noche y me heló la sangre en las venas.

—¿A ti no? —susurró arrimando los labios a mi cara—. A ti te he hecho más daño y te he engañado más que a nadie.

Sus palabras fueron como un mazazo. Lo miré a la cara y vi que estaba en tensión dispuesto a apretar el gatillo. Cerré los ojos y aguardé. Oí disparos y jaleo pero sonaban muy lejos y lo que escuché a continuación, el único sonido que me llegó, fueron los sollozos de Ken. Abrí los ojos. El mundo se había desvanecido. Estábamos los dos solos.

No sé exactamente qué sucedió después. Quizá fuese porque me encontraba boca arriba, inmovilizado, y esta vez era mi hermano quien me dominaba en vez de protegerme, o sería porque cuando bajó la vista y me vio tan vulnerable, la situación dio un nuevo giro por ese azar que siempre me ha salvado la vida. Tal vez fuera eso lo que lo conmocionó. No lo sé. Pero cuando nuestras miradas se cruzaron su expresión comenzó a relajarse gradualmente.

Y en ese momento todo cambió otra vez.

Sentí que ya no me oprimía aunque mantenía el arma sobre mi frente.

—Quiero que me prometas una cosa, Will —dijo.

—¿Qué?

—Sobre Carly.

—Tu hija.

Vi que cerraba los ojos verdaderamente angustiado.

—Ella quiere mucho a Nora —añadió—. Te pido que la cuides, que te ocupes de ella. Prométemelo.

—Pero y...

—Por favor —insistió suplicante—. Prométemelo, por favor.

—De acuerdo. Te lo prometo.

—Y prométeme que nunca la llevarás a verme.

—¿Cómo?

Ahora lloraba incontinente y las lágrimas le rodaban por las mejillas mojándome la cara.

—Maldita sea, prométeme que nunca le hablarás de mí. Críala como si fuese hija tuya y no dejes que venga a verme a la cárcel. Prométemelo, Will. Prométemelo o disparo.

—Dame la pistola y te lo prometo —dije.

Me miró y me puso el arma en la mano antes de besarme con fuerza. Yo lo rodeé con mis brazos y apreté con fuerza a mi hermano, el asesino. Permanecimos fundidos en un abrazo un largo rato, él llorando sobre mi pecho como una criatura, hasta que oímos las sirenas.

—Vete —dije tratando de apartarlo de mí—. Por favor, corre —susurré suplicante.

Pero él no se movió. Esta vez no. Nunca sabré por qué exactamente. Quizá ya estaba harto de huir. Quizá quería apartarse del mal, o simplemente deseaba que lo retuviesen. No lo sé, lo cierto es que se quedó abrazado a mí hasta que llegó la policía y se lo llevaron.

58

Cuatro días después

El avión de Carly llegaba a su hora.

Cuadrados nos llevó al aeropuerto. Él, Nora y yo nos dirigimos a la terminal C del aeropuerto de Newark. Nora iba delante porque conocía a la niña y ansiaba volver a verla. Yo, por mi parte, también estaba deseándolo, pero estaba asustado.

—He hablado con Wanda —dijo Cuadrados.

Lo miré.

—Se lo he contado todo.

—¿Y qué?

Se detuvo y se encogió de hombros.

—Se ve que los dos vamos a ser padres antes de lo previsto.

Lo abracé infinitamente contento por ellos dos, a pesar de la inseguridad respecto a mi situación. Iba a hacerme cargo de una niña de doce años a quien no conocía. Lo haría lo mejor posible pero, pese a lo que Cuadrados afirmaba, yo nunca sería el padre de Carly. Me había hecho a la idea de muchas cosas sobre Ken, entre ellas la posibilidad de que pasase el resto de sus días en la cárcel, pero su insistencia en negarse a ver a su hija me soliviantaba, pese a que suponía que él pretendía su bien y pensaba que lo mejor era mantenerla alejada de él.

Digo que me lo «suponía» porque no podía preguntárselo. Después de la detención también se había negado a verme a mí. No sabía por qué, pero aquellas palabras que había susurrado...

«A ti te he hecho más daño y te he engañado más que a nadie», seguía resonando dentro de mí, desgarrándome inexorablemente el alma.

Cuadrados se quedó fuera mientras Nora y yo corrimos hacia la zona de llegada. Nora llevaba el anillo de prometida. Habíamos acudido antes de la hora, desde luego; dimos con la puerta correspondiente y avanzamos deprisa por el pasillo; Nora puso el bolso en el detector de rayos X y yo hice sonar el de metales: por culpa del reloj. Corrimos hacia la sala de espera, pero aún faltaba un cuarto de hora para que el avión aterrizara.

Nos sentamos cogidos de las manos, aguardando. Melissa había decidido quedarse en Nueva York unos días hasta que mi padre se repusiera. Yvonne Sterno, tal como le había prometido, tenía en exclusiva una historia que no sé lo que significó para su carrera. Aún no me había puesto en contacto con Edna Rogers, pero pensaba hacerlo en breve.

En cuanto a Katy, no denunciamos los disparos con el deseo de poner punto final a todo. Consideré si aquella noche habría sido un desahogo para ella y me imaginé que era muy posible.

El director adjunto responsable Joe Pistillo acababa de anunciar su inminente jubilación para final de año. Ahora comprendía perfectamente por qué insistía tanto en que dejase a Katy Miller al margen del asunto, no sólo por su bien, sino por lo que había visto. No sé si Pistillo dudaba seriamente del testimonio de una criatura de seis años o si tanto tiempo viendo a su sufriente hermana le había hecho acomodar tal testimonio a sus propósitos, ni sé por qué los federales habían mantenido su testificación en secreto, pero sería seguramente para no implicar en un homicidio a una criatura. Aunque tengo mis dudas.

Naturalmente, el descubrimiento de la verdad sobre mi hermano me había dejado anonadado, pero en cierto modo, por raro que suene, había sido bueno. A fin de cuentas, la fea verdad era mejor que la mentira más edulcorada. La revelación había ensombrecido mi vida, pero también la había centrado.

—¿Te encuentras bien? —preguntó Nora inclinándose sobre mí.

—Tengo miedo —respondí.

—Te quiero —dijo ella—. Y Carly también te querrá.

Miramos la pantalla de llegadas, que comenzó a parpadear. El porter o de Continental Airlines cogió el micrófono y anunció la llegada del vuelo 672 : el avión de Carly. Me volví hacia Nora. Me sonrió y me apretó la mano.

A partir de ese momento, mi mirada divagó sobre el público que llenaba la sala de espera: hombres con traje, mujeres con carritos de tránsito, familias que iban de vacaciones y gente cansada, frustrada por haber sufrido un retraso. Miraba sin mucha atención sus caras y fue en ese momento cuando lo vi observándome y el corazón me dio un vuelco: El Espectro.

Me sacudió un estremecimiento.

—Nora —dije.

—¿Qué?

—Nada.

El Espectro me hizo una señal para que me acercase y yo me puse en pie como en trance.

—¿Adónde vas?

—Vuelvo ahora mismo.

—Está a punto de llegar el avión.

—Tengo que ir al servicio.

La besé con dulzura en la frente y ella me escrutó preocupada dirigiendo la mirada hacia donde yo había visto a El Espectro segundos antes. Pensé que, si no le hacía caso, sería peor; él nos encontraría.

Tenía que enfrentarme a él.

Eché a andar hacia donde lo había visto. Las piernas me temblaban, pero saqué fuerzas de flaqueza. Al pasar junto a una hilera de teléfonos públicos oí que me llamaba por mi nombre:

—Will.

Me volví y lo vi a dos pasos de mí, sentado. Me hizo una seña para que me sentara a su lado, y así lo hice. Estábamos situados frente a la luna que daba al exterior y que potenciaba la luz del sol, y el calor era sofocante. Entrecerramos los dos los ojos.

—No regresé por tu hermano —dijo El Espectro—. Regresé por Carly.

Sus palabras me aterraron.

—No la tendrás.

—No lo entiendes —replicó sonriendo.

—Pues explícamelo.

El Espectro giró el cuerpo hacia mí.

—Tú pretendes que la gente se apunte a un bando o a otro, Will. Que los buenos estén de un lado y los malos del otro. Pero la cosa no funciona así, ¿sabes? No es tan sencillo. El amor, por ejemplo, engendra odio, y yo creo que todo empezó por ahí: por un cariño irracional.

—No entiendo lo que dices.

—Hablo de tu padre —contestó él—. Él quería mucho a Ken. Yo busco el origen, Will, y ahí es donde lo encuentro, en el cariño de tu padre.

—Sigo sin entenderte.

—Lo que voy a decirte —prosiguió él— sólo se lo he contado a otra persona. ¿Entiendes?

Dije que sí.

—Hay que retroceder a la época en que Ken y yo estábamos en cuarto grado —añadió—. ¿Sabes?, no fui yo quien apuñaló a Daniel Skinner, sino Ken. Pero tu padre lo quería tanto que lo encubrió. Sobornó a mi viejo. Le pagó cinco de los grandes. Lo creas o no, tu padre lo consideró una obra de caridad porque mi viejo me pegaba continuamente. Casi todo el mundo pensaba que yo estaría mejor en un centro de menores. El planteamiento de tu padre fue que una de dos: o me declaraban no culpable por haber actuado en defensa propia, o iba a parar a una institución donde me aplicaran terapia y comiera tres veces al día.

Me quedé de piedra sin poder replicar. Pensé en nuestro encuentro en el campo de deportes y en el terror de mi padre, en su silencio cuando volvimos a casa, en sus palabras a Asselta: «Si quieres algo, aquí me tienes a mí». Todo volvía a cobrar una lógica implacable.

—Sólo le conté la verdad a una persona —dijo—. ¿Adivinas a quién?

Noté dentro de mí algo que ajustaba en el esquema.

—A Julie —dije.

Él asintió con la cabeza. Aquél era el vínculo que explicaba su extraña amistad.

—¿Y a qué has venido aquí? —pregunté—. ¿A vengarte en la hija de Ken?

—No —replicó El Espectro riendo—. No es fácil explicártelo, Will. Tal vez la ciencia pueda ayudar a que lo entiendas.

Me tendió una carpeta que miré de hito en hito.

—Ábrela —dijo.

Hice lo que me ordenó.

—Es la autopsia de la recientemente fallecida Sheila Rogers —añadió.

Fruncí el entrecejo, no porque me extrañara que estuviera en su poder, pues estaba seguro de que tenía sus recursos.

—¿Qué tiene esto que ver con la historia?

—Lee aquí —dijo él señalando con el dedo un párrafo hacia la mitad del informe—. ¿Ves lo que dice al final? Que no hay señales de desgarro en el periostio pubiano, ni se menciona nada sobre estriación en senos ni en la pared abdominal. No es nada extraño, desde luego. No tiene ninguna importancia, a menos que esperes encontrarlo.

—Encontrar, ¿qué?

—Señales de que la víctima hubiese dado a luz —respondió él cerrando la carpeta—. En otras palabras —añadió al ver mi cara de desconcierto—, que Sheila Rogers no pudo ser la madre de Carly.

Iba a decir algo pero él me tendió otra carpeta. Leí el nombre.

Julie Miller.

Sentí un escalofrío. La abrió, señaló un párrafo y empezó a leer:

—«Desgarros pubianos, estriación evidente, cambios microscópicos en la arquitectura de los senos y el tejido uterino.» Y el trauma era reciente por lo que dice aquí —añadió—: «Cicatriz de episiotomía bastante notoria».

Leí la frase.

—Julie no volvió a su casa simplemente para encontrarse con Ken. Ya por entonces trataba de rehacer su vida después de una mala racha y estaba dispuesta a confesarte la verdad.

—¿Qué verdad?

El Espectro negó con la cabeza y prosiguió:

—Te lo hubiera dicho antes, pero no estaba segura de tu reacción. Habías aceptado tan fácilmente la ruptura... Eso es lo que quise darte a entender cuando te dije que habrías tenido que luchar por ella. Tú la abandonaste.

Nos miramos cara a cara.

—Julie tuvo un niño seis meses antes de morir —añadió él—. Ella y el bebé, una niña, vivieron con Sheila Rogers en aquel apartamento. Yo creo que Julie habría llegado a decirte la verdad aquella misma noche, pero tu hermano lo impidió. Sheila también quería a la niña. Tras el asesinato de Julie, puesto que tu hermano tenía que huir, fue Sheila quien se brindó a quedarse con ella. Ken, por supuesto, entendió lo útil que podía ser una criatura como tapadera para un fugitivo. Ni él ni Sheila tenían hijos y, por consiguiente, era la cobertura perfecta.

Recordé lo que me había susurrado Ken.

—¿Entiendes lo que te digo, Will?

«A ti te he hecho más daño y te he engañado más que a nadie.»

La voz de El Espectro me sacó de mi ensoñación.

—Tú no eres ningún sustituto. Eres el padre de Carly.

Creo que ya no respiraba. Miraba al infinito. Herido y engañado. Mi propio hermano me había arrebatado a mi hija.

El Espectro se levantó.

—No volví para vengarme ni hacer justicia —añadió—, mas la verdad es que Julie murió por protegerme y yo no estuve a la altura, pero juré salvar a la niña y he tardado once años.

Me puse en pie tambaleándome. Seguíamos los dos juntos cuando los pasajeros comenzaban a desembarcar. El Espectro me metió algo en el bolsillo. Era un papel, pero no lo miré.

—Le envié una cinta de vigilancia a Pistillo para que McGuane no te molestase. Aquella noche, en el sótano, encontré las pruebas que he guardado durante estos once años. Tú y Nora no corréis ningún peligro. Todo está arreglado.

Continuaban desembarcando pasajeros y yo los miraba sin dejar de escucharlo.

—Recuerda que Katy es la tía de Carly y que los Miller son sus abuelos. Deja que sean parte de su vida. ¿Me oyes?

Asentí con la cabeza y en ese momento vi a Carly cruzar la puerta. Me quedé en blanco. La niña andaba con una gracia, una seguridad... igual que..., igual que su madre. Miró a la gente y, al ver a Nora, la sonrisa más maravillosa del mundo iluminó su rostro. Sentí que se me rompía el corazón. En aquel preciso instante, se resquebrajó. Aquella sonrisa era la sonrisa de mi madre. La sonrisa de Sunny que volvía como un eco del pasado, una prueba de que algo quedaba de mi madre, de Julie.

Reprimí un sollozo y sentí una mano en el hombro.

—Anda, ve —musitó El Espectro empujándome suavemente hacia mi hija.

Miré hacia atrás pero John Asselta había desaparecido. Hice lo único que podía hacer. Fui al encuentro de la mujer que quería y de mi hija.

Epílogo

Aquella noche, después de besar y acostar a Carly, encontré el papel que Asselta me había metido en el bolsillo; era un recorte de prensa:

KANSAS CITY HERALD

Un hombre encontrado muerto en un coche

Cramden, Missouri. Cray Spring, un agente de policía de la comisaría de Cramden fuera de servicio, fue hallado estrangulado en su coche, al parecer víctima de un robo. Según el informe no se ha encontrado su cartera. La policía afirma que el coche estaba en el aparcamiento trasero de un bar de la localidad. El jefe de policía Evan Kraft añadió que no había sospechosos de momento pero que la investigación proseguía.

AGRADECIMIENTOS

El autor agradece a las siguientes personas su asesoramiento técnico: a Jim White, director ejecutivo de Covenant House Newark; Anne Armstrong-Coben, doctora en Medicina y directora médica de Covenant House Newark; Frank Gilliam, director de Ayudas Sociales, Covenant House Atlantic City; Mary Ann Daly, directora de Programas de la Comunidad, Covenant House Atlantic City; Kim Sutton, director interno, Covenant House Atlantic City; Steven Miller, doctor en Medicina, director de Urgencias Pediátricas del hospital infantil de Nueva York-Presbyterian, Universidad de Columbia; Douglas P. Lyle, doctor en Medicina; Richard Donnen (por el empujón final); Linda Fairstein, ayudante del fiscal del distrito de Manhattan; Gene Riehl, FBI (retirado); Jeffrey Bedford, agente especial del FBI. Estas personas facilitaron al autor valiosas explicaciones que verán aquí tergiversadas y modificadas según su conveniencia.

Covenant House existe como organización realmente, pero me he tomado con ella varias libertades. He inventado muchas cosas, recurso lógico en textos de ficción, pero he intentado mantener intacto el espíritu de entrega de la organización. Quienes estén interesados en colaborar pueden ponerse en contacto en www.coventhouse.org.

También quiero dar las gracias al magnífico equipo formado por Irwyn Applebaum, Nita Taubblib, Danielle Pérez, Barb Burg, Susan Corcoran, Cynthia Lasky, Betsy Hulsebosch, John Wood, Joel Gotler, Maggie Griffin, Lisa Erbach Vance y Aaron Priest. Todos significáis mucho para mí.

Repito: esto es una novela. Lo cual quiere decir que invento cosas.

HARLAN COBEN

MYRON BOLITAR

1. Motivo de ruptura

El agente deportivo Myron Bolitar está a las puertas de conseguir algo grande. El prometedor jugador de fútbol americano Christian Steele está a punto de convertirse en su cliente más valioso. Sin embargo, todo parece truncarse con la llamada de una antigua novia de Christian que todo el mundo cree muerta. Para averiguar la verdad, Bolitar tendrá que adentrarse en un laberinto de mentiras, secretos y tragedias.

2. Golpe de efecto

Parecía que la carrera de la tenista Valerie Simpson iba a ser relanzada de nuevo. Dejaría atrás su pasado fuera de las pistas. Pero alguien se lo ha impedido. A sangre fría. Como agente deportivo, Myron Bolitar quiere llegar al fondo del asunto y descubrir qué conexión hubo entre dos deportistas de élite en un pasado que cada vez se intuye más turbio.

3. Tiempo muerto

Diez años atrás, una lesión fatal acabó prematuramente con la carrera deportiva de Myron Bolitar. Ahora, una llamada del propietario de un equipo de baloncesto profesional le brinda la oportunidad de volver a la cancha. Pero esta vez no se trata de jugar profesionalmente, sino de infiltrarse de incógnito en el entorno del equipo para averiguar el paradero de un jugador misteriosamente desaparecido.

4. Muerte en el hoyo 18

En pleno apogeo del prestigioso Open estadounidense de golf, acaban de secuestrar a un adolescente. Se trata del hijo de una de las estrellas femeninas, Linda Coldren, y de su marido Jack, otro golfista profesional que este año tiene posibilidades de ganar el torneo. El agente deportivo Myron Bolitar acepta el encargo de intentar encontrar al muchacho.

5. Un paso en falso

Brenda Slaughter es una estrella del baloncesto profesional. Como agente deportivo, Myron Bolitar tiene interés profesional por ella. Y también otro tipo de interés. De repente, la vida de Brenda puede correr peligro, y Myron decide protegerla. El origen de la pesadilla que está viviendo la jugadora puede encontrarse en su pasado, así que Myron tendrá que desentrañar el misterio si quiere salvarla.

6. El último detalle

Myron Bolitar recibe una noticia inesperada: su socia Esperanza Díaz ha sido acusada del asesinato de uno de sus clientes, jugador de béisbol profesional. Naturalmente, la intención inicial de Myron es ayudar a su socia, pero el abogado de Esperanza le recomienda no mantener ningún contacto con él.

7. El miedo más profundo

La visita de una exnovia sorprende a Myron Bolitar. Y trae noticias perturbadoras. Su hijo se está muriendo y necesita urgentemente un trasplante. El único donante ha desaparecido. Pero eso no es todo. Hay algo más íntimo: el adolescente ¡es también hijo de Myron! Desde el momento en que conoce la noticia, para Myron el caso se convierte en el más personal de su vida.

8. La promesa

Hace seis años que Myron Bolitar lleva una vida tranquila. Eso va a cambiar por culpa de una promesa. Decidido a proteger a los hijos alocados de sus amigos, Myron cumple la promesa de ayudar a una chica que le pide que le lleve en coche. Él la deja en la dirección indicada y ella... desaparece misteriosamente.

9. Desaparecida

Hace una década que Myron Bolitar no sabe nada de Terese Collins, con la que mantuvo una relación. Por eso, su llamada desde París le coge totalmente por sorpresa. Tras la larga desaparición de Terese se esconde una trágica historia y un turbio pasado. Ahora es sospechosa del asesinato de su exmarido.

10. Alta tensión, IV Premio RBA de Novela Negra

Suzze T es una famosa tenista retirada que se ha casado con una estrella de rock y además ahora está embarazada. Tras descubrir un mensaje anónimo en el que se pone en duda la paternidad de su hijo, el marido de Suzze T desaparece. Desesperada, la extenista recurre a Myron Bolitar.

OTROS TÍTULOS DE HARLAN COBEN EN RBA

No se lo digas a nadie

El doctor David Beck y su mujer Elizabeth vivían desde muy jóvenes una idílica historia de amor. La tragedia acabó con todo. Elizabeth fue brutalmente asesinada y el criminal condenado a prisión. Sin embargo, David está lejos de encontrar la paz. Ocho años después de morir Elizabeth, la sangre vuelve a emerger, y David recibe un extraño mensaje que parece devolver a su esposa a la vida.

Por siempre jamás

De pequeño, Will Klein tenía un héroe: su hermano mayor Ken. Una noche, en el sótano de los Klein aparece el cadáver de una chica, asesinada y violada. Ante los indicios que señalan a Ken como culpable, el hermano de Will desaparece. Una década después, Will descubre unas cuantas cosas más sobre su hermano.

Última oportunidad

Marc Seidman despierta en el hospital. Hace doce días tenía una vida familiar ideal. Hoy ya no existe. Alguien le ha disparado, su esposa ha sido asesinada y su hija de seis meses ha desaparecido. Antes de que la desesperación más absoluta se adueñe de Marc, recibe algo que le da esperanza: una nota de rescate.

Solo una mirada

Cuando Grace Lawson va a recoger un juego de fotos, observa con sorpresa que hay una que no es suya. Se trata de una fotografía antigua en la que aparecen cinco personas. Cuatro de ellas son desconocidas, pero hay un hombre que es exactamente igual que Jack, su marido. Al ver la foto, Jack niega ser él, pero por la noche, desaparece de casa llevándose esa foto.

El inocente

El destino cambió de repente la vida de Matt Hunter. Al presenciar una pelea, Matt quiso intervenir y acabó matando a un inocente de forma involuntaria. Nueve años después, ya como exconvicto, Matt intenta dejar atrás el pasado. Sin embargo, una simple llamada puede volver a cambiar el rumbo de su vida.

El bosque

Veinte años atrás, durante un campamento de verano, un grupo de jóvenes se adentró en el bosque y fueron víctimas de un asesino en serie. En ese grupo iba la hermana de Paul Copeland, y su cuerpo nunca apareció. Ahora, Copeland es el fiscal del condado de Essex y tendrá que decidir cómo afrontar el pasado.

Ni una palabra

Tia y Mike Baye no sospechaban que acabarían espiando a sus hijos. Pero Adam, su hijo de dieciséis años, se ha mostrado muy distante desde el suicidio de su mejor amigo. Su actitud les preocupa. Cada vez más. Porque detrás de secretos y silencios, se esconden algunas verdades inesperadas y una realidad trágica.

Atrapados

Haley McWaid es una buena chica de la que su familia se siente orgullosa. Por eso, es extraño que una noche no vuelva a dormir a su casa. La sorpresa da paso al pánico cuando la chica sigue sin aparecer. La familia de Haley se teme lo peor.

Refugio

Las cosas para el joven Mickey Bolitar parecen no ir bien. Tras la muerte de su padre, se ha visto obligado a internar a su madre y a irse a vivir con su tío Myron. Por suerte, ha conocido a una chica, Ashley. Sin embargo, la muchacha desaparece.

Quédate a mi lado

Megan, Ray y Broome notan el peso del pasado. Megan ahora es feliz con su familia, pero hace años caminó por el lado salvaje de la vida. Ray fue un talentoso fotógrafo al que el destino llevó a trabajar para la prensa amarilla. Y Broome es un detective obsesionado con un caso de desaparición archivado.

Seis años

Hace seis años, Jake vio cómo el amor de su vida, Natalie, se casaba con otro hombre llamado Todd. Jake nunca ha podido olvidarla. Por ello, al enterarse de la muerte de Todd, Jake no puede evitar asistir a su funeral. Allí le espera una incomprensible sorpresa que cambiará completamente la imagen que él tenía de Natalie.

Te echo de menos

En un sitio web de citas, Kat Donovan, policía de Nueva York, ve la foto de su exnovio Jeff, que le rompió el corazón hace dieciocho años. Al intentar ponerse en contacto con él, su optimismo se transforma en sospechas y en un creciente terror.